S0-GBH-018

Eugen Roth · Neues vom Menschen

Eugen Roth
Neues vom Menschen

Deutscher Bücherbund Stuttgart

Illustrationen: Herbert Lentz

Lizenzausgabe für die Mitglieder des
Deutschen Bücherbundes Stuttgart · Hamburg · München
Alle Rechte vorbehalten
© 1966, 1970 Carl Hanser Verlag, München
Papier: Papierfabrik Niefern, Bohnenberger & Cie.
Satz und Druck: Hanseatische Druckanstalt GmbH, Hamburg
Buchbinderei: Klemme & Bleimund, Bielefeld
— 01365/6 —

Inhalt

Mensch, Unmensch und letzter Mensch 7
Der Wunderdoktor 47
Gute Reise 67
Das Taschentuch 81
Kurze Suppenkunde 89
Limericks 95
Kunterbuntes Alphabet 103
Lebenslauf in Anekdoten 111
Unter Brüdern 193
Erzählungen 213
75 Jahre Münchner 297

Mensch, Unmensch und letzter Mensch

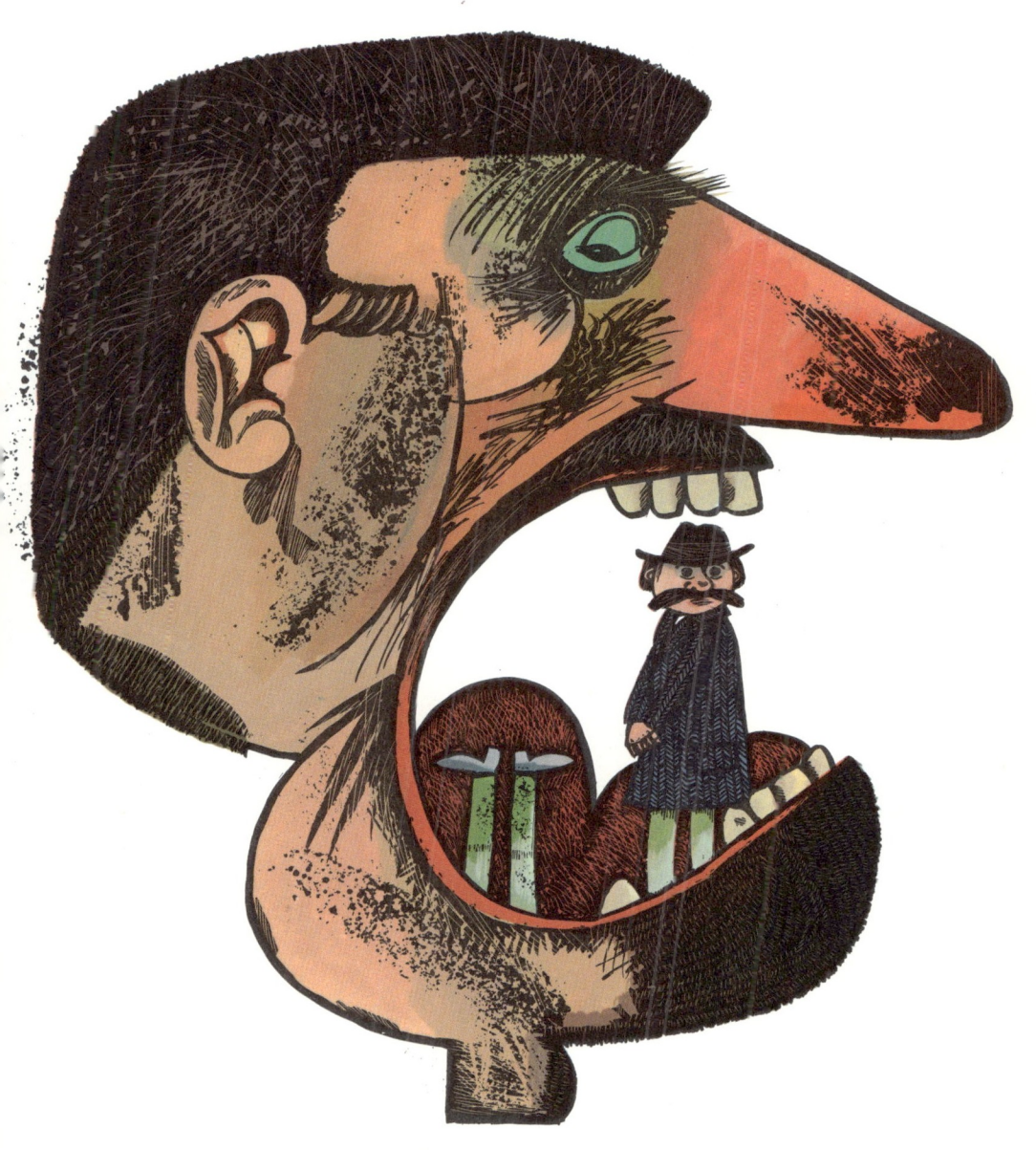

Phantastereien

Ein Mensch denkt nachts in seinem Bette,
Was er gern täte, wäre, hätte.
Indes schon Schlaf ihn leicht durchrinnt,
Er einen goldnen Faden spinnt
Und spinnt und spinnt sich ganz zurück
In Märchentraum und Kinderglück.
Er möchte eine Insel haben,
Darauf ein Schloß mit Wall und Graben,
Das so geheimnisreich befestigt,
Daß niemand ihn darin belästigt.
Dann möchte er ein Schiff besitzen
Mit selbsterfundenen Geschützen,
Daß ganze Länder, nur vom Zielen,
In gläserne Erstarrung fielen.
Dann wünscht er sich ein Zauberwort,
Damit den Nibelungenhort —
Tarnkappe, Ring und Schwert — zu
  heben.
Dann möcht er tausend Jahre leben,
Dann möcht er . . . doch er findet plötzlich
Dies Traumgeplantsch nicht mehr ergötzlich.
Er schilt sich selbst: »Hanswurst,
  saudummer!«
Und sinkt nun augenblicks in
  Schlummer.

Richtig und falsch

Ein Mensch trifft einen in der Stadt,
Der, ihn zu treffen, Freude hat
Und ihm zum Gruße unbekümmert
Die linke Schulter halb zertrümmert.
»Na, herrlich!« ruft er, »alter Knabe,
Gut, daß ich dich getroffen habe.
Ich wette, du läßt dich nicht lumpen,
Mir eine Kleinigkeit zu pumpen,
Fünf Mark bis morgen oder zehn.
Recht vielen Dank, auf Wiedersehn!«
Der Mensch ist noch im ungewissen,
Wieso man ihm zehn Mark entrissen,
Als schon ein zweiter ihm begegnet,
Der diesen Zufall grad so segnet.
Mit Seufzen hebt er an die Klage
Von der zur Zeit sehr schlimmen Lage,
Und zwar a) von der allgemeinen,
b) insbesondere von der seinen.
Der Mensch, indes der andere stammelt,
Sich still die Abwehrkräfte sammelt
Zur Rede, welche mild gedämpft
Des andern Absicht niederkämpft.
Moral: Vor Wert ist nur der rasche
Zugriff auf deines Nächsten Tasche.

Märchen

Ein Mensch, der einen andern traf,
Geriet in Streit und sagte: »Schaf!«
Der andre sprach: »Es wär Ihr Glück,
Sie nähmen dieses Schaf zurück!«
Der Mensch jedoch erklärte: Nein,
Er säh dazu den Grund nicht ein.
Das Schaf, dem einen nicht will-
    kommen,
Vom andern nicht zurückgenommen,
Steht seitdem, herrenlos und dumm,
Unglücklich in der Welt herum.

Versagen der Heilkunst

Ein Mensch, der von der Welt Gestank
Seit längrer Zeit schwer nasenkrank,
Der weiterhin auf beiden Ohren
Das innere Gehör verloren,
Und dem zum Kotzen ebenfalls
Der Schwindel raushängt schon zum
    Hals,
Begibt sich höflich und bescheiden
Zum Facharzt für dergleichen Leiden.
Doch dieser meldet als Befund,
Der Patient sei kerngesund,
Die Störung sei nach seiner Meinung
Nur subjektive Zwangserscheinung.
Der Mensch verlor auf dieses hin
Den Glauben an die Medizin.

Durch die Blume

Ein Mensch pflegt seines Zimmers
    Zierde,
Ein Rosenstöckchen, mit Begierde.
Gießt's täglich, ohne zu ermatten,
Stellt's bald ins Licht, bald in den
    Schatten,
Erfrischt ihm unentwegt die Erde,
Vermischt mit nassem Obst der Pferde,
Beschneidet sorgsam jeden Trieb —
Doch schon ist hin, was ihm so lieb.
Leicht ist hier die Moral zu fassen:
Man muß die Dinge wachsen lassen!

Der Schäbige

Ein Mensch, den beinah jeder kennt,
Mit einem Wort, der prominent,
Schwärmt ungemein für Menschlich-
    keit:
Wie edel, gut und hilfsbereit!
Nicht etwa, daß er selbst was stift' —
Doch gibt er seine Unterschrift,
Um auch dem Ärmsten zu bestätigen,
Hier müss' man helfend sich betätigen.

Schicksal

Ein Mensch, verliebt, scheint nah dem Ziele:
Daß *sie* ihm in die Arme fiele!
Doch bleibts ein hoffnungsloser Schwarm:
Das Schicksal fällt ihm in den Arm!

Voreilige Grobheit

Ein Mensch, der einen Brief geschrieben,
Ist ohne Antwort drauf geblieben
Und fängt nun, etwa nach vier Wochen,
Vor Wut erheblich an zu kochen.
Er schreibt, obgleich er viel verscherzt,
Noch einen Brief, der sehr beherzt,
Ja, man kann sagen, voller Kraft,
Ganz ehrlich: äußerst flegelhaft!
Nun nimmt das Schicksal seinen Lauf:
Denn diesen Brief gibt er auch auf!
Die Post wird pünktlich ihn besorgen —
Doch siehe da, am nächsten Morgen
Ist leider, wider alles Hoffen,
Bei ihm die Antwort eingetroffen,
In der von jenem Herrn zu lesen,
Er sei so lang verreist gewesen,
Nun aber sei er wieder hiesig
Und freue sich daher ganz riesig,
Und er — der Mensch — könnt mit Vergnügen
Nach Wunsch ganz über ihn verfügen.
Der Mensch, der mit dem Brief, dem groben,
Sein Seelenkonto abgehoben,
Nein, noch viel tiefer sich versündigt:
Das Los zum Ziehungstag gekündigt,
Schrieb noch manch groben Brief im Leben —
Doch ohne ihn dann aufzugeben!

Verdorbener Abend

Ein Mensch gedenkt, daheim zu bleiben
Und still an seinem Buch zu schreiben.
Da ruft ein Freund an, ausgen-heiter,
Und möchte ihn als Fest-Begleiter.
Der Mensch lehnt ab, er sei verhindert.
Jedoch sein Fleiß ist schon gemindert.
Indes er wiederum nun sitzt,
Ein graues Heer von Ratten flitzt
Aus allen Winkeln, Ritzen, Rillen,
Um zu benagen seinen Willen.
Gleichzeitig äußert sich auch jetzt
Der Floh, ihm jäh ins Ohr gesetzt,
Daß er die herrlichsten Genüsse
Durch seinen Trotz versäumen müsse.
Geheim vertauscht sich Zeit und Ort:

Halb ist er hier, halb ist er dort,
Und ist schon dort jetzt zu zwei Dritteln.
Er greift zu scharfen Gegenmitteln,
Beschimpft sich, gibt sich selbst Befehle,
Rast gegen seine schwache Seele —
Umsonst; er schleppt zum Schluß den Rest,
Der noch geblieben, auf das Fest.

Jedoch der Rest ist leider schal,
Dem Menschen wird die Lust zur Qual.
Nach Hause geht er bald, bedrückt ...
Es scheint, der Abend ist mißglückt.

So ist das Leben

Ein Mensch lebt friedlich auf der Welt,
Weil fest und sicher angestellt.
Jedoch so Jahr um Jahr, wenns lenzt,
Fühlt er sich sklavenhaft begrenzt
Und rasselt wild mit seinen Ketten,
Als könnt er so die Seele retten
Und sich der Freiheit und dem Leben
Mit edlem Opfermut ergeben.
Jedoch bei näherer Betrachtung
Spielt er nur tragische Verachtung
Und schluckt, kraft höherer Gewalt,
Die Sklaverei und das Gehalt.
Auf seinem kleinen Welttheater
Mimt schließlich er den Heldenvater
Und denkt nur manchmal noch zurück
An das einst oft geprobte Stück,
Das niemals kam zur Uraufführung.
Und er empfindet tiefe Rührung,
Wenn er die alte Rolle spricht
Vom Mann, der seine Ketten bricht.

Der Lebenskünstler

Ein Mensch, am Ende seiner Kraft,
Hat sich noch einmal aufgerafft.
Statt sich im Schmerze zu vergeuden,
Beschließt er, selbst sich zu befreuden
Und tut dies nun durch die Erdichtung
Von äußerst peinlicher Verpflichtung.
So ist ihm Reden eine Qual.
Sitzt er nun wo als Gast im Saal,
Befiehlt er streng sich in den Wahn,
Er käm jetzt gleich als Redner dran,
Macht selber Angst sich bis zum
  Schwitzen —
Und bleibt dann glücklich lächelnd
  sitzen.
Dann wieder bildet er sich ein,
Mit einem Weib vermählt zu sein,
Das trotz erbostem Scheidungsrütteln
Auf keine Weise abzuschütteln.
Wenn er die Wut, daß sie sich weigert,
Bis knapp zum Mord hinaufgesteigert,
So lacht er über seine List
Und freut sich, daß er ledig ist.
Ein Mensch, ein bißchen eigenwillig,
Schafft so sich Wonnen, gut und billig.

Die Torte

Ein Mensch kriegt eine schöne Torte.
Drauf stehn in Zuckerguß die Worte:
»Zum heutigen Geburtstag Glück!«
Der Mensch ißt selber nicht ein Stück,
Doch muß er in gewaltigen Keilen
Das Wunderwerk ringsum verteilen.
Das »Glück«, das »heu«, der »Tag« verschwindet,
Und als er nachts die Torte findet,
Da ist der Text nur mehr ganz kurz.
Er lautet nämlich nur noch: . . .
 »burts« . . .
Der Mensch, zur Freude jäh entschlossen,
Hat diesen Rest vergnügt genossen.

Fremde Welt

Ein Mensch, als Tiefseefisch gebaut,
Ist mit der Finsternis vertraut.
Doch Sehnsucht treibt ihn dorthin bald,
Wo's nicht so dunkel und so kalt,
So daß er kühn nach oben schwimmt
In Kreise, nicht für ihn bestimmt.
Dort tummeln Fische sich umher,
Die weitaus schöner sind als er
Und die mit einer wunderleichten
Bewegtheit spielen hier im Seichten.
Der Mensch, vielmehr der Tiefseefisch,
Fühlt sich hingegen gar nicht frisch
Und ist, indem er glotzend staunt,
In dieser Welt nicht wohlgelaunt
Und kehrt, selbst fühlend, daß er stört,
Dorthin zurück, wo er gehört.
Womit sogar von Paradiesen
Die Rela-Tiefe ist bewiesen.

Immer höflich

Ein Mensch grüßt, als ein Mann von Welt,
Wen man ihm einmal vorgestellt.
Er trifft denselben äußerst spärlich,
Wenns hochkommt, drei- bis viermal jährlich,

Und man begrinst sich, hohl und heiter,
Und geht dann seines Weges weiter.
Doch einmal kommt ein schlechter Tag,
Wo just der Mensch nicht grinsen mag;
Und er geht stumm und starr vorbei,
Als ob er ganz wer andrer sei.
Doch solche Unart rächt sich kläglich:
Von Stund an trifft er jenen täglich.

Selbstloser Rat

Ein Mensch, ganz scheußlich abgehetzt,
Schwört, in den Urlaub fahr er jetzt —
Wozu auch jeder Kunde rät:
Vielleicht schon morgen seis zu spät.
Sofort — schließt jeder seine Predigt —
Wenn *meine* Sache Sie erledigt,
Dann müssen Sie, mags schlecht auch
  passen,
Entschlossen alles liegen lassen!

Für Fortschrittler

Ein Mensch liest staunend, fast entsetzt,
Daß die moderne Technik jetzt
Den Raum, die Zeit total besiegt:
Drei Stunden man nach London fliegt.
Der Fortschritt herrscht in aller Welt.
Jedoch, der Mensch besitzt kein Geld.
Für ihn liegt London grad so weit
Wie in der guten alten Zeit.

Arbeiter der Stirn

Ein Mensch sitzt kummervoll und stier
Vor einem weißen Blatt Papier.
Jedoch vergeblich ist das Sitzen —
Auch wiederholtes Bleistiftspitzen
Schärft statt des Geistes nur den Stift.

Selbst der Zigarre bittres Gift,
Kaffee gar, kannenvoll geschlürft,
Den Geist nicht aus den Tiefen schürft,
Darinnen er, gemein verbockt,
Höchst unzugänglich einsam hockt.

Dem Menschen kann es nicht gelingen,
Ihn auf das leere Blatt zu bringen.
Der Mensch erkennt, daß es nichts
  nützt,
Wenn er den Geist an sich besitzt,
Weil Geist uns ja erst Freude macht,
Sobald er zu Papier gebracht.

Weidmanns Heil

Ein Mensch, schon vorgerückt an
  Jahren,
Entschließt sich dennoch, Schi zu fahren,
Und zwar, weil er einmal erfuhr,
Daß in der Freiheit der Natur
Die Auswahl oft ganz unbeschreiblich

An Wesen, welche erstens weiblich
Und zweitens, dies verhältnismäßig
Sehr wohlgestalt und schöngesäßig.
Der Mensch beschließt, mit einem Wort,
Die Häschenjagd als Wintersport.
Doch was er trifft auf Übungshügeln,
Kann seine Sehnsucht nicht beflügeln.
Dort fällt ja stets, seit vielen Wintern,
Das gleiche Volk auf dicke Hintern.
Die Häschen ziehn zu seinem Schmerz
Sich immer höher alpenwärts,
Und sind auch leider unzertrennlich
Vereint mit Wesen, welche männlich.
Der Mensch, der leider nur ein Fretter
Und kein Beherrscher jener Bretter,
Die einzig hier die Welt bedeuten,
Vermag kein Häschen zu erbeuten,
Weshalb er, anstatt Schi zu laufen,
Ins Kurhaus geht, sich zu besaufen.

Nun muß er zwischen Tod und Leben
Hoch überm Schlummerabgrund
   schweben
Und sich mit flatterflinken Nerven
Von einer Angst zur andern werfen
Und wie ein Affe auf dem schwanken
Gezweige turnen der Gedanken,
Muß über die geheimsten Wurzeln
Des vielverschlungnen Daseins purzeln
Und hat verlaufen sich alsbald
Im höllischen Gehirn-Urwald.
In einer Schlucht von tausend Dämpfen
Muß er mit Spukgestalten kämpfen,
Muß, von Gespenstern blöd geäfft,
An Weiber, Schule, Krieg, Geschäft
In tollster Überblendung denken
Und kann sich nicht ins Nichts ver-
   senken.
Der Mensch in selber Nacht beschließt,
Daß er Kaffee nie mehr genießt.
Doch ist vergessen alles Weh
Am andern Morgen — beim Kaffee.

Das Stelldichein

Ein Mensch, der auf die Liebste lauert,
Muß merken, daß es lange dauert.
In finsterm Auf- und Niederstelzen
Fühlt er die Liebe langsam schmelzen.
Hingegen wächst im Hals ihm, knödlich,
Ein Haß, der grausam, ja, fast tödlich.
Bald plant er, dieses Weib in Wettern
Von Mannszorn kurzweg zu zer-
   schmettern,
Bald, Mitleid mit sich selber spürend,
Ersinnt er Szenen, äußerst rührend.
Bald schwört er, spätestens in zehn
Minuten einfach wegzugehn . . .
So sind die Weiber: unverläßlich!
Vielleicht ist sie verunglückt, gräßlich?
Stimmt Ort und Zeit denn überhaupt?

Der starke Kaffee

Ein Mensch, der viel Kaffee getrunken,
Ist nachts in keinen Schlaf gesunken.

Die Lu hätt sich das nie erlaubt ...
Der Mensch — erkennt der Liebe Macht nur! —
Harrt aus von sechs Uhr bis halb acht Uhr.
Und jetzt, wo er schon raucht und brenzelt,
Da kommt sie hold herangeschwänzelt,
Sagt leichthin nur »Entschuldigung!«
Der Mensch, ganz Glück und Huldigung,
Hat still, von ihrem Blick gebändigt,
Den Blumenstrauß ihr ausgehändigt.

Neuralgischer Punkt

Du kannst ein Leben lang wen kennen
Und über Fragen, welche brennen,
Die hitzigsten Gespräche führen:
Nie werdet ihr den Punkt berühren,
Das Wort nie sprechen, unbedacht,
Dran ihr euch hoffnungslos verkracht.
Nach seinem Tod noch wirst du sagen:
Wir haben prächtig uns vertragen.
Doch triffst ein andermal du wen,
Der wie vom Schicksal ausersehn,
Dein lebenswieriger Freund zu sein.
Ihr möchtet's beide — aber nein:
Beim ersten harmlos-heitern Schwätzen
Reißt euch *ein* Wort in tausend Fetzen.

Um vierzig herum

Ein Mensch, sich wähnend noch als junger,
Hat jetzt erst so den rechten Hunger
Und freut sich auf die gute Stunde,
Wo er vergnügt mit vollem Munde
Weinweibgesänglich sitzen dürfte
Und wo der bisher kaum geschlürfte,
Der Göttertrank der Daseinswonnen,
In vollen Strömen käm geronnen.
So rüstet er zum Lebensfeste —
Und sieht entsetzt die kargen Reste,
Die ihm, zu leben und zu lieben,
Für künftige Jahre noch geblieben.
Sich wähnend auf des Glückes Gipfel,
Schaut er der Wurst verlornen Zipfel.
Bereit zum ersten tiefen Zug,
Lechzt er in einen leeren Krug.
Da sitzt er, schüttelt stumm das Haupt,
Weil er es nie und nimmer glaubt,
Daß er sie selbst verzehret habe,
Die unerschöpflich reiche Labe.
Er kaut Erinnrung, saugt Vergessen —
Ist dreißig Jahr noch so gesessen ...

Beherzigung

Ein Mensch, der sich zu gut erschienen,
Als Vorstand dem Verein zu dienen,
Und der, bequem, sich ferngehalten,
Die Kasse etwa zu verwalten,
Der viel zu faul war, Schrift zu führen,
Kriegt einst der Reue Gift zu spüren.
Sein sechzigster Geburtstag naht —
Wo schreitet wer zur Glückwunschtat?
Tut dies am Ende der Verein?
Nur für ein unnütz Mitglied? Nein!
Kein Ständchen stramm, kein Festprogramm,
Auch kein Ministertelegramm,
Kein Dankesgruß der Bundesleitung
Und keine Zeile in der Zeitung.
Wird etwa gar dann sein Begräbnis
Ihm selbst und andern zum Erlebnis?
Sieht man dortselbst Zylinder glänzen?
Schwankt schwer sein Sarg hin unter Kränzen?
Spricht irgendwer am offnen Grabe,

Was man mit ihm verloren habe?
Entblößt sich dankbar eine Stirn?
Läßt eine Hand im schwarzen Zwirn
Auf seinen Sarg die Schollen kollern
Bei Fahnensenken, Böllerbollern? —
An seinem Grab stehn nur der Pfarrer
Und die bezahlten Leichenscharrer.
Der Mensch, der dies beschämend fand,
Ward augenblicks Vereinsvorstand.

Pech

Ein Mensch hats scheinbar gut ge-
    troffen:
Zwei Schalter auf der Post sind offen!
Vorm ersten — eine Anstehschlange:
Da dauerts sicher stundenlange!
Vorm zweiten — nur ein junger Mann:
Dort stellt der Mensch sich glücklich an.
Doch zieht der Mann aus Mappentiefe
Ein Dutzend Auslands-Einschreibbriefe
Und weiß mit höchst verzwickten
    Fragen
Den Postbeamten hinzuplagen.
Jetzt stellt sich gar heraus: er ist
Mit Leidenschaft Philatelist,
Der — wie der Mensch auch stöhnt und
    flucht —
Nach einer Sondermarke sucht.
Inzwischen steht am andern Schalter
Nur noch ein kümmerlicher Alter,
So daß der Mensch 's für richtig hält,
Daß er sich hinter diesen stellt.
Der Alte ist halb taub und blind
Und unbeholfen wie ein Kind.
Er will belehrt sein, höchst ausführlich,
Wie sichs verhalte, postgebührlich.
Kein End scheint hier auch abzusehn:
Der Mensch entschließt sich, wegzu-
    gehn —
Obwohl sich hinter ihm derweil
Gebildet hat ein Kundenkeil.
Doch treibt das Schicksal seine Possen:
Am Schalter zwei steht jetzt: Ge-
    schlossen!

Der Provinzler

Ein Mensch in einer kleinen Stadt,
Wo er sonst keinen Menschen hat, —
Und, gottlob, nur drei Tage bleibt —
Mit einem sich die Zeit vertreibt,

Der, ortsgeschichtlich sehr beschlagen,
Ihm eine Menge weiß zu sagen,
Ihn in manch gutes Wirtshaus führend,
Kurz, sich benehmend einfach rührend.
»Wenn Sie einmal nach München kommen . . .«
Schwupps, ist er schon beim Wort genommen:
Der Mann erscheint, der liebe Gast —
Und wird dem Menschen schnell zur Last.
Man ist um solche Leute froh —
Doch nur in Sulzbach oder wo.

Das Haus

Ein Mensch erblickt ein neiderregend
Vornehmes Haus in schönster Gegend.
Der Wunsch ergreift ihn mit Gewalt:
Genau so eines möcht er halt!
Nur dies und das, was ihn noch störte,
Würd anders, wenn es ihm gehörte;
Nur wär er noch viel mehr entzückt
Stünd es ein wenig vorgerückt . . .
Kurz, es besitzend schon im Geiste,
Verändert traumhaft er das meiste.
Zum Schluß möcht er (gesagt ganz roh)
Ein andres Haus — und anderswo.

Der unverhoffte Geldbetrag

Ein Mensch ergeht sich in Lobpreisung:
Man schickte ihm per Postanweisung
Ein nettes Sümmchen, rund und bar,
Auf das nicht mehr zu rechnen war.
Der Mensch hat nun die demgemäße
Einbildung, daß er Geld besäße,
Und will sich dies und jenes kaufen
Und schließlich noch den Rest versaufen.

Doch sieh, schon naht sich alle Welt,
Als röche sie, der Mensch hat Geld!
Es kommen Schneider, Schuster, Schreiner
Und machen ihm das Sümmchen kleiner,
Es zeigen Krämer, Bäcker, Fleischer
Sich wohlgeübt als Bargeldheischer,
Dann macht das Gas, das Licht, die Miete
Den schönen Treffer fast zur Niete.
Vernommen hat die Wundermär
Auch der Vollstreckungssekretär.
(Es ist derselbe, den man früher
Volkstümlich hieß Gerichtsvollzieher.)
Und von der Gattin wird der Rest
Ihm unter Tränen abgepreßt.
Der Mensch, Geld kurz gehabt nur habend,
Verbringt zu Hause still den Abend.

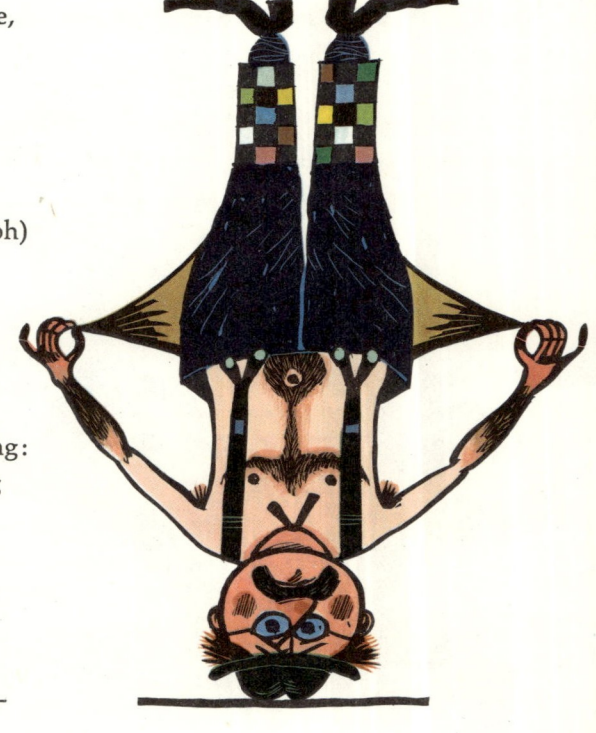

Der Flegel

Ein Mensch muß Nerven arg ver-
  schleißen,
Um unter Menschen Mensch zu heißen.
Ein Unmensch ist sich roh bewußt,
Daß Höflichkeit nur Kraftverlust.
Er lebt — und mit ihm viele heute —
Drum von den Nerven andrer Leute.

Frisch gewagt — —

Ein Mensch, an sich ein Mann der Tat,
Erblickt ein Riesen-Inserat:
»Gesucht wird *die* Persönlichkeit!
Dynamisch, fit, einsatzbereit!
Noch nicht gebunden durch Familien
Und höchst erfahren in Textilien;
Mit Auslandspraxis, Texterprobe,
Takt, Führerschein und Garderobe...
Und — höchstens dreißig Jahre alt!
Geboten: Spesen, Festgehalt,
Provision — und eigner Wagen!
Sofort handschriftlich zu erfragen...«
Der Mensch liests kurz und legt es weg:
»Das hat für mich wohl keinen Zweck!
Die suchen einen Wundermann,
Den möcht ich sehn, der all das kann!«
Ein Unmensch denkt: »Das ist mir
  schnuppe —
Wir essen ja auch nie die Suppe
So glühend heiß, wie wir sie kochen —
Und hier wird allerhand versprochen!«
Er läßt es den Versuch sich kosten —
Und siehe da: er kriegt den Posten!

Der Knicker

Ein Mensch ist nie mehr Operngast:
Die Singerei ist ihm verhaßt.
Ja, lieber stürb er — wie er schwört —
Als daß er solchen Schmarrn anhört.
Da ruft wer an, es seien zwei
Billette für den Abend frei.
Der Mensch nicht lange sich bedenkt:
Das sind ja dreißig Mark geschenkt!
Fernmündlich sucht er nach dem zwei-
  ten,
Der willig wär, ihn zu begleiten,
Begnügt sich mit der Tante schließlich,
Die zusagt, wenn auch nur verdrießlich.
Weit draußen holt — die Zeit ist
  knapp —
Er schwitzend sich die Karten ab,
Rennt ins Theater, wo er sieht:
Statt »Freischütz« gibt man »Waffen-
  schmied«.
Er sitzt nun, kämpfend mit dem Schlaf,
Drei Stunden, mäuschenstill und brav
Und rechnet insgeheim sich aus:
Was kommt als Stundenlohn heraus?
Der Mensch, ganz ohne Kunstgenuß,
Bereut durchaus nicht den Entschluß,
Den er für recht schon deshalb hält,
Daß ja nichts umkommt auf der Welt.

Lebenslauf

Ein Mensch schläft unter Sorgen ein:
Ein schwerer Tag wird morgen sein!
Doch es geht gut — sein Herz schlägt
  frei:
»Das wäre wieder mal vorbei!«
Das nächstemal, zum Jubelfeste,
Begrüßt der Mensch die lieben Gäste.
Sie bleiben da bis früh um drei:
»Das wäre wieder mal vorbei!«
Zuletzt trägt man ihn fort im Sarg.
Die Leute tun, als wär das arg,
Und denken, trotz der Heuchelei:
»Das wäre wieder mal vorbei!«

Der Besuch

Ein Mensch kocht Tee und richtet Kuchen:
Ein holdes Weib wird ihn besuchen —
Der Kenner weiß, was das bedeutet!
Ha, sie ist da: es hat geläutet.
Doch weh! Hereintritt, sonngebräunt
Und kreuzfidel ein alter Freund,
Macht sichs gemütlich und begrüßt,
Daß Tee ihm den Empfang versüßt;
Und gar, daß noch ein Mädchen käm,
Ist ihm, zu hören, angenehm
Und Anlaß zu recht rohen Witzen.
Der arme Mensch beginnt zu schwitzen
Und sinnt, wie er den Gast vertreibt,
Der gar nichts merkt und eisern bleibt.
Es schellt — die Holde schwebt herein:
Oh, haucht sie, wir sind nicht allein?!
Doch heiter teilt der Freund sich mit,
Daß er es reizend find zu dritt.
Der Mensch, zu retten noch, was bräutlich,
Wird aus Verzweiflung endlich deutlich.
Der Freund geht stolz und hinterläßt
Nur einen trüben Stimmungsrest:
Die Jungfrau ist zu Zärtlichkeiten
Für diesmal nicht mehr zu verleiten.

Tücke

Ein Mensch wird eines schönen Tages
Zwecks Vorbesprechung des Vertrages
Ins feinste Restaurant gebeten. —
Von sich aus hätt ers nie betreten.
Der Gastgeb, als ein Mann von Welt,
Das Beste, Teuerste bestellt,
Daß sich der Mensch dran tue gütlich.
Gemütlos, gibt er sich gemütlich
Und meint, hier rede sichs bequemer. —
Kein Unter-Mensch, nur Unter-Nehmer,
Weiß er, beim ersten Vorsicht-Zaudern,
Leicht die Bedenken wegzuplaudern;
Der Mensch nun glaubt, — worin er irrt —,
Daß einer, der ihm hier als Wirt
So reinen Wein hat eingeschenkt,
Gewiß an Lug und Trug nicht denkt.
Der Mensch läßt sich, durch ein paar Pullen,
In süße Zukunftsträume lullen.
Und gibt — nur weil sichs grad so trifft —
Gern seine kleine Unterschrift.
Er wirds sein Lebtag nicht vergessen:
Das war ein teures Abendessen!

Finstere Geschichte

Ein Mensch führt, zu gegebnen Fristen,
Brav über andre Menschen Listen.
Ein zweiter Mensch ersieht aus diesen,
Daß dies und jenes sei erwiesen.
Ein dritter, ohne weiteres Rühren,
Muß drüber wieder Listen führen.
Ein vierter, sonst nicht ohne Seele,
Verfährt damit nach dem Befehle.
Ein fünfter, selbst nur noch Maschine,
Tut seine Pflicht mit kalter Miene.
Sein winzig Stücklein macht ein sechster.
Nun hat den Eindruck schon ein nächster,
Es handle sich bei dem Gelichter
Um ausgemachte Bösewichter,
Die er mit gutem Grunde haßt,
Und listenmäßig streng erfaßt.
Ganz wenig nur tut nun ein achter:
Bei ein paar Namen Häkchen macht er.
Ein neunter, ohne Zeitverlieren,
Läßt diese Namen liquidieren.
Daß auftragsmäßig dies geschehn,
Stellt sachlich fest nun Nummer zehn.
Ein elfter nimmt es zu den Akten.
Und so wird aus dem Mord, dem nackten,
Ein Dreh, bei dem man nie entdeckt,
Wo eigentlich der Mörder steckt.

Das Böse

Ein Mensch pflückt, denn man merkt es kaum,
Ein Blütenreis von einem Baum.
Ein andrer Mensch, nach altem Brauch,
Denkt sich, was der tut, tu ich auch.
Ein dritter, weils schon gleich ist, faßt
Jetzt ohne Scham den vollen Ast
Und sieh, nun folgt ein Heer von Sündern,
Den armen Baum ganz leer zu plündern.
Von den Verbrechern war der erste,
Wie wenig er auch tat, der schwerste.
Er nämlich übersprang die Hürde
Der unantastbar reinen Würde.

Verhinderte Witzbolde

Ein Mensch erzählt grad einen Witz:
Gleich trifft des Geistes Funkelblitz! —
Doch aus der Schar gespannter Hörer
Bricht plötzlich vor ein Witz-Zerstörer,
Ein Witz-durch-Kreuzer, nicht mit Ohren
Bestückt, nein, mit Torpedorohren:
In die Erwartung, atemlos,
Wumbum! schießt der Zerstörer los,
Mit seinem Witz-dazwischen-Pfeffern.
Der Mensch sinkt rasch, mit schweren Treffern.
Racks! Geht auch jener in die Luft —
Die ganze Wirkung ist verpufft —
Der Mensch rät nun, statt sich zu quälen,
Dem Witz-Zerstörer, zu erzählen
Die eignen Witze, ganz allein —
Er selber wolle stille sein.
Jedoch der Unmensch, frei vom Blatt,
Gar keinen Witz auf Lager hat:
Nur, wenn auf fremden Witz er stößt,
Wird seiner, blindlings, ausgelöst.

Himmlische Entscheidung

Ein Mensch, sonst harmlos im Gemüte,
Verzweifelt wild an Gottes Güte,
Ja, schimpft auf ihn ganz unverhohlen:
Ein Unmensch hat sein Rad gestohlen!
Der Unmensch aber, auf dem Rade,
Preist laut des lieben Gottes Gnade —
Und auch sich selbst, der, so begabt,
Ein Schwein zwar, solch ein Schwein gehabt. —
Wem steht der liebe Gott nun näher?
Dem unverschämten, schnöden Schmäher,
Dem dankerfüllten, braven Diebe?
Es reicht für *beide* seine Liebe,
Die, wie wir wissen, ganz unendlich,
Auch wenn sie uns oft schwer verständlich:
Der Unmensch, seelisch hochgestimmt,
Durch Sturz ein jähes Ende nimmt,
Was zweifellos für ihn ein Glücksfall:
Fünf Jahre gäbs sonst, wegen Rückfall!
Und auch der Mensch hat wirklich Glück:
Er kriegt sein schönes Rad zurück,
Nach Abzug freilich fürs Gefluch:
Zwei Achter und ein Gabelbruch.

Zu spät

Ein Mensch erführ gern: wer, warum,
Wann, was und wie? Doch wahret stumm
Ihr Staatsgeheimnis die Geschichte. —
Dann regnets unverhofft Berichte:
Im Grund kommt alles an den Tag —
Wenn es kein Mensch mehr wissen mag!

Leider

Ein Mensch sieht schon seit Jahren
    klar:
Die Lage ist ganz unhaltbar.
Allein — am längsten, leider, hält
Das Unhaltbare auf der Welt.

Immer dasselbe

Ein Mensch vor einer Suppe hockt,
Die ihm ein Unmensch eingebrockt.
Er löffelt sie, gewiß nicht froh —
Der Unmensch, der ist, wer weiß wo,
Und hofft, man würd' auf ihn ver-
    gessen.
Kaum ist die Suppe ausgefressen,
Kommt er zurück von ungefähr,
Als ob er ganz wer andrer wär,
Und brockt, bescheiden erst und klein,
Die nächste Suppe wieder ein.
Der Mensch, machts auch der Unmensch
    plump,
Sieht nicht: Es ist der alte Lump!
Bis ihm vom Auge fällt die Schuppe,
Sitzt er vor einer neuen Suppe!

Unangefochten

Ein Mensch ist nie von Argwohn frei,
Ob er am End ein Unmensch sei.
Doch ist ein Unmensch, ungebeugt,
Daß er ein Mensch sei, überzeugt.

Wunderlich

Ein Mensch kanns manchmal nicht ver-
    stehn,
Trifft ein, was er vorausgesehn.

Verkappter Unmensch

Ein Mensch hat oft was wollen wollen,
Was nie er hätte sollen sollen:
Mitmenschen etwa glatt ermorden,
Nur, weil sie ihm zu fad geworden.
Doch hielt — zu unser aller Glück! —
Ihn Feigheit vor der Tat zurück,
Ja, er vermieds, auch nur zu sprechen
Von dem geträumten Schwerver-
    brechen.
Die Welt erfuhr es darum nicht,
Daß er im Grund ein Bösewicht.
Und lebenslang hat, unbescholten,
Er ihr als guter Mensch gegolten.
Derart verkappte Teufel laufen
Herum als Engel, ganze Haufen.
Wär ihre Bosheit nicht vergebens —
Kein Mensch wär sicher seines Lebens!

Rarität

Ein Mensch sieht bald, wie selten ist

Ein grundgescheiter Optimist.
Ja, kluge Nörgler, dumme Hoffer —
Mit denen füllt man ganze Koffer!

Der Trick

Ein Mensch fühlt leicht sich minderwertig,
Sieht er, wie's andre bringen fertig,
Was ihm so schwierig stets erschienen:
Fast ohne Arbeit Geld verdienen,
Sich hübsche Weiber leicht erobern,
Auch Ruhm bei (freilich seichten) Lobern.
Es raten spöttisch solche Knaben:
Den Trick muß man heraußen haben!
Jedoch du darfst dich nicht drum kümmern,
Wie leicht das Leben für die Dümmern:
In deinem waltet das Geschick —
Und da versagt der bloße Trick!

Der Weltfremde

Ein Mensch greift alles wacker an —
Viel besser ist ein Unmensch dran:
Er zeigt, als wär er gern bereit,
Nur edle Unbeholfenheit:
Er hülfe ja nach besten Kräften,
Doch er versteht nichts von Geschäften.
Er wäre, uns zu nützen, froh,
Wenn er nur wüßte, wie und wo?
Er ist, so scheints, voll Feuereifer,
Doch äußerst stutzig als Begreifer.
Und jedermann sieht ein, dem Guten
Ist derlei wohl nicht zuzumuten.
Der Mensch gebraucht nun auch die List
Und stellt sich dümmer, als er ist.
Doch er verscherzt sich alle Gunst:
Sich zu verstelln, ist eine Kunst.

Weh dem, der irgendwie und wann
Bewiesen hat, daß er was kann:
Wieso? sagt jeder, 's wär zum Lachen,
Wer sonst, wenn nicht der Mensch, wirds machen!

Die Uhr

Ein Mensch — das ehrt den treuen frommen —
Läßt nie auf seine Uhr was kommen,
Die seit dem Tag, da er gefirmt,
Ihn und sein Tagewerk beschirmt.
Wo er auch ist, macht er sich wichtig:
Er selbst und seine Uhr gehn richtig.
Doch plötzlich frißt die Uhr die Zeit
Nicht mit gewohnter Pünktlichkeit.
Der Mensch erlebt die bittre Schmach,
Daß man ihm sagt, die Uhr geht nach.
Da wird ihm selbst, der immer nur
Genau gelebt hat, nach der Uhr,
Erschüttert jegliches Vertrauen:
Er kann die Zeit nicht mehr verdauen!

Der vergessene Name

Ein Mensch begibt sich arglos schlafen —
Schon liegt sein Denken still im Hafen
Bis auf ein kleines Sehnsuchtsschiff,
Das aber gleichfalls im Begriff,
Den nahen heimatlichen Feuern
In aller Ruhe zuzusteuern.
Da plötzlich stößt, schon hart am Ziel,
Auf Mine oder Riff der Kiel.
Das Unglück, anfangs unerklärlich,
Scheint vorerst noch ganz ungefährlich.
Ein Name nur, der Jahr und Tag
Nutzlos, doch fest verankert lag,
Treibt unter Wasser, kreuz und quer

Als Wrack gespenstisch übers Meer.
Das Sehnsuchtsschiff, im Lauf gestört,
Funkt S-O-S, das wird gehört,
Und bald erscheint schon eine leichte
Gedächtnisflotte, um das Seichte
Nach jenem Namen abzufischen.
Doch dem gelingt es, zu entwischen,
Und schon rückt, mitten in der Nacht,
Die Flotte selbst aus, wie zur Schlacht.
Im Finstern aber hilflos stoßen
Die Denker-Dreadnoughts sich, die
    großen,
Wild gehn die Wünsche in die Luft;
Sinnlos wird höchste Kraft verpufft:
Die Flotte sinkt mit Mann und Maus. —
Der Name treibt ins Nichts hinaus.

Der Hilfsbereite

Ein Mensch, auf seinem Weg, dem
    raschen,
Sieht auf der Fahrbahn eine Flaschen,
Die dort ein Unmensch unbekümmert
Hat liegen lassen, wüst zertrümmert.
Der Mensch, bedenkend, daß die Scher-
    ben
Leicht Radlern würden zum Verderben,
Will, Nächstenpflicht nicht zu versäu-
    men,
Die Splitter still beiseite räumen.
Es war auch höchste Zeit zur Tat,
Denn siehe da, ein Radler naht
Und fährt, mißdeutend das Geschrei
Des guten Menschen, stramm vorbei.
Dem Schlauch entfährt mit Knall die
    Luft.
»Ha!« schreit der Radler, »wart, du
    Schuft,
Du Idiot, dich will ich heißen,
Glasscherben auf die Fahrbahn
    schmeißen!«
Und eh den Sachverhalt er zeigt,
Fühlt sich der Mensch schon ohrgefeigt.
Der Mensch, im weitern Lebenslauf,
Hob nie mehr fremde Scherben auf.

Ein Gleichnis

Ein Mensch beäugt im halben Traum
Die Lichter still am Weihnachtsbaum.
Und Wehmut schleicht sich ihm ins
　Herze,
Wie Kerze niederbrennt um Kerze.
Oft sind es grad die starken, stolzen,
Die unverhofft hinweggeschmolzen.
Zuletzt sind sechse oder sieben
Als arme Stümpflein übrig blieben.
Der Mensch, nicht aberglaubenfrei,
Sucht eins, daß es das seine sei.
Hoch oben flackert eins und lischt,
Tief unten raucht eins und verzicht.
Ein drittes blau nach Luft noch
　schnappt —
Schon ist sein Wachs davongeschwappt.
Doch seines, wie's auch knisternd
　keucht,
Erhebt sich neu zu Goldgeleucht.
Die Schatten werden riesengroß —
Das eine — seine — hält sich bloß.
Ein letztes Tasten noch des Lichts —
Dann kommt das ungeheure Nichts.
Der Mensch entreißt sich seinem
Wahn —
Und knipst die Deckenlampe an . . .

Der Schütze

Ein Mensch ging durch die Jahrmarkts-
　buden,
Wo Mädchen ihn zum Schießen luden:
»Drei Schuß«, so rief es, »eine Mark!«
Der Mensch legt an — er zittert stark —,
Doch reihen nah auf dem Gebälke
Ganz dicht sich Rose, Tulpe, Nelke.
Die Rose, die der Mensch gewählt,
Die hat er allerdings verfehlt;
Durch Zufall aber kam zu Fall
Die Nelke bei dem falschen Drall.
Schuß zwei: die diesmal nicht sein Ziel,
Die Rose, aus dem Gipsschaft fiel.
Beim dritten Schuß brach eine Tulpe,
Die nicht gemeint war, aus der Stulpe.
Der Mensch ging stolz, papierbeblümt
Und hat als Schütze sich gerühmt:
Als hätte er auf das gezielt,
Was ihm das Glück nur zugespielt.

Warnung

Ein Mensch, verführt von blindem
　Zorn,
Bläst in das nächste beste Horn.
Nun merkt er, nach dem ersten Rasen,

Daß er ins falsche Horn geblasen.
Zu spät! Der unerwünschte Ton
Ist laut in alle Welt entflohn.
Wenn schon Moral, dann wär es diese:
Daß man am besten gar nicht bliese!

Entscheidungen

Ein Mensch, der für den Fall, er müßte,
Sich – meint er – nicht zu helfen wüßte,
Trifft doch den richtigen Entschluß
Aus tapferm Herzen: denn er *muß!*
Das Bild der Welt bleibt immer schief,
Betrachtet aus dem Konjunktiv.

Kontaktlos

Ein Mensch mag noch so wertlos sein –
Er ist doch nicht nur tauber Stein:
Hat er nicht gleich ein goldnes Herz,
Ein bißchen führt ein jeder Erz:
Seis Silber, Kupfer, Eisen, Zinn,
Ja, seis nur Blei – es steckt was drin.
Jedoch kein Mensch, obwohl er dürft,
In andern Menschen tiefer schürft,
Weil er von vornhinein betont,
Daß sich der Abbau wohl nicht lohnt.

Hoffnungslos

Ein Mensch begibt sich ahnungslos
In einer Freund-Familie Schoß,
Wo man nicht fernsieht, rundfunk-
 dudelt –
Nein, geistvoll im Gespräch versprudelt.
Doch leider sieht der Mensch erst jetzt,
Daß man die Stühle streng gesetzt
Und alles schweigend und gespannt
Auf Buntes starrt an weißer Wand:
Ein Unmensch zeigt in langen Serien,
Wie er verbracht hat seine Ferien.
Vor Bildern, ziemlich mittelmäßig,
Sitzt nun der Mensch, schon lahm-
 gesäßig;
Und pausenlos wird er befragt,
Was er zu diesen Bildern sagt.

Zum Sagen kann er gar nicht kommen:
Das Lob wird gleich vorweggenommen.
Die ganze Sippe, wild und wilder,
Verlangt noch die Familienbilder.
Der Mensch muß anschaun, ohne Gna-
 den,
Klein-Hänschen – ach, wie herzig! –
 baden;
Und nicht verschont wird er nun auch
Mit Muttis Reizen, Papis Bauch.
Der Mensch, der lang nach Mitternacht
Todmüd sich auf den Heimweg macht,
Beschließt, nie wieder werd er Gast,
Wo schon die Technik Fuß gefaßt.

Talent und Genie

Ein Mensch genießt zwar allgemein
Das Lob, ein heller Kopf zu sein.
Doch glänzt – merkt ein genauer
 Kenner –
Er mäßig nur, als Dauerbrenner.
Ein andrer Mensch ist oft verdunkelt;
Doch wenn er einmal plötzlich funkelt,
Dann leuchtet er auch weltenweit. –
Das macht: der Mensch ist blitz-
 gescheit!

Falscher Verdacht

Ein Mensch hat meist den übermäch-
 tigen
Naturdrang, andre zu verdächtigen.
Die Aktenmappe ist verlegt.
Er sucht sie, kopflos und erregt,
Und schwört bereits, sie sei gestohlen,
Und will die Polizei schon holen
Und weiß von nun an überhaupt,
Daß alle Welt nur stiehlt und raubt.
Und sicher ists der Herr gewesen,

Der, während scheinbar er gelesen —
Er ahnt genau, wie es geschah ...
Die Mappe? Ei, da liegt sie ja!
Der ganze Aufwand war entbehrlich
Und alle Welt wird wieder ehrlich.
Doch den vermeintlich frechen Dieb
Gewinnt der Mensch nie mehr ganz lieb,
Weil der die Mappe, angenommen,
Sie wäre wirklich weggekommen —
Und darauf wagt er jede Wette —
Gestohlen würde haben hätte!

Verkannte Kunst

Ein Mensch, der sonst kein Instrument,
Ja, überhaupt Musik kaum kennt,
Bläst Trübsal — denn ein jeder glaubt,
Dies sei auch ungelernt erlaubt.
Der unglückselige Mensch jedoch
Bläst bald auch auf dem letzten Loch.
Dann ists mit seiner Puste aus
Und niemand macht sich was daraus.
Moral: Ein Trübsalbläser sei
Ein Meister, wie auf der Schalmei.

Die guten Bekannten

Ein Mensch begegnet einem zweiten.
Sie wechseln Förm- und Herzlichkeiten,
Sie zeigen Wiedersehensglück
Und gehn zusammen gar ein Stück.
Und während sie die Stadt durchwandern,
Sucht einer heimlich von dem andern
Mit ungeheurer Hinterlist
Herauszubringen, wer er ist.
Daß sie sich kennen, das steht fest,
Doch äußerst dunkel bleibt der Rest.
Das Wo und Wann, das Wie und Wer,
Das wissen alle zwei nicht mehr,
Doch sind sie, als sie nun sich trennen,
Zu feig, die Wahrheit zu bekennen.
Sie freun sich, daß sie sich getroffen;
Jedoch im Herzen beide hoffen,
Indes sie ihren Abschied segnen,
Einander nie mehr zu begegnen.

Nutzlose Qual

Ein Mensch hat eines Nachts geträumt,
Er habe seinen Zug versäumt,
Und er wacht auf mit irrem Schrei —
Jedoch, es ist erst Viertel zwei.
Der Schlaf löst die verschreckten Glieder,
Doch sieh, da plötzlich träumts ihm wieder,
Und er wacht auf mit irrem Schrei —
Jedoch, es ist erst Viertel drei.
Er schmiegt sich wieder in die Kissen,
Da wird aufs neu sein Schlaf zerrissen.
Der Schrei ertönt, der Mensch erwacht —
Und diesmal ist es Viertel acht.
Der Zug jedoch pflegt abzugehn
Tagtäglich, pünktlich sieben Uhr zehn.
Moral: Was nützt der schönste Schrecken,
Kann er zur rechten Zeit nicht wecken ...?

Die Antwort

Ein Mensch, der einen herzlos kalten
Absagebrief von ihr erhalten,
Von ihr, die er mit Schmerzen liebt,
Erwägt, was er zur Antwort gibt.
Mit Hilfe von Gedankensäure
Füllt er sich Bomben, ungeheure,

Beginnt ein Schreiben aufzusetzen,
Das dieses Weib in tausend Fetzen
(So graunvoll nämlich ist sein Gift!)
Zerreißen muß, wenn es sie trifft.
Genau die Sätze er verschraubt,
Bis er die Zündung wirksam glaubt.
Zum Schlusse aber schreibt er ihr:
»Ich liebe Dich. Sei gut zu mir!«

Ungleicher Kampf

Ein Mensch von innerem Gewicht
Liebt eine Frau. Doch sie ihn nicht.
Doch daß sie ihn nicht ganz verlöre,
Tut sie, als ob sie ihn erhöre.
Der Mensch hofft deshalb unverdrossen,
Sie habe ihn ins Herz geschlossen,
Darin er, zwar noch unansehnlich,
Bald wachse, einer Perle ähnlich.
Doch sieh, da kommt schon einszweidrei
Ein eitler junger Fant herbei,
Erlaubt sich einen kleinen Scherz,
Gewinnt im Fluge Hand und Herz.
Ein Mensch, selbst als gereifte Perle,
Ist machtlos gegen solche Kerle.

Legendenbildung

Ein Mensch, vertrauend auf sein klares
Gedächtnis, sagt getrost »So war es!«
Er ist ja selbst dabei gewesen —
Doch bald schon muß ers anders lesen.
Es wandeln sich, ihm untern Händen,
Wahrheiten langsam zu Legenden.
Des eignen Glaubens nicht mehr froh
Fragt er sich zweifelnd: »War es so?«
Bis schließlich überzeugt er spricht:
»Ich war dabei — so war es nicht!«

Die Postkarte

Ein Mensch vom Freund kriegt eine Karte,
Daß er sein Kommen froh erwarte;
Und zwar (die Schrift ist herzlich schlecht!)
Es sei ein jeder Tag ihm recht.
Der Kerl schreibt, wie mit einem Besen!
Zwei Worte noch, die nicht zum Lesen!
Der Mensch fährt unverzüglich ab —
Des Freundes Haus schweigt wie ein Grab.
Der Mensch weiß drauf sich keinen Reim,
Fährt zornig mit dem Nachtzug heim.
Und jetzt entdeckt er — welch ein Schlag!
Der Rest hieß: »Außer Donnerstag!«

Der Urlaub

Ein Mensch, vorm Urlaub, wahrt sein Haus,
Dreht überall die Lichter aus,
In Zimmern, Küche, Bad, Abort —
Dann sperrt er ab, fährt heiter fort.
Doch jäh, zu hinterst in Tirol,
Denkt er voll Schrecken: »Hab ich wohl?«
Und steigert wild sich in den Wahn,
Er habe dieses *nicht* getan.
Der Mensch sieht, schaudervoll, im Geiste,
Wie man gestohlen schon das meiste,
Sieht Türen offen, angelweit.
Das Licht entflammt die ganze Zeit!
Zu klären solchen Sinnentrug,
Fährt heim er mit dem nächsten Zug
Und ist schon dankbar, bloß zu sehn:
Das Haus blieb wenigstens noch stehn!

Wie er hinauf die Treppen keucht:
Kommt aus der Wohnung kein Geleucht?
Und plötzlich ists dem armen Manne,
Es plätschre aus der Badewanne!
Die Ängste werden unermessen:
Hat er nicht auch das Gas vergessen?
Doch nein! Er schnuppert, horcht und äugt
Und ist mit Freuden überzeugt,
Daß er — hat ers nicht gleich gedacht? —
Zu Unrecht Sorgen sich gemacht.
Er fährt zurück und ist nicht bang. —
Jetzt brennt das Licht vier Wochen lang.

Lebensleiter

Ein Mensch gelangt, mit Müh und Not,
Vom Nichts zum ersten Stückchen Brot.
Vom Brot zur Wurst gehts dann schon besser;
Der Mensch entwickelt sich zum Fresser
Und sitzt nun, scheinbar ohne Kummer,
Als reicher Mann bei Sekt und Hummer.
Doch sieh, zu Ende ist die Leiter:
Vom Hummer aus gehts nicht mehr weiter.
Beim Brot, so meint er, war das Glück. —
Doch findet er nicht mehr zurück.

Technik

Ein Mensch, zu schlafen im Begriffe,
Hört von der Straße laute Pfiffe.
Er reißt empört das Fenster auf:
Ein alter Freund ruft froh herauf,
Ob er — es sei doch grad erst zehn —
Nicht Lust hätt, mit ihm auszugehn.
Grob schmeißt der Mensch das Fenster zu:
»Ich schlaf schon halb! Laß mich in Ruh!«
Ein Unmensch greift — und zwar um elf —
Zum Telefon als Notbehelf
Und schrillt den Menschen aus dem Schlummer,
Wählt obendrein die falsche Nummer!
Der Mensch, so wüst herausgeschellt,
Bleibt höflich, als ein Mann von Welt.
So ists: das Pfeifen, das natürlich,
Empfinden wir als ungebührlich.
Doch schaltet wer die Technik ein,
Wagt keiner, ehrlich grob zu sein.

Der Termin

Ein Mensch, der sich, weils weit noch hin,
Festlegen ließ auf den Termin,
Sieht jetzt, indes die Wochen schmelzen,
Die schwere Last sich näher wälzen.
Er sucht nach Gründen, abzusagen,
Er träumt, noch in den letzten Tagen,
Wie einst als Schulbub, zu entwischen:
Ein schwerer Unfall käm dazwischen . . .
Umsonst — es bleibt ein leerer Wahn:
Der schicksalsvolle Tag bricht an! —
Und geht dann doch vorüber, gnädig.
Der Mensch ist froh, der Sorgen ledig.
Er schwört, er hab daraus gelernt —
Doch wie sich Tag um Tag entfernt,
Hat Angst und Qualen er vergessen —
Und läßt sich unversehens pressen
Zu noch viel scheußlicherm Termin —
Denn es ist weit und weit noch hin.

Briefwechsel

Ein Mensch, der weiß, wie lang und lieb
Die Welt sich voreinst Briefe schrieb,
Denkt lang darüber hin und her:
Warum tut sie das heut nicht mehr?
Er wähnt, die Gründe hab er schon:
Zeitmangel, Zeitung, Telefon.
Doch nein, wer ernstlich wollt, dem
  bliebe
Genügend Muße, daß er schriebe.
Ist er zu faul nur, zu bequem?
Gleich wird er schreiben — aber *wem*?
Wer teilt, so überlegt er kühl,
Mit mir noch meinen Rest Gefühl,
Daß sichs verlohnt, in längern Zeilen
Ihm dies Gefühl erst mitzuteilen?
Verschwend ich darum Herz und Geist,
Daß ers in den Papierkorb schmeißt?
Schon wird ihm, kaum daß ers bedacht,
Selbst von der Post ein Brief gebracht:
Voll Überschwang und Herzensdrang,
Vier handgeschriebne Seiten lang.
Er überfliegt sie; rückzuschreiben,
Läßt er, schon Unmensch, besser blei-
  ben.
Es könnt sich, fruchtbar gleich Kar-
  nickeln,
Briefwechsel sonst daraus entwickeln.
Er weiß jetzt, wie die Dinge liegen:
Kein Mensch will auch noch Briefe
  kriegen!

Die Abmachung

Ein Mensch hat — »gut, es bleibt dabei:
Am Samstag nachmittag um drei« —
Fürs Wochenende einen faden
Bekannten endlich eingeladen,
Was er ihm schon seit einem Jahr
Aus höhrer Rücksicht schuldig war.
Als hätt der Teufel es gerochen,
Daß unser Mensch sich fest ver-
  sprochen,
Läßt hageln er auf diesen Tag
Aufforderungen, Schlag auf Schlag.
Worauf der Mensch seit Wochen war-
  tet,
Jetzt kommts daher, wie abgekartet.
Der Mensch, von Pflichtgefühl um-
  mauert,
So schwer es ihm auch fällt, bedauert.
Die lauten Lockungen und leisern
An ihm zerschellen — er bleibt eisern.
Am Samstag früh kommt eine Karte,
Drin, daß der Mensch umsonst nicht
  warte,
Der Unmensch mitteilt, höflich-dreist,
Er sei heut ins Gebirg gereist.
Den Menschen zu besuchen, hätt er
Auch später Zeit, bei Regenwetter.

Abdankung

Ein Mensch, als junger Feuergeist,
Der Lügen warmes Kleid zerreißt
Und geht — welch herrlicher Charak-
  ter! —
Kühn durch die Welt nun als ein Nack-
  ter.
Der Mensch wird alt, die Welt wird
  kalt:
Die Zeit zeigt ihre Allgewalt.
Der Mensch hälts, frierend, nicht mehr
  aus —
Froh wär er um den alten Flaus.
Doch hat er den nicht nur zerrissen.
Nein, auch die Fetzen weggeschmissen.
Mit Müh erwirbt er, so im Zwange,
Sich Weltanschauung von der Stange
Und geht nun, bis zu seinem Tode,
Gleich all den andern, nach der Mode.

Unerwünschte Belehrung

Ein Mensch, dem's ziemlich dreckig geht,
Hört täglich doch, von früh bis spät,
Daß ihm das Schicksal viel noch gönnte
Und er im Grunde froh sein könnte;
Daß, angesichts manch schwererer Bürde
Noch der und jener froh sein würde,
Daß, falls man etwas tiefer schürfte,
Er eigentlich noch froh sein dürfte;
Daß, wenn genau man's nehmen wollte,
Er, statt zu jammern, froh sein sollte,
Daß, wenn er andrer Sorgen wüßte,
Er überhaupt noch froh sein müßte.
Der Mensch, er hört das mit Verdruß,
Denn unfroh bleibt, wer froh sein muß.

Nur Sprüche

Ein Mensch erklärt voll Edelsinn,
Er gebe notfalls, alles *hin*.
Doch eilt es ihm damit nicht sehr —
Denn vorerst gibt er gar nichts *her*.

Lebenslügen

Ein Mensch wird schon als Kind erzogen
Und, dementsprechend, angelogen.
Er hört die wunderlichsten Dinge,
Wie, daß der Storch die Kinder bringe,
Das Christkind Gaben schenk zur Feier
Der Osterhase lege Eier.
Nun, er durchschaut nach ein paar Jährchen,
Daß all das nur ein Ammenmärchen.
Doch andre, weniger fromme Lügen
Glaubt bis zum Tod er mit Vergnügen.

Metaphysisches

Ein Mensch erträumt, was er wohl täte,
Wenn wieder er die Welt beträte.
Dürft er zum zweiten Male leben,
Wie wollt er nach dem Guten streben
Und streng vermeiden alles Schlimme!
Da ruft ihm zu die innre Stimme:
»Hör auf mit solchem Blödsinn, ja?!
Du bist zum zwölftenmal schon da!«

Bluter

Gefährdet ist ein allzu guter
Und weicher Mensch: er ist ein Bluter!
Kaum, daß man ihn ein bißchen ritzt,
Mit einem Scherz, der zugespitzt,
Mit einem Tadel, noch so mild:
Er ist verletzt, sein Herzblut quillt.
Und bringt man es nicht zum Gerinnen,
Verblutet sich der Mensch — nach innen.

Nur

Ein Mensch, der, sagen wir, als Christ,
Streng gegen Mord und Totschlag ist,
Hält einen Krieg, wenn überhaupt,
Nur gegen Heiden für erlaubt.
Die allerdings sind auszurotten,
Weil sie des wahren Glaubens spotten!
Ein andrer Mensch, ein frommer
 Heide,
Tut keinem Menschen was zuleide,
Nur gegenüber Christenhunden
Wär jedes Mitleid falsch empfunden.
Der ewigen Kriege blutige Spur
Kommt *nur* von diesem kleinen
 »*nur*« ...

Bescheidenheit

Ein Mensch möcht erste Geige spielen —
Jedoch das ist der Wunsch von vielen,
So daß sie gar nicht jedermann,
Selbst wenn er's könnte, spielen kann:
Auch Bratsche ist für den, der's kennt,
Ein wunderschönes Instrument.

Musikalisches

Ein Mensch, will er auf etwas pfeifen,
Darf sich im Tone nicht vergreifen.

Vieldeutig

Ein Mensch schaut in die Zeit zurück
Und sieht: Sein Unglück war sein
 Glück.

Kleinigkeiten

Ein Mensch, der was geschenkt kriegt,
 denke:
Nichts zahlt man teurer als Geschenke!

Ein Mensch wollt immer recht behalten:
So kam's vom Haar- zum Schädel-
 spalten!

Ein Mensch fühlt oft sich wie verwandelt,
Sobald man menschlich ihn behandelt!

Trauriger Fall

Ein Mensch ist leider ziemlich schüchtern
Und ohne Schwung, so lang er nüchtern.
Doch zündet kaum bei ihm der Funken,
Ists schon zu spät: er ist betrunken.
So muß er immer wieder scheitern:
Nie glückts ihm, sich nur anzuheitern.

Vergeblicher Wunsch

Ein Mensch wird krank am Wunsch, dem einen:
Nur einmal laut *hinauszuweinen*!
Das wär ihm eine rechte Lust —
Doch, ach, es fehlt dazu die Brust.
So bleibt es bei der alten Pein:
Er weint nur still in sich *hinein*.

Späte Einsicht

Ein Mensch macht sich, doch leider bloß
An seinem Stammtisch, damit groß,
Es gelt — wovon ja viele träumen! —
Den Saustall endlich auszuräumen.
Er gibt — nur dort! — geheime Winke,
Wie's überall zum Himmel stinke
Von Säuen, die an vollen Trögen
Verfräßen unser Volksvermögen.
Man müßt was tun — nur ist es schade,
Daß dummerweise *ihn* gerade,
Als einen Mann mit Weib und Kindern,
Rücksichten überall verhindern.
Der Mensch — was nützt verborgnes Lästern? —
Zählt auch mit zu den Schweinemästern!

Die lieben Nachbarn

Ein Mensch aus allen Wolken fällt:
Die Magd hat jahrlang ihn geprellt,
Ihn angelogen und bestohlen.
Er läßt drum einen Schutzmann holen,
Der dieses Mädchen nimmt in Haft.
Wie freut das rings die Nachbarschaft.
Vom sechsten Stock bis zum Parterr'
Wird hohn-beklagt der arme Herr,
Der — alle wußtens ja schon lange —
Genährt am Busen eine Schlange.
Es nimmt des Hauses Meisterin
Die Nachricht ganz begeistert hin,
Daß man das Miststück noch erwischt —
Sie hab sich bloß nicht eingemischt.
Die Milchfrau allen Kunden kündet,
Wie lang schon ihr Verdacht begründet.
Und freudiglaut rühmt sich der Bäcker
Als frühesten Betrugs-Entdecker.
Gewarnt hat auch die Krämrin immer
Vor dem verdruckten Frauenzimmer,
Das sich so frech verlegt aufs Stehlen. —
Kurzum, es jauchzen alle Seelen.
Der Mensch, der magdlos, voll Verdruß,
Nun selbst sein Sach besorgen muß,
Ahnt nichts von solchen Wissens Macht:
»Kein Mensch«, heißts, »hätte das gedacht!«

Der Fernruf

Ein Mensch, vom Telefon gestört,
Fährt aus dem Schlummer, höchst empört.
Zwar seine Neugier ist schon groß:
Vielleicht ist wirklich etwas los?
Doch tapfer fährt er fort zu schlafen
Und mit Verachtung den zu strafen,

Der ihn möcht bringen aus der Ruh ...
Du Lümmel, lallt er, läut nur zu!
Der tuts auch, zu des Schläfers Qual,
Zum zweiten- und zum drittenmal.
Der Mensch denkt, ob er, wenn er träumt,
Am End' nicht großes Glück versäumt?
Ein hoher Gönner lädt ihn ein,
Ein Mädchen sucht ein Stelldichein,
Kurz, Möglichkeiten, daß ihn schaudert:
Verbrechen ist es, wenn er zaudert!
Hinstürzt er wild, von Angst bedrängt —
Da hat der andre abgehängt!

Überschätzung

Ein Mensch bewertet sich nicht schlecht:
Er hält sich durchaus für gerecht.
Nie merkt er, daß er nur, voll List,
Gerecht in allen Sätteln ist.

Umgekehrt

Ein Mensch wird »Pessimist« geschmäht,
Der düster in die Zukunft späht.
Doch scheint dies Urteil wohl zu hart:
Die Zukunft ists, die düster starrt!

Der Unmusikalische

Ein Mensch läg gerne schon im Bett —
Doch endlos zirpt noch ein Quartett.
Der Mensch, der nichts davon versteht,
Harrt stumm, daß es zu Ende geht.
Nur wenn mit schwitzend schnellen Händen
Die Künstler ihre Blätter wenden,
Sucht er, ganz heimlich, zu erschielen,
Wie lang die Viere wohl noch spielen.
Er horcht, wie sie in Trillern waten
Und breit sich stürzen in Fermaten,
Bald kühn sich auf die Spitze geigen,
Bald furchtlos in die Tiefen steigen
Und oft, aufs äußerste verwirrt,
In Labyrinthe, weit verirrt,
Doch tönetastend, gleich den Blinden
Sich zaubrisch neu zusammenfinden.
Fast wirds dem Menschen schon Genuß —
Da sind sie unverhofft am Schluß.
Der Mensch, daheim, noch vor dem Schlafen,
Denkt voller Achtung an die Braven,
Und sinnt, geraume Zeit, im Hemd,
Wie ihm Musik, an sich zwar fremd,
Doch diese Vier fast nahe brachten,
Die sie so kunstgeläufig machten.

Erfreulicher Irrtum

Ein Mensch sieht an der Straßenecke —
Wie *er* meint, zu verruchtem Zwecke! —
Ein Mädchen stehen, wohlgebaut ...
Doch ach, wie er nun näher schaut,
Hält dieses wunderschöne Mädchen
Starr in den Händen ein Traktätchen,
Das es (statt seiner selbst) hält feil,
Um nichts besorgt als Seelenheil.
Der Mensch, bereit zur Sünde grad,
Schlägt ein den schmalen Tugendpfad,
Froh, daß dies Weib zu nichts verführe
Als zum Erwerbe der Broschüre.
Und lang noch dankt er dieser Frommen,
Daß er so billig weggekommen.

Börse des Lebens

Ein Mensch, wie uns der Weltlauf lehrt,
Schwankt ungemein in seinem Wert.
Wenn er auch selber kaum sich wandelt:
Zum Tageskurs wird er gehandelt,
Und es ist nicht vorauszusehn,
Wie morgen seine Aktien stehn.
Er wähnt sich fest und steht doch kurz
Vor einem großen Börsensturz,
Bleibt lustlos und erholt sich wieder
Und wird, im ewigen Auf und Nieder,
Was er zu hoffen nicht gewagt,
Ganz stürmisch — ohne Grund — gefragt.
Dann legt er selbst sich hin zum Sterben. —
Ein Weilchen handeln noch die Erben,
Bis er sich in der Zeit verliert:
Nicht an der Börse mehr notiert.

Kettenreaktion

Ein Mensch erzählt daheim, empört,
Daß — wie am Stammtisch er gehört —
In Wutausbrüchen, ungezügelt
Ein Unmensch seine Frau geprügelt.
Wie tut die Frau der Gattin leid:
»Da sieht man, wie ihr Männer seid!«
Schon reißt dem Menschen die Geduld:
»Vielleicht war *sie* auch mit dran schuld!?«
So sieht man bald die beiden streiten —
Und beinah kommts zu Tätlichkeiten.
Ein dritter, lang und gut vermählt,
Gemütlich dies der Frau erzählt:
»Nie käms bei uns zu solchem Hasse,
Weil ich mir alles bieten lasse!«
»Wer«, fängt die Frau an, aufzumucken,
»Wenn *ich* nicht, muß hier alles schlucken?«
Die sich jahrzehntelang vertragen,
Sind nah daran, sich auch zu schlagen.

Ein vierter hört und meldet das —
Und schon wird Ernst, was grad noch Spaß.
Ein böses Wort das andre gibt —
Duett: »Du hast mich nie geliebt!«
Das böse Beispiel, unbestritten,
Verdirbt auch hier die guten Sitten.

Immer falsch

Ein Mensch — seht ihn die Stadt durchhasten! —
Sucht dringend einen Postbriefkasten.
Vor allem an den Straßenecken
Vermeint er solche zu entdecken.
Jedoch, er bleibt ein Nicht-Entdecker —
Dafür trifft fast auf jedem Fleck er
Hydranten, Feuermelder an,
Die just er jetzt nicht brauchen kann.
Der Mensch acht Tage später rennt
Noch viel geschwinder, denn es brennt!
Doch hält das Schicksal ihn zum besten:
An jedem Eck nur Postbriefkästen!

Illustrierte

Ein Mensch, der sich die laute Welt,
Wo es nur geht, vom Leibe hält,
Sieht voller Abscheu, wie sie giert
Nach Wochenblättern, illustriert.
Nie kommt ihm solcher Schund ins Haus!
Er schwörts — und hälts auch tapfer aus,
Trotz wilder Werbung der Verleger.
Ja, selbst beim Zahnarzt, Haarepfleger,
Läßt er, getreu dem mene tekel,
Die Hefte liegen, voller Ekel.
Jedoch, des Teufels List ist groß:
Im Schnellzug lockt ein ganzer Stoß,
Wie ihn ein fremder Herr durchblättert
Und dann beim Fortgehn hingeschmettert.
Die Fahrt ist lang, die Fahrt ist lang ...
Es wächst die Lust, sie wird zum Zwang:
Sollt er, statt gähnend dazusitzen,
Nicht flüchtig in die Blätter spitzen?
Sein Widerstand muß sich verringern:
Schon kribbelts ihn in allen Fingern.
Warum denn nicht? Er tuts gewiß
Nur, um zu nehmen Ärgernis.
Der Mensch, er schaut, er liest — zuletzt
Beim Krimi heißts: »Wird fortgesetzt!«
Der Mensch — kaum kommt er an — muß laufen,
Die jüngste Nummer sich zu kaufen.

Der Fahrgast

Ein Mensch, ders eilig hat, hat Glück:
Ein Auto nimmt ihn mit ein Stück,
Ja, im Gespräch stellt sich heraus:
»Da bring ich Sie ja fast vors Haus! —
Nur ein Momenterl, bitte, ja,
Ich geb was ab — gleich wieder da!«
Der Mensch denkt, wartend mit Behagen:
»Das ist halt nobel, so im Wagen!«
Doch langsam fängt er an zu bluten:
Versprach der Herr nicht, sich zu sputen?
Da kommt er ja! Kaum, daß er sitzt,
Gehts fort schon, daß es nur so flitzt.
»Jetzt bloß noch einen Augenblick,
Ich schau was nach in der Fabrik!«
Der Wagen braust, der Wagen hält.
Und die Fabrik liegt aus der Welt.
Der Mensch, auf Gnad und Ungenaden,
Dem Herrn, der ihn zur Fahrt geladen,
Hier in der Wüste ausgeliefert,
Fühlt, wie es bröckelt schon und schiefert:

Erst reißt die Firnis stolzer Huld,
Dann, tiefer gehend, die Geduld.
Er wechselt nun, von Dank und Lob
Zu dem Entschluß: Bald werd ich grob.
Und wirds, wie jetzt der Herr erklärt,
Daß er noch schnell nach Schwabing fährt.
Zwei schwören nunmehr, die sich hassen:
Nie mehr mitfahren — nie mehr lassen!

Tempora mutantur

Ein Mensch, dem's Lebenslicht schier losch,
Ist quäkend, hüpfend wie ein Frosch
Dem Auto knapp noch mal entronnen. —
Er flucht, dem Leben neu gewonnen,
Ganz kurz nur, was ihn so erfrischt,
Daß sich das Schreckbild rasch verwischt;
Und eilig hat ers ohnehin:
Termin bedrängt ihn um Termin.
Er findet, abends, heimgekehrt,
Den Fall kaum des Erwähnens wert,
Und nachts denkt er nur kurz, im Bette,
Wie leicht es schiefgehn können hätte.
Doch lang denkt er darüber nach,
Was er mit Schmitt u. Co. besprach.
Derselbe Mensch, zu Dank und Buß
Wär einst gewallfahrt weit zu Fuß
Und hätt noch bares Geld bezahlt
Für eine Tafel, bunt gemalt,
Wie er zu Tode wär gekommen,
Hätt sich nicht seiner angenommen
Maria, die ihn voller Gnade
Noch grad gerettet vor dem Rade.
Wer dieses liest, wird nicht bestreiten,
Daß wir uns ändern mit den Zeiten.

Der Fachmann

Ein Mensch, ein armer Laie bloß,
Verspürt doch Weltangst, riesengroß.
Die Luft zum Beispiel, wie ihm deucht,
Sei scheußlich schon atomverseucht.
Der Fachmann aber hat getestet,
Die Luft sei längst noch nicht verpestet.
Der Laie sagt, er sehe schon,
Auch unsre D-Mark schwimm davon.
Der Fachmann aber rechnet listig,
Dem widerspreche die Statistik.
Der Laie meint, mit Seherblick,
Daß zwecklos das Verkehrs-Geflick.
Der Fachmann aber lächelt milde,
Der Gute sei nicht ganz im Bilde.
Erst dann, wenn längst sich das eräugnet,
Was doch der Fachmann streng geleugnet,
Wirft der sich in die Brust und klagt:
Er habe es ja gleich gesagt!

Trost

Ein Mensch, entschlußlos und verträumt,
Hat wiederholt sein Glück versäumt.
Doch ist der Trost ihm einzuräumen:
Man kann sein *Unglück* auch versäumen.

Hoffnung

Ein Mensch, am Ende seines Lebens,
Sieht ein, daß der Erfolg des Strebens
Nur dürftig war, an dem gemessen,
Sein Wert als Raupe war gering:
Was er versoffen und verfressen.
Jetzt hofft er auf den Schmetterling!

Menschen-Ruhm

Ein Mensch kriegt eines Tags den Wahn,
Er fang berühmt zu werden an.
Doch merkt er seinen Irrtum leicht,
Wenn er mit andern sich vergleicht:
Zu dreizehntausend Mark reißt hin
Pro Abend eine Sängerin.
Kaum weiß sich ein Tenor zu retten
Vorm Angebot an Bühn- und Betten.
Und alle Leute beten an
Den Neger, der trompeten kann. —
Zu schweigen von der Riesenhetz,
Stieß wer den Fußball wo ins Netz,
So daß, die Augen ganz verglast,
Die Menge vor Begeistrung rast.
Der Mensch sieht jäh sein armes Rühmchen
Verwelken wie ein Mauerblümchen.

Wohlstand

Ein Mensch läßt sich vom Scheine trügen
Und wähnt, das Leben sei Vergnügen.
Er hat sichs auch so eingerichtet,
Wie sich die Welt das Glück erdichtet:
Er ißt das Beste, trinkt und raucht,
Hat Rundfunk, Fernsehn, was man braucht;
Ja, mehr, als je er durft erwarten:
Er hat ein Haus mit einem Garten,
In schönster Gegend, beinah ländlich.
Und einen Wagen, selbstverständlich.
Auch ist, denn er hat klug gewählt,
Er durchaus angenehm vermählt.
Was soll ihm lästigs Kinderrudel?
Er hält dafür sich einen Pudel.
Er ist, der Leser merkt es schnell,
Für Null-acht-fünfzehn das Modell,
Sowohl daheim wie in den Ferien,
Wie's herstellt heut die Welt in Serien.
Der Mensch, so satt und matt und platt,
Ist stolz auf alles, was er *hat*.
Doch hat auf Unheil oft die Welt
Jäh die Erzeugung umgestellt —
Und sie verschleudert ganze Berge:
Glückspilze, Hausbars, Gartenzwerge,
Den eitlen Wirtschaftswunder-Mist:
Der Mensch muß zeigen, wer er *ist!*

Falsche Erziehung

Ein Mensch lernt in der Kinderzeit,
Des Lasters Straßen seien breit,
Jedoch der Tugend Pfade schmal
In diesem irdischen Jammertal.
Der Mensch, bei seinem Erdenwandern,
Geht einen Holzweg nach dem andern,
Weil er auf Straßen, breit gebaut,
Sich einfach nicht mehr gehen traut.

O Tempora

Ein Mensch, der eine Freundin hatte,
Ist jetzt, seit Jahren schon, ihr Gatte.
Er hats mit diesem Weibe schwer:
Es redet nämlich dumm daher.
Er meint, es werde täglich schlimmer —
Doch nein — so dämlich war sie immer.
Es liegt nur an der Jugend Schwund:
Süß klang Geschwätz aus süßem Mund.

Begräbnis

Ein Mensch, der, wie gelebt zu haben
Man wünscht, gelebt hat, wird begra-
    ben. —
Und zwar bei zwanzig Grad, im Jänner:
Der Frost steigt in die Knie der Männer.
Der Pfarrer sagt, ein schlichter Greis,
Was er seit gestern flüchtig weiß.
Die Männer wissens lange schon —
Auch stehts in jedem Lexikon.
Ein alter Freund, ein beinah blinder,
Liest mühsam ab aus dem Zylinder
Samt den Verdiensten, den erworbnen,
Die nähern Daten des Verstorbnen.
Die Liebe höret nimmer auf:
Ein dritter gibt den Lebenslauf.
Ein völlig unbekannter Mann
Spricht lang, obwohl er es nicht kann.
Ihm folgt ein weitrer Wortewürger
Aus Tupfing, für den Ehrenbürger.
Ein Dichter, ohne Gnade, spricht
Ein lang nicht endendes Gedicht.
Noch länger spricht ein Mann, der
    klagt,
Vorredner hättens schon gesagt.
Und viele stehn noch da mit Kränzen,
Bereit, rhetorisch hier zu glänzen.
Sein Leben lang geliebt, wird fast
Der Mensch im Grabe jetzt gehaßt.

Die Spanne

Ein Mensch, bereits den Jahren nah,
Wo einer plötzlich nicht mehr da,
Sieht hart gestellt sich vor die Frage,
Ob sich, für seine letzten Tage,
Ein neuer Anzug wohl noch lohne,
Ob, wenn er ihn entsprechend schone,
Der alte nicht so lang noch reiche,
Bis er ihn nicht mehr braucht, als Leiche.
Er trägt nun wirklich auch den alten,
Solange nur die Fäden halten
Und bis die Ärmel durchgewetzt.
Und doch — es langt nicht bis zuletzt!
Da er, bei aller Schäbigkeit,
Die Spanne bis zur Ewigkeit
Zu überbrücken nicht vermag,
Kommt doch der unerwünschte Tag,
An dem der Mensch nun gehn muß,
    leider,
Den schweren Gang zu seinem Schnei-
    der.
Der Tod benimmt sich widerwärtig:
Er macht zur Stund den Menschen fer-
    tig,
In der der Schneider, froh beschwingt,
Ins Haus den neuen Anzug bringt.
Die Erben jammern, die's mißgönnen:
»So lang hätt er noch warten können!«

Falsche Rechnung

Ein Mensch, in siebzig Arbeitsstunden,
Ja, selbst am Sonntag einst geschunden,
Hat diese Sklaverei gebrochen:
's gibt nur noch Vierzigstundenwochen!
Was einem recht, sei andern billig:
Schon ist kein Mensch mehr arbeits-
    willig.
Wer soll die Freizeit *nicht* genießen?
Dienststellen und Geschäfte schließen,

Die Post steht fast nicht mehr in Frage;
Gaststätten haben Ruhetage.
Der Bäcker kommt auf den Geschmack,
Daß er frühmorgens nicht mehr back',
Der Wächter selbst, der bisher brave,
Besteht drauf, daß des Nachts er schlafe;
Um zehn Uhr schließt das Kabarett:
Die Mädchen wollen auch ins Bett!
In einer Welt, so aufgeweicht,
Macht sich der Mensch das Leben
   leicht —
Bis er dann doch merkt, mehr und
   mehr:
Er macht sich nur das Leben schwer.

Nur nicht ärgern!

Ein Mensch kommt gradeswegs aus
   Essen,
— Lang ist im Wagen er gesessen —,
Vorbei an Duisburg, Köln und Bonn
Todmüd am Abend nach Heilbronn.
Ein Telegramm liegt im Hotel:
Nach Duisburg kommen, bitte,
   schnell!
Der Mensch fährt nun das ganze Stück,
Am andern Tage brav zurück ...
Dann strebt, vorbei an Köln und Bonn,
Er wieder eilig nach Heilbronn.
Er ist noch auf den Treppenstufen —
Schon heißts: »Sie sind von Köln ge-
   rufen!«
Verfluchend Himmel, Erd und Hölln,
Fährt er nun wiederum nach Köln,
Und dann, vorüber rasch an Bonn,
Zum drittenmale nach Heilbronn.
Er ist noch gar nicht richtig dort,
Schon heißt es: »Bonn braucht Sie, so-
   fort!«
Der Mensch — jedoch genug davon:
So ähnlich gings uns allen schon ...

Das Wiedersehen

Ein Mensch, im Anzug, seinem guten,
Steht schon im Regen zehn Minuten
Und harrt auf seine Straßenbahn:
Die Linie drei kommt, endlich!, an.
Hinein! Doch sieh, wer steigt da aus? —
»Ja, servus, grüß dich, altes Haus!« —
Ein Freund aus fernen Jugendjahren ...
Wen läßt der Mensch nun besser fah-
   ren?
Die Straßenbahn, nach langem Hoffen?
Den alten Freund, den er getroffen??
Der Mensch, obgleich es stärker gießt,
Zur Freundestreue sich entschließt.
Doch eh die zwei der uralt-jungen
Gemeinsamen Erinnerungen
Sich zu entladen nur beginnen —
Ist schon der gute Freund von hinnen:
»Ein andermal!« ruft der und lacht, —
»Verzeih, da kommt grad meine Acht!«

Die Prüfung

Ein Mensch sieht sich auf dieser Welt
Vor mehr als ein Problem gestellt.
Der liebe Gott, ein strenger Lehrer,
Macht ihm die Schule täglich schwerer.
Der Mensch meint oft, daß er es spürt,
Wie über ihn wird Buch geführt
Und wie im Himmel hoch ein Engel
Notiert die Leistung wie die Mängel —
Und wie wohl auch der Teufel schreibt,
Was alles er an Unfug treibt.
Wie gern möcht er — doch ists verboten! —
Nur einmal spitzen in die Noten:
Ob er ein Einser-Schüler sei,
Ob höchstens Durchschnitt, so um drei?
Ob er das Klassenziel erreicht,
Erfährt er, nach dem Tod, vielleicht!
Doch Reue keinen Sinn dann hat:
Die Prüfung fand auf Erden statt.

Ungleiches Maß

Ein Mensch, nicht willens, seine Freuden
Mit andern Menschen zu vergeuden,
Verzehrt allein sie, weltvergessen:
Fett macht, so denkt er, selber essen!
Doch seine Leiden, sie zu heilen,
Sucht gern mit allen er zu teilen,
Und macht die Welt mit üblem Schwatz
Zu seinem Schuttabladeplatz.
Kaum ist er drum wo aufgetaucht,
Ahnt jeder schon, er wird mißbraucht,
Und Nachbar, Vetter und Kollege
Gehn ihm, wenn möglich, aus dem Wege.
Nun zeigt er sich im Klagen groß:
»Wie ist die Welt doch teilnahmslos!«

Hoffnungen

Ein Mensch, der eben auf gut Glück
Versandte ein Theaterstück,
Erwartet nunmehr Tag für Tag
Gespannt die Antwort vom Verlag.
Die Träume schweifen weit, die kühnen,
Und rechnen schon mit tausend Bühnen,
Sie werden dreist und immer dreister.
Man wird ihm schreiben: »Hoher Meister . . .«
Was, schreiben — drahten wird man gleich:
»Erbitten Rechte ganzes Reich!«
Nur manchmal denkt der Mensch beklommen,
Die Antwort müßte rascher kommen.
Jedoch, mit Träumen so gefüttert,
Bleibt sein Vertrauen unerschüttert.
Sehr plötzlich liegt dann auf dem Tisch
Sein Drama nebst gedrucktem Wisch:
»Man habe für die p. p. Sendung

Hochachtend leider nicht Verwendung,
Womit jedoch in keiner Richtung
Man zweifle an dem Wert der Dichtung!«
Der Mensch, der eben noch im Geist
Und Flugzeug nach Berlin gereist,
Um zu erobern sich die Welt –
Notlandet schlicht auf freiem Feld.

Voreiliges Mitleid

Ein Mensch, dem Großstadtlärm und -stank
Entflohn, setzt sich auf eine Bank,
Wo, als auf einer Insel, grün,
Rings Bäume rauschen, Blumen blühn.
Ein andrer Mensch, erschöpft, verhetzt,
Hat sich daneben hingesetzt.
Wie gut wird es dem Ärmsten tun –
So denkt der Mensch – hier auszuruhn.
Gleich wird er jetzt die Augen schließen,
Das Glück der Stille zu genießen.
Doch der, mit dem er Mitleid hat,
Schlägt auf voll Gier das Abendblatt
Und liest, mißachtend die Natur,
»Im Mordfall Nuschke erste Spur!«

Geben und Nehmen

Ein Mensch, der, um vergnügt zu leben,
Sein Geld verschwenderisch ausgegeben,
Hat dabei außerdem erfahren
Wie freundlich alle Leute waren.
Nun hofft er, mittels geistiger Waffen
Sich wieder welches zu beschaffen,
Wobei den Eindruck er gewinnt,
Daß alle Leute scheußlich sind.
Er muß zur Wahrheit sich bequemen,
Daß Geben seliger macht denn Nehmen.

Partys

Ein Mensch war überall dabei,
Wos galt, zu hörn den letzten Schrei.
Dem Klüngel er sich stets gesellte,
Der allerjüngste Kunst ausstellte,
Man sah zu jedem Geist-Verzapfen
Sogar durch Schnee und Eis ihn stapfen.
Es waren immer nur die Gleichen
Beim Pfötchen- und beim Brötchenreichen.
Doch plötzlich hat der Mensch entdeckt:
Er will ja gar nicht Schmus mit Sekt!
Er ließ sich nicht mehr überlisten,
Zu machen andern den Statisten,
Die nur bedürfen all der vielen,
Damit sie große Rollen spielen.
Der Mensch ist nun daheimgeblieben –
Ein Jahr, dann war er abgeschrieben.
Er schmollt, er grollt, er ärgert sich:
Kein Mensch mehr kümmert sich um mich!

Der Gutmütige

Ein Mensch gilt auf der Welt als gut,
Wenn er, was andre wollen, tut
Und, weil er sich nach ihnen richtet,
Auf das, was selbst er will, verzichtet.
Oft wird ihm seine Dummheit klar –
Doch Menschlichkeit ist unheilbar.

Das schöne Wetter

Ein Mensch liest froh durch vierzehn Tage:
»Fortdauer der Schönwetterlage!«
Kein Wölkchen rings den Himmel rändert:

Der Hochdruck, heißt's, bleibt unver-
  ändert.
Nach Regen lechzt die welke Welt —
Jedoch: »Das schöne Wetter hält!«
Und noch nach sieben Dürre-Wochen:
»Schönwetterlage ungebrochen!«
Das Land glüht wie ein Bäckerofen,
Rings lauter Hitze-Katastrophen —
Jetzt endlich: erstes Blitzgeschmetter!
Die Zeitung schreibt: »Es wird schlecht
  Wetter!«

Zerfall

Wie schätzte die beglückte Runde
Doch einst die vorgerückte Stunde!
Nach Mitternacht ward's erst fidel,
Bis zwei und drei Uhr gab's Krakeel.
Dann wurden wir allmählich leiser
Und, bis zum Morgen, immer weiser,
Tiefsinnig um das Höchste streitend,
Einander endlos heimbegleitend.
Doch heut sich still ein jeder drückt,
Noch eh die Stunde vorgerückt.
Der erste geht, mit lahmem Grund,
Um elf Uhr: »Bin nicht recht gesund!«
Der zweite schließt sich gleich ihm an:
Er muß auf seine Straßenbahn.
Ausflüchte auch ein dritter macht
Und geht, noch lang vor Mitternacht.
Ein vierter klagt, beim Glockenschlag,
Daß morgen schwerer Arbeitstag.
Ein fünfter hat der Frau versprochen,
Heut werd' zu spät nicht aufgebrochen.
Stumm trinkt den schalen Rest des
  Weins
Der letzte, einsam, um halb eins:
»Wie dieser Freundeskreis zerfällt
Bald alles Runde dieser Welt!«

Der Pechvogel

Ein Mensch, vom Pech verfolgt in
  Serien,
Wünscht jetzt sich von den Furien
  Ferien.
Er macht, nicht ohne stillen Fluch,
Ein dementsprechendes Gesuch.
Jedoch wird, wie so oft im Leben,
Dem höhern Orts nicht stattgegeben.
Begründung: »Wechsel sich nicht lohnt,
Wir sind den Menschen schon
  gewohnt.«

Kleine Ursachen

Ein Mensch — und das geschieht nicht oft —
Bekommt Besuch, ganz unverhofft,
Von einem jungen Frauenzimmer,
Das grad, aus was für Gründen immer —
Vielleicht aus ziemlich hintergründigen —
Bereit ist, diese Nacht zu sündigen.
Der Mensch müßt nur die Arme breiten,
Dann würde sie in diese gleiten.
Der Mensch jedoch den Mut verliert,
Denn leider ist er unrasiert.
Ein Mann mit schlechtgeschabtem Kinn
Verfehlt der Stunde Glücksgewinn,
Und wird er schließlich doch noch zärtlich,
Wird ers zu spät und auch zu bärtlich.
Infolge schwacher Reizentfaltung
Gewinnt die Dame wieder Haltung
Und läßt den Menschen, rauh von Stoppeln,
Vergebens seine Müh verdoppeln.
Des Menschen Kinn ist seitdem glatt —
Doch findet kein Besuch mehr statt.

Halbes Glück

Ein Mensch, vom Glücke nur gestreift,
Greift hastig zu, stürzt, wird geschleift,
Kommt unters Rad, wird überfahren —
Dergleichen kannst du dir ersparen,
Wenn du nicht solche Wege gehst,
Wo du dem Glück im Wege stehst.

Das Schlimmste

Ein Mensch erkennt: Sein ärgster Feind:
Ein Unmensch, wenn er menschlich scheint!

Versäumte Gelegenheiten

Ein Mensch, der von der Welt bekäme,
Was er ersehnt — wenn er's nur nähme,
Bedenkt die Kosten und sagt nein.
Frau Welt packt also wieder ein.
Der Mensch — nie kriegt er's mehr so billig —
Nachträglich wär er zahlungswillig.
Frau Welt, noch immer bei Humor,
Legt ihm sogleich was andres vor:

Der Preis ist freilich arg gestiegen;
Der Mensch besinnt sich und läßt's
    liegen.
Das alte Spiel von Wahl und Qual
Spielt er ein drittes, viertes Mal.
Dann endlich ist er alt und weise
Und böte gerne höchste Preise.
Jedoch, sein Anspruch ist vertan,
Frau Welt, sie bietet nichts mehr an,
Und wenn, dann lauter dumme Sachen,
Die nur der Jugend Freude machen,
Wie Liebe und dergleichen Plunder,
Statt Seelenfrieden mit Burgunder ...

Der Wunderdoktor

Der Humorist, meist selbst nicht heiter,
Gibt Frohsinn nur an andre weiter.
Die Wissenschaft, die kaum je irrt,
Nennt so was einen Zwischenwirt.

Blinddarm

Der Blinddarm lebt im dunklen Bauch,
Ist nicht nur blind, ist taubstumm auch,
Ein armer Wurm, unnütz und krumm
Und, höchstwahrscheinlich, schrecklich dumm,
Infolgedessen leicht gereizt,
Sobald sich irgend etwas spreizt.
Wir merken's leider meist zu spät,
Wenn dieser Wurm in Wut gerät.
Denn, ach, er kann's nicht anders künden
Als durch ein heftiges Sich-Entzünden.
Wie wollt man ihn um Ruhe bitten? —
Kurzweg wird er herausgeschnitten.
Und ohne Wurmfortsatz wird jetzt
Das Leben einfach fortgesetzt.

Erste Hilfe

Man liest zwar deutlich überall:
Was tun bei einem Unglücksfall?
Doch ahnungslos ist meist die Welt,
Wie sie beim Glücksfall sich verhält.

Vorsicht!

Du kriegst, wenn du sie nicht schon hast,
Gastritis leicht als Wirtshaus-Gast.

Holde Täuschung

Bei Nikotin und Alkohol
Fühlt sich der Mensch besonders wohl.
Und doch, es macht ihn nichts so hin,
Wie Alkohol und Nikotin.

Zuversicht

Am Abend sieht man manchen Kranken
Gewaltig Medizinen tanken:
Für Herz und Magen, Kopf und Nerven
Füllt er sich an mit Heilkonserven;
Er hofft, daß morgen früh die Gaben
Gewirkt beim Aufstehn werden haben.
Und gläubig schließt er seinen Pakt
Schon jetzt mit dem Futur exakt.

Der rechte Arzt

Fehlt dirs an Leber, Lunge, Magen,
Mußt du es den Bekannten sagen,
Damit sie, die dir Heilung gönnen,
Dir *ihren* Arzt verraten können.
Ist deine Krankheit eine schwierige,
Kann keiner helfen als der *ihrige*.
Sie möchtens schriftlich dir bescheinigen,
Daß du verratzt bist mit dem deinigen.
Herr Meier, der sich unterfing
Und nicht zu *ihrem* Doktor ging —
Es fehlte ihm wie dir das gleiche —
War nach sechs Wochen eine Leiche.
Herrn Schmidt, der auch es ausgeschlagen,
Den hat man bald hinausgetragen,
Den braven Mann, den unermüdlichen,
Er liegt im Friedhof jetzt, im südlichen.
Doch Schneckenbeck, für dessen Leben
Kein Mensch ein Fünferl mehr gegeben,
Dem gab *ihr* Doktor eine Salbe:
Jetzt trinkt er täglich siebzehn Halbe!
Drum, willst du sinken nicht ins Grab,
Dann laß von deinem Doktor ab
Und lasse nur noch einen holen,
Der von Bekannten dir empfohlen,
Weil du nur dann — wenn doch du stirbst —
Ein Recht auf Mitleid dir erwirbst.
Sonst sagen sie nur, tief empört:
Er hat ja nie auf uns gehört!

Frage

Wir nehmen gern die Weisheit an:
Was Gott tut, das ist wohlgetan!
Nur ist uns häufig nicht ganz klar,
Ob Er es denn auch wirklich war!

Klare Entscheidung

Ja, der Chirurg, der hat es fein:
Er macht dich auf und schaut hinein.
Er macht dich nachher wieder zu —
Auf jeden Fall hast du jetzt Ruh.
Wenn *mit* Erfolg, für längere Zeit,
Wenn *ohne* — für die Ewigkeit.

Chirurgie

Wenn wer (damit es sich nicht sträubt)
Sein Opfer erst einmal betäubt,
Sich Geld verschafft dann mit dem Messer,
So ist das sicher ein Professor.
Die Operation gelingt
Dem Arzt von heute unbedingt.
Kommt gar der Patient davon,
Ists für den Doktor schönster Lohn —
Weil beiden Freude dann gebracht
Der gute Schnitt, den er gemacht.

Herz

Leicht fiel' das Herz uns in die Hosen,
Würd es nicht auf das Zwerchfell stoßen.
Gefährlich, gar in unsern Tagen,
Ists, auf der Zunge es zu tragen.

Man lasse es noch bestenfalls,
Aus Angst wohl klopfen bis zum Hals
Und nehms, wenn man das nötig fände,
Mit Vorsicht fest in beide Hände!
Doch hat dies alles wenig Zweck:
Man laß es auf dem rechten Fleck!

Schnittiges

Wir scheuen alle zwar das Messer —
Doch Scherereien sind nicht besser.

Köpfliches

Der Kopf muß wohl das Beste leisten —
Ihn gut zu schützen, gilts am meisten:
Den Eisenkopf vor frühem Rost,
Den Wasserkopf vor starkem Frost,
Den Feuerkopf vor großer Hitze,
Den Schlaukopf vor dem eignen Witze.
Der Dummkopf nur, der keinem nützt,
Gedeiht auch völlig ungeschützt.

Hautleiden

Oft führ man gern aus seiner Haut,
Doch, wie man forschend um sich schaut,
Erblickt man ringsum lauter Häute,
In die zu fahren auch nicht freute.
Hätt sich auch einer selbst erspürt
Als Narr, wo ihn die Haut anrührt,
Er bleibt, nach flüchtigem Besinnen,
Doch lieber in der seinen drinnen!

Erkenntnis

Zwei Dinge trüben sich beim Kranken:
a) der Urin, b) die Gedanken.

Kranke Welt

Nicht nur du selber kannst erkranken,
Die Leidgewalt kennt keine Schranken.
Auch was du hieltst für rein mechanisch,
Erkrankt oft depressiv und manisch.
Oft schleicht die Straßenbahn bedrückt,
Ein Telefon schellt wie verrückt,
Fährst du grad bei dem Schutzmann vor,
Stirbt untern Händen dein Motor.
Befällt der Brechreiz das Geschirr,
Saust es hinunter mit Geklirr.
Schifahrern beispielsweis tuts weh,
Zu laufen auf dem kranken Schnee.
Und selbst das sichre Flugzeug schwankt,
Sobald der Luftweg wo erkrankt.
Kurzum, die Welt, wohin du schaust,
Ist so voll Krankheit, daß dir graust.

Auf der Reise

Schon schlimm genug, wenn sich daheim
Entwickelt einer Krankheit Keim,
Wo du, um etwas auszubrüten,
Das eigne Bett nur brauchst zu hüten. —
Doch scheußlicher, wenn in der Fremden,
Wo du beschränkt an Geld und Hemden,
In, beispielsweise, Wolfenbüttel,
Dich jäh erfaßt ein Frostgeschüttel,
Wenn dir in Schneizelreuth, in Krünn,
Wird gar der Lebensfaden dünn;
Vielleicht fällts grad in Schwarzenstein
Der häßlichsten der Parzen ein,
Dir — Gottlob ohne langes Leiden —
Besagten Faden abzuschneiden.
Vergebens du dem Schicksal grolltest,
Liegst du nun, wo du gar nicht wolltest,
Jetzt unterm Marmor oder Tuffstein
In Berchtesgaden oder Kufstein.
Darum, mein Lieber, überlegs
Und werde krank nicht unterwegs!

Gegen Aufregung

Wen Briefe ärgern, die er kriegt,
Dem sei, auf daß sein Zorn verfliegt,
Genannt ein Mittel, höchst probat,
Das manchem schon geholfen hat.
Er suche sich aus alten Akten
Die schon erledigt weggepackten
Droh-, Schmäh-, Mahn-, Haß- und Liebesbriefe,
Die schliefen in Vergessenstiefe:
Beschwichtigt alles und berichtigt,
Entzichtigt, nichtig und entwichtigt!
So wird die Zeit mit dem bald fertig,
Was gegen-, vielmehr widerwärtig.
Ad acta wirst auch du gelegt
Samt allem, was dich aufgeregt.

Antike Weisheit

Im Altertum schon steht geschrieben,
Daß jung stirbt, wen die Götter lieben —
Womit sie nicht gleich jeden hassen,
Den sie noch länger leben lassen.

Behandlung

Wenn eine Krankheit selbst beherzten
Und klugen Feld-, Wald-, Wiesenärzten
Sich nicht ergibt, dann ist es rätlich,
Man komme ihr kapazi-tätlich.
Bleibt sie selbst dann, trotz hoher Kosten,
Noch unerschüttert auf dem Posten,
So läßt sichs leider nicht vertuschen:
Jetzt wird es Zeit, um Kur zu pfuschen.
Doch pfeift auch da die Krankheit drauf,
Dann lasse man ihr freien Lauf.
Vielleicht, sie geht, sobald sie sieht,
Daß gar nichts mehr für sie geschieht.

Marktschreiereien

Gern lassen wir uns durch Broschüren
Ins Wunderreich der Krankheit führen
Und holen uns aus bunten Heften
Die Kenntnis von geheimen Kräften.
Beschlossen liegt der Stein der Weisen
In Büchern, nicht genug zu preisen.
Hört! — Und ihr werdet nicht mehr säumen:
Wie deut ich Zukunft aus den Träumen?
Wie bleib ich trotz zwölf Halben nüchtern?
In einer Stunde nicht mehr schüchtern ...
Vorm anderen Geschlecht nicht schaudern!
Sie lernen unbefangen plaudern!
Befreiung von nervösem Kichern!
Die Kunst, sich den Erfolg zu sichern.
Nicht unbeholfen mehr beim Tanzen!
Die Radikalkur gegen Wanzen.
Wie fühle ich mich neugeboren?
Sie brauchen nicht mehr Nase bohren.
Wie kann Millionen ich erlottern?
Das sichre Mittel gegen Stottern.
Nichtraucher werden in drei Tagen.
Antworten auf diskrete Fragen. —
Drum macht nur schleunig den Versuch
Und kauft ein solches Wunderbuch!
Ein einziges Rezept daraus
Zahlt hundertfach die Kosten aus!

Rekordsucht

Der Patient es gerne sieht,
Wenn für sein Geld auch was geschieht,
Und daß, gar wenns die Kasse zahlt,
Man oft ihn badet und bestrahlt,
Ihm Tränklein massenhaft verschreibt,
Ihm Salben in den Rücken reibt.
Ja, selbst wenn er vor Schmerzen winselt,
Will er den Hals gern ausgepinselt.
Er wird die Ärzte tüchtig preisen,
Die ihn dem Facharzt überweisen.
Sei es bewußt, seis unbewußt —
Das Wandern ist des Kranken Lust.
Erschöpfen würde er die Kraft,
Wenns ging, der ganzen Wissenschaft,
Nicht um gesund zu werden, nein —
Nur, um der kränkste Mensch zu sein.

Vorurteil

Auch Medizin kann uns nicht frommen,
Voreingenommen eingenommen.

Vergebliche Mühe

Dem Kinde, wie's auch heult und stöhnt,
Wird wohl die Flasche abgewöhnt.
Jedoch das ewige Kind im Mann
Gewöhnt sie sich dann wieder an.

Ernährung

Sofern du auf- und abgeklärt,
Hast du, rein seelisch, dich bewährt.
Jedoch die seelische Bewährung
Hilft meistens wenig zur Ernährung.
Im Gegenteil, die tausend Listen,
Durch die wir unser Dasein fristen,
Verlangen, daß man seine Seele
Der Welt, so gut es geht, verhehle;
Denn, da der Seelenvorrat knapp,
Kauft leicht die Welt dir deine ab.
Rezept: Benutze deine Hand
Und, wenn es nottut, den Verstand,
Um was zum Leben zu erwerben.
Die Seele brauchst du noch zum Sterben.

Punktion

Was man auch redet, schreibt und funkt:
Unheilbar bleibt der wunde Punkt.

Gehabte Schmerzen

Vier sitzen kreuzvergnügt beim Tee —
Dem fünften tut ein Stockzahn weh,
Und er erlaubt sich ganz bescheiden,
Zu reden von dem bösen Leiden.
Doch öffnet er noch kaum die Lippe,
Spricht schon der erste von der Grippe,
Die jüngst ihn schauerlich gequält.
Der zweite von der Gicht erzählt,
An der ganz grausam er gelitten —
Was wiedrum Anlaß gibt dem dritten,
Gleich klar zu schildern seinerseits
Den — längst vergangnen — Nierenreiz.
Der vierte überspielt sie alle;
Er spricht von seinem seltnen Falle:
Als Kind — 's ist vierzig Jahre her —
Erkrankte er an Typhus schwer ...

So drücken an die Wand sie glatt
Den, der die Schmerzen wirklich hat,
Um am Bewußtsein sich zu laben,
Noch ärgere gehabt zu haben.

Lebenslauf

Die letzte Kinderkrankheit wich:
Die Altersleiden melden sich!

Empfindlichkeit

Leicht überwinden wir den Schmerz,
Trifft er das leidgewohnte *Herz*.
Mühselger schon ists zu ertragen,
Wenn etwas schwer uns liegt im *Magen*.
Am schlimmsten scheint es, Geld verlieren — —
Das geht empfindlich an die *Nieren*.

Unterschied

Das Kopfzerbrechen bleibt Versuch —
Ernst wird es erst beim Schädelbruch.

Roh-Köstliches

Die Rohkost macht durchaus nicht roh,
Sie macht uns frisch und frei und froh,
Nicht grade fromm, doch ziemlich
  frömmlich,
Und sie ist ungemein bekömmlich.
Vereint mit Kulten, rein und östlich,
Macht sie das Seelenleben köstlich,
Nur oft ein bißchen flügellahm,
Zwar dulderisch, doch unduldsam
Teils gegen männlich frohe Taten,
Teils gegen Schweins- und Kälber-
  braten.

Bedrängnis

Oft hat — ich hoffe nur, es führe,
Daß ich den heiklen Punkt berühre,
Nicht mit den Lesern zum Zerwürfnis —
Ein Mensch ein menschliches Bedürfnis.
Anstalten trifft man oft nicht an,
Woselbst man solche treffen kann.
Drum ist es gut, wenn unverweilt
Der so Bedrängte heimwärts eilt.
Auch achte er, indes er rennt,
Zu treffen keinen, der ihn kennt
Und ihn, der nichts will als verschwin-
  den,
Ausführlich fragt nach dem Befinden.
Er sei in solchem Fall zwar höflich,
Doch *kurz* — sonst endets kataströph-
  lich.

Trübsinn

Es gibt so Tage, wo die Welt
Dir, ohne Anlaß, arg mißfällt.
Selbst über Goethe oder Schiller
Denkst du an solchen Tagen stiller.
Auch schaust du einen Tizian
Ganz ohne innere Rührung an
Und meinst, bei einem Satz von Bach:
»Im Grunde einfallslos und schwach!«
Kurz, nicht in Worten, Bildern, Tönen
Spricht zu dir dann die Welt des
  Schönen.
»Dies«, fragst du — und du siehst's nicht
  ein —
»Soll höchste Kunst der Menschheit
  sein?
Dies jene vielgerühmte Grenze,
An der Unsterblichkeit erglänze?«
Wir hoffen nur, dein wahnsinns-
  trüber
Unkunstsinnsanfall geh vorüber.
Wo nicht, so fahre zu den Toten —:
Mehr wird auf Erden nicht geboten!

Wichtiger

Im Alter werden Freunde selten:
Drum, die du hast, die lasse gelten!
Recht kannst du manchmal leicht be-
  halten,
Doch schwer den Freund, den guten,
  alten!

Jung und alt

Hie jung — hie alt! Zu wem von beiden
Gehn lieber wir mit unserm Leiden?
Bald sind wir vom Gefühl durchdrun-
  gen:
»Das Neueste wissen nur die Jungen!«
Bald wieder sind wir überzeugt:
»Die Ältern haben mehr beäugt!«
Bald sagen wir, als Kosten-Scheuer:
»Ein Titel macht die Sache teuer!«
Bald singen wir das alte Lied:

»Ich, statt zum Schmiedel, geh zum Schmied!«
Bald kriegen wir ins Ohr getuscht:
»Selbst Große haben schon gepfuscht!«
Bald heißts: »Wer zum Professor rennt — —
Und dann machts doch der Assistent!«
Kurzum, wir armen, armen Kranken
Oft wie das Rohr im Winde schwanken —
Bis dann ein Zufall es entscheidet,
Wer aus dem Rohr sich Pfeifen schneidet.

Ersatz

Wer nicht mehr traut auf Gottes Willen,
Ersetzt sein Nachtgebet durch Pillen.

Ermunterung

Scheint auch dein Zustand aussichtslos,
Halt durch — und wärs für Tage bloß!
Nur Mut! Die Rettung ist schon nah —
Sie kommt bestimmt aus USA,
Wo, wie man liest, beinahe stündlich
Die Heilkunst umgewälzt wird, gründlich.
Und wäre auch dein Fall der schwerste,
Bist du vielleicht der allererste,
Den, durch die Luft herbeigeeilt,
Von drüben ein Professor heilt!

Gleichgewicht

Was bringt den Doktor um sein Brot?
a) die Gesundheit, b) der Tod.
Drum hält der Arzt, auf daß *er* lebe,
Uns zwischen beiden in der Schwebe.

Privatpraxis

Der Arzt heißt herzlich dich willkommen,
Was dir auch fehlt — Geld ausgenommen!

Zeit heilt

Zwei Grundrezepte kennt die Welt:
Zeit heilt und, zweitens, Zeit ist Geld.
Mit Zeit, zuvor in Geld verwandelt,
Ward mancher Fall schon gut behandelt.
Doch ist auch der nicht übel dran,
Der Geld in Zeit verwandeln kann
Und, nicht von Wirtschaftsnot bewegt,
Die Krankheit — und sich selber — pflegt.
Doch bringts dem Leiden höchste Huld,
Verwandelst Zeit du in Geduld!

So und so

Gesunde quält oft der Gedanke:
Wohin sie schauen — lauter Kranke!
Doch blickt ein Kranker in die Runde,
Sieht er nur unverschämt Gesunde.

Selbstbedienung

Man weiß, das Personal wird rar —
Doch Rettung wächst mit der Gefahr.
Statt daß man schon in aller Frühe
Die brave Schwesternschaft bemühe,
Schiebt man dem Kranken an sein Bett
Ein automatisch Wunderbrett,
Das sich, mit Hilfe vieler Schalter,
Als Wärter zeigt und Unterhalter.

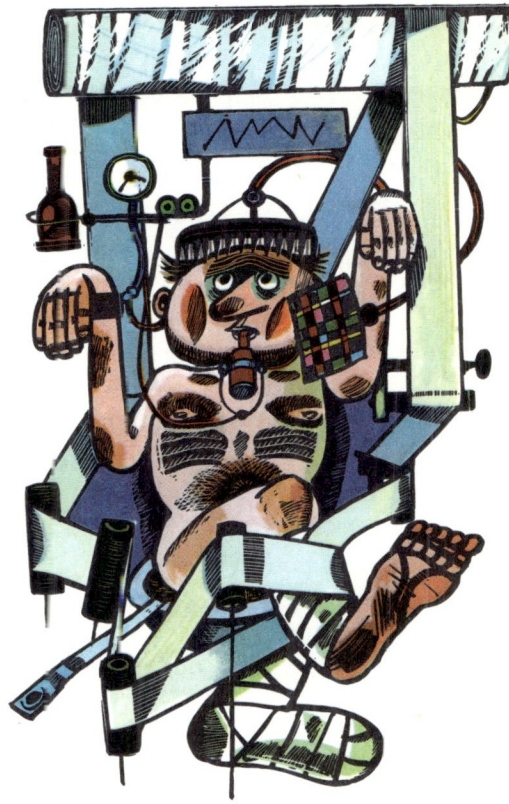

Beim Druck auf ein bestimmtes Knöpfchen
Reicht es ihm Pillen zu und Tröpfchen.
Licht an — Licht aus; den Vorhang auf! —
Wie mans grad wünscht im Tageslauf.
Der Kranke wird gekämmt, gewaschen,
Versehn mit jeder Art von Flaschen;
Des Zimmers Wärme wird gesteuert,
Selbsttätig der Verband erneuert.
Auch Zuspruch ist zu haben, seelisch —
Nach Wahl: katholisch — evangelisch.
Punkt fünf — sollt ers auch selbst vergessen —
Wird seine Tempratur gemessen.
Den Puls erfühlt ein eigner Zähler. —
Nur: schleicht sich technisch ein ein Fehler,
Bleibt hilflos liegen man wie gestern:
Vergebens ruft man nach den Schwestern. —
Zu sparen ihre Liebeskraft
Hat man das Brett ja angeschafft!

Einschüchterung

Von Wechseljahren weiß der Kenner,
Daß sie gefährlich auch für Männer.
Schon naht — sonst abhold der Verrohung —
Der Fachmann mit massiver Drohung:
Sie haben Sand in den Gelenken!
Sie können nicht mehr richtig denken!
Sie haben Kribbeln in den Beinen!
Sie fangen grundlos an zu weinen!
Sie sind versucht, sich selbst zu töten,
Sie leiden unter Atemnöten,
Schweiß rinnt von Ihnen, ganze Bäche!
Sie fürchten sich vor Mannesschwäche!
Sie haben Angst vor Frauenzimmern!
Sie leiden unter Augenflimmern,
Schlaflosigkeit und Nervenzucken,
Fußkälte, Kopfweh, Schwindel, Jucken,
Ihr Herz beginnt zu klopfen, jagen,
Müd sind Sie, nieder-, abgeschlagen!!
Der Ärmste, der dies schaudernd liest,
Kriegts mit der Angst und sagt: »Na, siehst!«
Und nimmt — das war der Warnung Willen —
Ab heut die guten Knoblauch-Pillen!

So und so

Man hört jetzt mit dem Schlagwort werben:
»Wer arm ist, der muß früher sterben!«
Doch oft ist auch nicht zu beneiden
Der Reiche: er muß länger leiden!

Freizeitgestaltung

Die Freiheit — das ist keine Not:
Wohin man schaut, schlägt sie wer tot.
Doch, wie die Freizeit totzuschlagen,
Muß man den Leuten eigens sagen.

Wandlung

Daß wir den Arzt nicht fürchten dürfen,
Ist klar — doch wenn wir tiefer schürfen,
So kommen wir auf den Gedanken:
Heut fürchtet mehr der Arzt die Kranken!

Seelen-Heilkunde

Der Leib, erkrankt, gibt Schmerz-Alarm —
Doch hilflos, meistens, schweigt der Harm,
So daß er chronisch schon verstockt,
Eh man der Seele ihn entlockt.
Und liegt der Mangel gar an Glück,
Wie häufig, Jahre weit zurück,
So ist das Leiden arg verschleppt.
Zwar gibts manch prächtiges Rezept,
Das jeder Doktor gern verschriebe:
Es brauchte weiter nichts als *Liebe*.
Doch fehlts an Apotheken dann,
Wo man es machen lassen kann.
Denn Liebe just wird auf der Welt
Noch nicht synthetisch hergestellt.

Zeit heilt

Wenn ihn nicht gleich der Tod ereilt,
Hat manchen schon die Zeit geheilt.
Den einen, der beim Scheiterspalten
Die große Zeh für Holz gehalten;
Den andern, den vor Zeit ein Schaf
Knie-scheibenschießend übel traf;
Den dritten, der sich schon wollt morden,
Weil nicht bekommen er den Orden;
Den vierten, der an einer stolzen
Wunschmaid in Tränen schier zerschmolzen;
Den fünften, der mit Schreck vernommen,
Daß ihm die Felle weggeschwommen;
Den sechsten, der voll Gram gewesen,
Weil keiner sein Gedicht gelesen. —
Lang, lang ists her; es wird die Qual
Zum Märchen schon: es war einmal . . .
Und alle leben so ganz friedlich —
Nur ein klein bißchen invalidlich.

Herzenswunden

Die Medizin hats längst gefunden:
Rein halten gilts bei allen Wunden.
Gern sieht ein braver Mensch das ein
Und hält sein Herz drum möglichst rein.
Er hat dazu auch allen Grund:
Ein gutes Herz ist immer wund!

Ausflüchte

Zum Werke der Barmherzigkeit
Ist stets ein guter Mensch bereit:
Er wird mit Blumen, Obst und Kuchen
Demnächst den kranken Freund besuchen!
Doch weicht die erste zarte Regung
Der Übermacht von Überlegung:
Zeit kostets, Geld und Überwindung . . .
Die schlechte Straßenbahnverbindung . . .

's ist erst die Frage, ob und wann
Man ihn besuchen darf und kann ...
Vermutlich ist der Arzt dagegen ...
Wie häufig kommt man ungelegen ...
Er braucht die Schüssel grad — wie
   peinlich ...
Am liebsten schläft er, höchstwahr-
   scheinlich.
Vielleicht ist arg er überlaufen,
Hat Blumen, Bücher schon in Haufen.
Ich frag doch vorher den Professer ...
Die nächste Woche läg mir besser.
Die Luft im Krankenhause haß ich —
Ich glaub, das Ganze unterlaß ich ...
Vielleicht kommt demnächst er heraus
Und ich besuch ihn dann zu Haus ... —
Heraus nun kommt der Kranke zwar,
Doch leider auf der Totenbahr.
Die Frage bleibt sich schier die gleiche:
Ob er wohl geht mit seiner Leiche?

Die Stütze

Gesunde stürzen ohne Halt —
Wer kränkelt, wird gar achtzig alt.
Sein Leiden wird zum festen Stab,
Dran er sich schleppt bis an das Grab.

Der Fürsorgliche

Nicht, weil er bös ist, nein: zu gut —
Quält uns oft einer bis aufs Blut.
Selbst Wünsche, die wir gar nicht
   hatten,
Erfüllt er, ohne zu ermatten,
In einem Übermaß von Hulden
Und: ohne Widerspruch zu dulden.
Ach, seine Sorge, ob er täglich
Uns recht umsorgt, wird unerträglich:
Mild fragt, in unserm ersten Schlafe,

Ob wir gut zugedeckt, der Brave;
Früh will er uns gewiß nicht stören —
Nur, ob wir wohl geschlummert, hören.
Die Frühstückspfeife froh zu schmau-
   chen
Vergällt sein Vortrag übers Rauchen.
Grad was wir äßen mit Vergnügen,
Gibts nicht, weil wir es schlecht vertrü-
   gen.
Daß er vor rauher Luft uns schütze,
Drängt er uns Wollschal auf und Mütze,
Ja, Regenschirm und Überschuhe,
Im Fall nur, daß es regnen tue.
Auf leises Räuspern bringt bereits
Ein Säftlein er für Hustenreiz;
Und sollten etwa gar wir niesen,
Ist unser Tod ihm fast bewiesen.
Und teuflisch martert er uns Armen,
Erbarmungslos — nur aus Erbarmen.

Beherzigung

Im Seelenkampf mit allzu Schwierigen
Schon *deine* Nerven — nicht die ihrigen!

Autosuggestion

Ein Kranker spürt, trotz der Behandlung,
In seinem Zustand keine Wandlung;
Ja, es werd schlechter, möcht er denken. —
Jedoch, um nicht den Arzt zu kränken,
Sagt er bescheiden: »Herr Professer,
Es wird wohl stimmen — mir gehts besser!«
Und sieh — das tuts auch, mit der Zeit:
Welch ein Triumph der Höflichkeit!

Vorteil

Die Frau mit *schwachen* Nerven kann,
Was nicht mit *starken* glückt dem Mann.

Geschütteltes

Du sollst dein krankes Nierenbecken
Nicht mit zu kalten Bieren necken.
Auch müßtest du bei Magenleiden
Den Wein aus sauren Lagen meiden.
Glaub nicht, daß alle Zungen lügen,
Die warnen vor den Lungenzügen.
Auf Pille nicht noch Salbe hoff,
Wer täglich dreizehn Halbe soff.
Wer kann mit frohem Herzen schmausen,
Wenn tief im Stockzahn Schmerzen hausen?
Du spürst der ganzen Sippe Groll
Die pflegen dich bei Grippe soll.
Statt jeden, der noch lacht, zu neiden,
Am Neid dann Tag und Nacht zu leiden,
Sich Kummer, weil man litt, zu machen:
Ist besser, selbst gleich mitzulachen.

Der Stärkere

Kein Seelenschmerz und keine Trauer
Schert deinen Magen — auf die Dauer.
Mag Gram und Groll das Herz dir pressen,
Der Bauch, der Lümmel, will sein Fressen.
Er hat die Pflicht, nicht nachzugeben —
Denn schließlich mußt du weiterleben!

Mahnung

Nehmt euch der Römer weise Lehre
Zum Ziel: Quieta non movere!
Wenn wirs in deutsche Worte fassen:
Was ruht, auf sich beruhen lassen.
Sonst wird oft das grad, was im Leben
Längst schien vergessen und vergeben,
Wie auch die rasche Stunde rennt,
In tiefster Seele virulent.

Weissagung

Erhaltet euch, auch metaphysisch,
In alter Frische, tränendrüsisch.
Denn leider Gottes wills so scheinen,
Als käm noch allerhand zum Weinen.

Für Kahlköpfe

Als sichres Mittel gegen Glatze
Ist folgendes Rezept am Platze:
Man laß, im Lauf der nächsten Jahre
Sich einfach wachsen graue Haare —
Wozu der Grund sich leicht ergibt —
Die färbe man nun, wie's beliebt.

Darum!

Damit man doch zum Doktor geh,
Schuf Gott den Schmerz — denn, täts
  nicht weh,
Dann säß der erste Arzt noch immer
Allein in seinem Wartezimmer.

Das Geld

Daß unser Geld nicht bleibt gesund,
Hat, wenn man nachdenkt, guten
  Grund:
Unschuldig selbst, wirds arg miß-
  braucht:
Versoffen wirds, verlumpt, verraucht;
Mit Aderlaß und Währungsschnitt
Spielt mancher Pfuscher bös ihm mit.
Bald wird es fiebernd heiß begehrt,
Bald kalt verachtet, weil nichts wert.
Leichtsinnig auf den Kopf gehauen,
Verliert es bald sein Selbstvertrauen.
Oft zwischen Erd und Himmel bang
Schwebt es, als Kaufkraftüberhang.
Dann wirds gedrosselt von den Ban-
  ken —
Der ganze Kreislauf kommt ins Wan-
  ken.
Hier wirds zum Fenster nausgeschmis-
  sen,
Dort alle Welt mit ihm besch . . .
Im Kampf ums Dasein wirds zerrieben,
Als Steuer herzlos eingetrieben.
Auch macht es glücklich nicht allein;
Als Mitgift gar kanns giftig sein!
Man will mit ihm bestechen, schmie-
  ren —
Und dann solls noch die Welt regieren!
Das alles, wie's auch wirkt und schafft,
Geht schließlich über seine Kraft!

Begegnung

Zwar fragen uns Bekannte stets,
Wenn sie uns treffen: »Na, wie gehts?«
Doch warten sie so lange nie,
Bis wir es sagen könnten, wie.
Wir stellen drum statt langer Klage,
Sofort die kurze Gegenfrage.

Dann ziehen höflich wir den Hut
Und sagen beide: »Danke, gut!«
Wir scheiden, ohne uns zu grollen —
Weil wirs ja gar nicht wissen wollen.

Der Husten

Der Husten wählt sich mit Bedacht
Zum Wirkungskreis die stille Nacht,
Damit er nicht alleine stört
Dich, dem der Husten selbst gehört; —
Mit atem-schöpferischer Pause
Weckt alle Leute er im Hause,
Die wach nun auf der Lauer liegen:
Wann wirst du deinen Anfall kriegen!?
Der Nachbarn Mitleid ist bescheiden
Bei *andern*, lautlos-stummen Leiden —
Doch müssen hier sie sich bequemen
Und Anteil an dem Husten nehmen.
Aus Selbstsucht schon wünscht alt und
    jung
Dir herzlich: »Gute Besserung!«

Ärger

Es gilt, just bei nervösen Leiden,
Aufregung aller Art zu meiden;
Besonders, wie der Doktor rät,
Vorm Schlafengehen, abends spät.
Noch mehr fast, fleht er, gib dir Müh,
Dich nicht zu ärgern in der Früh.
Und bitte, ja nicht zu vergessen:
Niemals, vorm, beim und nach dem
    Essen.
Wer streng zu folgen ihm, bereit,
Hat, sich zu ärgern, kaum mehr Zeit.

Einer für alle

Kraft *aller* Nerven ist vonnöten.
Will *einen* uns der Zahnarzt töten.

Kreislaufstörung

Das ist der Kreislauf dieser Welt:
Mit sauerm Schweiß verdient man Geld,
Mit süßem Leichtsinn wirds verlumpt —
Das beste Herz uns nichts mehr pumpt.
Im Kreise laufen wir verstört,
Bald stockt das Blut, bald wallts em-
    pört.
Unlustgefühle aller Art,
Selbst Schwindel bleibt uns nicht er-
    spart.
Man trifft — was leicht wär zu bewei-
    sen —
Die Störung in den besten Kreisen.

»Schein«-Behandlung

Scheinkranke stellen gern sich ein,
Genügt dazu ein Krankenschein.

Einbildung

Wir sehn mit Grausen ringsherum;
Die Leute werden alt und dumm.
Nur wir allein im weiten Kreise,
Wir bleiben jung und werden weise.

Schnupfen

Beim Schnupfen ist die Frage bloß:
Wie kriege ich ihn — wieder los?
Verdächtig ist's: die Medizin
Sucht tausend Mittel gegen ihn,
Womit sie zugibt, zwar umwunden,
Daß sie nicht eines hat gefunden.
Doch Duden sei als Arzt gepriesen,
Der Nießen milderte zu Niesen.
Der bisher beste Heilversuch
Besteht aus einem saubern Tuch,
Zu wechseln un-ununterbrochen
Im Lauf von etwa zwei, drei Wochen.
Zu atemschöpferischer Pause
Bleibt man am besten still zu Hause,
Statt, wie so häufig, ungebeten
Mit bei Konzerten zu trompeten.
Rezept: Es hilft nichts bei Katarrhen
Als dies: geduldig auszuharren.
Der Doktor beut hier wenig Schutz —
Im besten Fall nießt er nur Nutz.

Bitte

Der Alltagsmensch ist schwer erkrankt
Am Leben, öd und unbedankt.
Ich bitt euch herzlich: lobet ihn!
Lob ist die beste Medizin.

Vergebliche Warnung

Der Leib sagt es der Seele oft,
Daß er auf ihre Beßrung hofft;
Er fleht, das Rauchen einzudämmen,
Ihn nicht mit Bier zu überschwemmen,
Ihm etwas Ruhe doch zu gönnen —
Bald werd er's nicht mehr schaffen
   können.
Die Seele murrt: »Laß dein Geplärr!
Du bist der Knecht — ich bin der Herr!«
Der Körper, tief beleidigt, schweigt —
Bis er dann eines Tages streikt:
Die Seele, hilflos und bedeppt,
Den kranken Leib zum Doktor schleppt.
Und was, meint ihr, erfährt sie dort?
Genau dasselbe, Wort für Wort,
Womit der Leib ihr Jahr und Tag
Vergeblich in den Ohren lag.

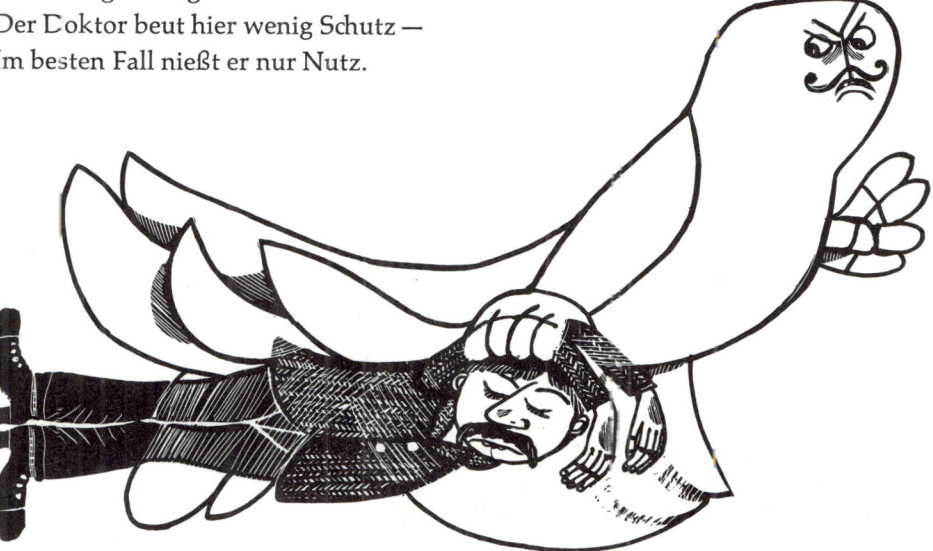

Stoßseufzer

Ein hohes Lob für Zeitgenossen
Ist heute, daß sie aufgeschlossen.
Wir aber wüßten manchmal gern:
Wie wärn sie wieder zuzusperrn?

Patent

Der Kranke greift zur Medizin,
Froh überzeugt, sie heile ihn.
Doch ist sie leider, gleich der Nuß,
Gebannt in den Patentverschluß.
Der Ärmste plag sich, wie er mag:
Geheimnisvoll am lichten Tag
Läßt sich mit Hebeln nicht und Schrauben
Die Büchse ihren Inhalt rauben.
Hätt er die Medizin genommen,
Der Kranke wär davongekommen.
Doch starb er noch in selber Nacht:
Er hat das Dings nicht aufgebracht.

Zweifache Wirkung

Das ist der Krankenhäuser Sinn,
Daß man — wenn's geht — gesund wird drin.
Doch wenn man's ist: dann schnell heraus!
Ansteckend ist das Krankenhaus.

Undank

Ein guter Arzt weiß gleich oft, wo.
Statt daß man dankbar wär und froh,
Ist man so ungerecht und sagt:
»Der hat sich auch nicht arg geplagt!«
Ein andrer tappt ein Jahr daneben —
Mild heißt's: »Müh hat er sich gegeben!«

Mensch und Unmensch

Wer tiefer nachdenkt, der erkennt:
Mensch sein ist fast schon: Patient.
Doch sind wohl aus demselben Grund
Unmenschen durchwegs kerngesund.

Wohlfahrt

Was ist gar vieler Menschen Traum?
Die Rentenfrucht am Leidensbaum.

Schlafmittel

Der süße Schlaf, naturgesteuert,
Wird, ach! jetzt barbiturgesäuert.
Das muß sich rächen auf die Dauer:
Das Aufstehn, morgens, fällt uns
   sauer!

Zum Trost

Leicht sieht ein jeder, der nicht blind,
Wie krank wir, trotz der Ärzte, sind.
Doch nie wird man die Frage klären,
Wie krank wir ohne Ärzte wären.

Gute Reise

Zugverspätung

Ein Mensch im Zug nach Frankfurt
   (Main) —
Um vierzehn-vier sollt er dort sein —
Wird schon in seinem Hoffen schwach:
Er ist noch nicht in Offenbach!
Verspätung — eine Viertelstunde!
Des Menschen Plan geht vor die
   Hunde!
Er kriegt den Anschluß nicht nach
   Wimpfen.
Gewaltig fängt er an zu schimpfen.
Ein andrer Mensch, zum Bahnhof
   laufend,
In Offenbach, zerschwitzt und
   schnaufend,
Verliert den letzten Hoffnungs-
   schimmer:
Den Zug nach Frankfurt kriegt er
   nimmer!
Doch wie Musik tönt's an der Sperr':
»Heut ist's nicht eilig, lieber Herr!
Der Zug kommt heute später an!«
Der Mensch lobt laut die Eisenbahn.
»Des einen Eul'«, gilt's wieder mal,
»Ist oft des andern Nachtigall!«

Volle Züge

Der Mensch, der sonst zwar das
   Vergnügen
Recht gern genießt in vollen Zügen,
Legt just beim Reisen, umgekehrt,
Auf volle Züge wenig Wert.

Neuer Text

»Weiß nit woher, weiß nit wohin —
Mich wundert's, daß ich fröhlich bin!«
So sagte einst der Wandersmann. —
Wer heute reist, oft sagen kann:
»Weiß nit ›woher‹, weiß nit, wozu —
Mich wundert's, daß ich's trotzdem tu!«

Hochbetrieb

Urahn', Großmutter, Mutter, Kind
In dumpfer Stub' beisammen sind —
Dem letzten Raum, der sich noch bietet:
Denn alles andre wird vermietet!
Quer durch die Alpen gellt ein Schrei:
Zimmer frei!

Strohwitwer

Der Urlaub ist erholsam meist
Nicht nur für den, der in ihn reist;
Auch den, der dableibt, freut die
 Schonung,
Die er genießt in stiller Wohnung.
So zählen zu den schönsten Sachen
Oft Reisen, die die andern machen!

Kartengruß

Rundfunkplage
Wer möchte nicht, in freiern Lagen,
Sich auch einmal im Freien lagern?
Doch Mädchen rings mit Freiern
 lagen,
Die, nicht nur an den Feiertagen,
Mit Radio ihre Tage feiern,
Und nicht ihr Ohr den Fragern leihen,
Die, ob erlaubt dies Leiern, fragen.

Abschied

Schon in der Schule lernten wir:
»Partir — toujours un peu mourir!«
Am schlimmsten sind die zehn Minu-
 ten,
Wo wir am Bahnsteig uns verbluten.

Werbung, Werbung!

Die Reiselust dir zu beraten,
Starrt jede Wand bunt von Plakaten,
Wo Leute dir entgegenglotzen,
Die von Erholung förmlich strotzen.
Es schäumt von Nordseewogenplät-
 schern,
Es schimmert wundervoll von Glet-
 schern,
Es leuchtet bunt von Blumenwiesen,
Es strahlt von heißen Paradiesen,
Mondän — exotisch und erotisch,
Es dräut von Türm- und Toren, gotisch,
Es lockt zu Fest- und Freilichtspielen,
Mit tausend Zügen, tausend Kielen
Braust es hinaus in alle Welt —
Und kostet beinah fast kein Geld!
Mit Zahlen, gradezu gespäßigen,
Beweist man dir, wie durch Ermäßigen
Der Reisende, hat er nur Glück,
Noch bringt sein bares Geld zurück.
Es grenzt schon beinah an Gewalttat,
Wie man bedrängt dich mit dem Falt-
 blatt,
Das dir beweist, wenn du's entfaltet,
Wie herrlich Gottes Welt gestaltet.
Die *Presse* (Inserat wie Text)
Sucht täglich, wie sie dich behext,
Es schlagen Funk und Film dich breit,
Zu reisen billig, aber weit.

Und schließlich, o Papierverschwen-
dung!
Erfaßt man dich durch Postwurfsen-
dung
Als Fernsprech- oder sonst- Teilneh-
mer:
»Sie reisen billiger, bequemer
Mit den beliebten Ferienreisen
Zu beispiellosen Serienpreisen!«
Für neunundneunzig Mark und achtzig
Entrollt bereits des Südens Pracht sich;
Für fünfundvierzig Mark und zehn
Kannst du am Fuß des Glockners stehn,
Wo man, vergessend den Gewaltstreich,
Dich grüßt als Bruder aus dem Altreich.
Spottbillig drückt (wenn auch voll
Schmerz)
Der treue Schweizer dich ans Herz,
Es lassen Dänen auch und Schweden
In puncto puncti mit sich reden
Und: do re mi fa so la si do:
Acht Tage hundert Mark am Lido! —
Man lockt in Taunus dich und Harz
bald,
Bald in den Spessart und den Schwarz-
wald;
Wie, wenn wir Steiermark und Kärnten
Einmal von Grund auf kennenlernten?
Sind wir im Zweifel, obs da schön,
Empfiehlt man Eifel uns und Rhön.
Muß es Natur sein, die erquickt?
Wird in Bayreuth nicht schön musikt?
Auch München, Salzburg überlege!
Und Köln liegt immer doch am Wege!
Wie man, das Haus mit Büchern voll,
Oft nicht weiß, was man lesen soll,
So, in der Welt just mittendrin,
Weiß man vor Plänen nicht, wohin.

Autos überall

Du schimpfst mit Recht auf diese Welt,
Daß sie mit Autos ganz verstellt.
Der schönste Blick ist für die Katz —
Zum *Parkplatz* werden Park und Platz.
Bis zu den letzten Straßenkanten
Stehn Omnibusse-Elefanten,
Vorm Rathaus, um den Brunnen, frech
Drängt sich das buntlackierte Blech.
Und was tust du? Trotz dem Gestöhne,
Daß also sterben muß das Schöne,
Zwängst du, bezahlend ein paar Nickel,
Auch in die Herde dein Vehikel!

Individualisten

Willst widern (Fremden-)Strom du schwimmen?
Träumst du vom Reisen-Selbstbestimmen?
Willst du nicht mit der Herde blöken?
Ja, möchtst du widern Stachel löken? —
Heut ists soweit: wer einzeln reist,
Wird abgeschubst und abgespeist,
Zur *Hochsaison* die ganze Welt
Scheint hoffnungslos vorausbestellt:
»Hier! Platz!!« ruft in der Bahn man freudig,
Doch wird man fortgejagt, wie räudig,
Weil, wie man jetzt erst merkt, die Wagen
Geheimnisvolle Zeichen tragen,
Draus man ersieht, es säße hier
Nur Reisegruppe Käsebier.
Dasselbe man erfahren muß
Bei Bergbahn oder Omnibus.
Man schlägt vor uns die Türe zu,
Wir sind nicht von der »Reiraru«,
Der Gilde »Reise rasend rund« —
Die Abfuhr ist uns nur gesund!

Nach Hirschbühl bist du oft gefahren. —
Dort steht, dir schon aus Kinderjahren
Bekannt und seither unvergessen,
Ein Wirtshaus — recht zum Mittagessen.
Du sitzt und du bestellst auch schon —
Da fragt der Kellner nach dem *Bon*,
Und eh du recht begriffen hast,
Wieso, bist du schon nicht mehr Gast;
Und grimmig schaut dich jedermann
Für einen dreisten Burschen an,
Der hinzusetzen sich erkeckt!,
Wo für den Stammgast schon gedeckt!
Du wanderst, wie ein Handwerksg'sell,
Demütig schon: — »Vertragshotel!«
»Werkheim!« ... und selbst die »Alte Post«
(Jetzt »Stafag«) nimmt dich nicht in Kost
Und gibt nur mürrische Belehrung:
»Für Freitouristen keine Zehrung!«
Wann gibst du's auf wohl, du Verwegener?
Ein Ort grüßt jetzt, ein schön gelegener.
In Ruhdorf, endlich, hast du Ruh —
Ja, lieber Wandrer, das meinst du!

Doch fragend, wo man übernachtet,
Hörst du, der Ort sei ganz verpachtet!
Und bis in den November sei
Hier überhaupt kein Zimmer frei.
Drum lasse dir geraten sein,
Mensch, reise nur noch im Verein,
Als Mitglied, Kunde, Stamm, Beleg-
  schaft,
Damit man dich nicht einfach wegschafft
Als störenden Allein-Touristen,
Der nirgends steht auf ihren Listen.

Stilles Dorf

»Will einer bauen an der Straßen,
Muß er die Leute reden lassen!«
So liest man wohl am Dorfwirtshaus.
Das *Reden* hielte man noch aus —
Solangs nicht wüste Schimpferei
Der Bauern in der Nacht um zwei:
»No ja, mir hamm a bisserl g'stritten,
Da brauchts koa . . . Wasser
  abaschittn!«
Doch, an die Straße dicht gebaut,
Wird unentwegt mit Licht und Laut
Dein Zimmer durch die Fern-Last-Kraft-
Nachtfahrer einfach schauderhaft
Durchpflügt, mit Blitz und Donner-
  krachen,
Als tät sich auf der Höllenrachen.
Nun ist es wieder zauberstill —
Der Schlummer, fühlst du, kommen
  will.
Nacht ist um dich und Sternenschein —
Jetzt wieder, jäh, Laternenschein
Und ungeheueres Gepolter:
So folgt auf Folter neue Folter,
Bis du, erschöpft schon beinah tödlich,
In Schlaf fällst, endlich, morgenrötlich.
Die Sonne steht noch kaum am Himmel,
Beginnt der Mesner das Gebimmel.
Hell kräht der Hahn, die Kuh brüllt
  laut.
Fahr aus dem Bett — nicht aus der Haut!
Unschuldig dran sind ja die Braven,
Daß du die Nacht so schlecht geschlafen!

Gruß vom Flugplatz

Ich möcht nicht alte Streite wecken:
Das Fliegen taugt für *weite* Strecken!
Von etwa tausend Meilen an,
Kann wie ein Vogel eilen man.
Sonst muß zu lange warten still,
Wer landen oder starten will.

Aufschneidereien

Der Sonne ganz verschworen, märzlich
Im Schnee hier, ziemlich mohren-
   schwärzlich
Die wunderschönsten Hasen laufen.
Gleich bei der Hütte lasen Haufen
Wir auf, die leicht sich fangen lassen,
Sollt einen das Verlangen fassen.
Worauf man, trotz der Wonne, seh:
Die Lippen sind von Sonne weh!
Mein Häschen, reizend keilgehost,
Hab ich schon wieder heilgekost!

Zu leicht befunden

Wird Reisen leicht — vergeßt das nicht! -
Verliert's auch inneres Gewicht!

Das Kursbuch

Ein Mensch ist der Bewundrung voll:
Nein, so ein Kursbuch — einfach toll!
Mit wieviel Hirn ist das gemacht:
An jeden Anschluß ist gedacht:
Es ist der reinste Zauberschlüssel —
Ob München—Kassel, Bremen—Brüssel,
Ob Bahn, ob Omnibus, ob Schiff —
Man findets leicht — auf einen Griff!
Dabei sind auch noch Güterzüge
In das verwirrende Gefüge
Des Fahrplans ständig eingeschoben!
Die Bahn kann nicht genug man loben!
Der Mensch, in eitlem Selbstbespiegeln,
Rühmt sich, dies Buch mit sieben Sie-
   geln
Zu lesen leicht, von vorn bis hinten,
Trotz seiner vielbesprochnen Finten.
Schon fährt der Mensch nach Osna-
   brück
Und möcht am Abend noch zurück:
Und sieht, gedachten Zug betreffend,
Erst jetzt ein kleines f, ihn äffend;
Und ganz versteckt steht irgendwo:
»f) Zug fährt täglich, außer Mo.«
Der Mensch, der so die Bahn gelobt,
Sitzt jetzt im Wartesaal und tobt.
Und was er übers Kursbuch sagt,
Wird hier zu schreiben nicht gewagt.

Flüchtige Zeit

O Ferienzeit! O kurzer Wahn:
Der erste Urlaubstag bricht an —
Doch damit sind auch die drei Wochen —
Unmerklich erst — schon angebrochen.
Rasch folgt der zweite Tag, der dritte,
Und unversehns ist Urlaubsmitte,
Und zum Galopp schier wird der Trab:
Es geht verzweifelt schnell bergab.
Die Stunde, die sich leicht verwischt

Dem Glücklichen, der sommerfrischt,
Sie schlägt dann plötzlich hart genug:
Um acht Uhr, morgen, geht der Zug!
Das letzte Glück, den letzten Tag
Erfährt, daß ich's mit Goethe sag,
Der Mensch, was er auch immer sei.
Und morgen schon steht: »Zimmer
  frei!«
Am Haus, noch eh du an der Bahn. —
Leb wohl! Nun ist der Nächste dran!

Kartengruß

Kirchtürme, zwiebelhaubenglatt,
Bezeugen, daß man Glauben hat —
Doch fragt man in Touristenkreisen,
Ob wir noch unter Christen reisen?

Die andern

Du möchtest gern alleine wandern —
Doch ständig stören dich die andern.
Auch *du* bist — das bedenke heiter! —
Ein andrer andern, und nichts weiter.

Fremdsprachen

Wie denk ich heut an die verkannte,
Ja, gar von uns gehaßte Tante!
Kaum kamen wir in ihre Näh,
Schon rief sie: »Vite un peu d'français!«
Weshalb wir, statt daß wir was lernten,
Uns *leider!* rasch von ihr entfernten.

*

Der Deutsche will schon an den Gren-
  zen
Mit seiner Sprachenkenntnis glänzen.
In Straßburg, daß man ja es hör,
Ruft er schon laut nach dem »Porteur«
Und tut sich auch bereits am Brenner
Hervor als polyglotter Kenner.
Mit welschen Brocken will er protzen,
Sitzt in Meran er oder Bozen,
Obwohl er dann erbärmlich schlecht,
Sobald es Ernst wird, radebrecht.

*

Wer hilflos wandert durch den Balkan,
Dem steht zuweilen wohl der Schalk an,
Dreist mit »Gagack!« und mit »Gluck-
  Gluck!«
Ein Ei zu fordern, einen Schluck,

Weil selbst ein weitgereister Mann
Nicht alle Sprachen lernen kann.
Doch wenn er in Paris das tut,
Dann macht sichs nur noch halb so gut!

Italienische Reise

Dies Buch wär unvollständig, böte
Es nicht auch ein Kapitel *Goethe*.
Der Dichter reiste mit viel Mühn
Ins Land, wo die Zitronen blühn.
Am dritten — neunten — sechsundachtzig
Von Karlsbad hat er aufgemacht sich
Um drei Uhr früh, bei Nacht und Nebel —
Die Stein wußt nichts und nichts der Knebel —,
Es war ein rechter Schabernack!
Dachsranzen nur und Mantelsack —
Falls jemand's gern genauer läse —
Hat er gepackt in seine Chaise.
Und gleich — das soll uns Vorbild sein —
Gab er viel acht auf das Gestein:
Obs gelblich, rötlich oder schwarz,
Ob es Granit sei, Schiefer, Quarz.
Was hatte Bayern ihm zu bieten?
In Regensburg die Jesuiten,
In München seine ersten Feigen.
Kaum fand er Zeit, hier abzusteigen —
Wie jeder weiß, im »Schwarzen Adler«.
Das findet heut noch viele Tadler:
Was hätte der berühmte Name
Gewirkt für die Verkehrs-Reklame!
Kaum, daß er's Frühstück nunterwürg,
Fuhr er schon weiter ins Gebürg
Und reiste gleich, in einem Renner,
Nach Mittenwald und auf den Brenner.
Und wichtig schien ihm wieder dies:
Bald sah er Kalk, bald sah er Kies.
Von Sterzing aber und von Brixen
Sah er bei eiliger Nachtfahrt nixen.
In Bozen konnt er auch kaum bleiben:
Er mußte wechseln, zahlen, schreiben.
Doch hoffte er, wo er gewesen,
In Büchern später nachzulesen.
Schon damals hat es sich bewährt,
Daß gut man »per Anhalter« fährt.
Denn Goethe, auf des Vaters Bitt',
Nahm erst das Harfnermädchen mit —

Was literarisch dann sich lohnte —
Und, daß es seine Füßlein schonte,
Ein Kind, das man nicht weiter kennt,
Auf halbem Wege nach Trient.
Der Leser möge sich des weitern
An Goethes Texten selbst erheitern;
Denn trieb ich fort so, breit im Strom,
So kämen wir ja nie bis Rom,
Geschweige bis Sizilien gar. —
Wie fein heraus der Goethe war,
Der an den Stätten, die ihm lieb,
Rund anderthalbe Jahre blieb.
Das konnt er als Minister halt,
Bei weiterlaufendem Gehalt.
Und dann noch ein besondres Glück:
Als Klassiker kam er zurück!

Ein Münchner in Italien

Ganz anders — und bedeutend schlichter
Als unser großer deutscher Dichter,
Erzählt von seiner Süden-Reis
Der Münchner Xaver Habergeis:
An Viechszorn auf mi selber hab i:
Natürli, ich muaß aa da abi!
Des hoaßt — i net! I kunnt mi halten.
Es war bloß wegen meiner Alten.
Die hört net auf mit dem Gebenz,
Sie muaß nach Rom und nach Florenz!
Warum? Bloß weil sie si' so gift',
Wenns ihre g'schnupftn Henna trifft,
Die fanga glei mit dem Geschwärm o'
»Wir waren heuer in Palermo!«
D' ganz Welt ist ja jetzt narrisch wor'n:
Da sag'n s', es langt net hint und vorn
Und fahrn, oft glei' samt de Familien
Per Schub, wenns sei muß, bis Sizilien.
I hätts aa billig hab'n könna —
Naa, sag i, wenn ma's uns scho gönna,
Na mach'n ma's richti, des is klar:
Entweder spar i, oder fahr!
Und *wenn* ich fahr, na net wie's Viech,
Daß i auf'n Transport nix siech
Und passen muaß auf die Hanswurschten,
Die lasserten oan glatt verdurschten,
Weils ein' wie Gfangene begleiten
Zu ihre Sehenswürdigkeiten . . .

's is mühsam gnua — ich will mi
  schona. —
Sie hat glei fahrn wolln bis Verona
Und hat mir hing'macht so a Fotzn,
Wie i hab g'sagt, mir bleib'n in Bozen,
Da is's no deutsch, bei die Tiroler,
Fürn Anfang waar mir da viel wohler,
Na hanteln mir uns weiter nachher
Schön langsam zu die Katzlmacher!
Sie sagt: I laß mi net dablecken
Du bleibertst schon in Bozen stecken
Und i hätt mein Italien gsehgn.
No sag i, also, meinetwegn!
So um a viere war'n ma dort.
Verstanden hamma net a Wort.
Wie des no wird, war i im Zweifel.
Sie is glei wie a Schachterlteifel
Losgfahrn und umanandag'wetzt —
I hab mi ins Kaffeehaus g'setzt.
»No, den Can grande und d'Arena«,
Sagts, »hättst dir schließli anschaugn
  könna!«

»Geh«, sag i, »mach koa solches
   G'schroa,
Du, moan i, schaugst jo so für zwoa!«
Na san mir nach Venedig g'fahrn,
Des kenn ich scho von frühern Jahrn.
Des is aa mehr für junge Leut,
Wo's Umeinanderlaufen g'freut
Und 's Schifferlfahrn und 's Täuberl-
   füttern. —
Jetzt kann's mi nimma so erschüttern.
Die Gondoliere hamm uns g'schlenkt:
Z'erst tun's, als kriegast's halbert
   g'schenkt,
Bis daß s'di drin habn in dem Schlag.
Na fahrn's di' rum an halben Tag,
Wo d'gar net hinwillst, nach Murano,
Und dappert zahln derfst di na' aa no!

Zum Glück hab i — wer derf des
   hoffn? —
Du kennst'n schon, an Pauli troffn.
Der war aa drunten mit der sein'.
Jetzt warn mir fast schon a Verein.

Du! sagt er, is's dir aa so fad?
Geh, sag i zu ihm, sei do' stad',
Des muß ma tragen halt geduldig,
Des samma unsrer Bildung schuldig!
Na hamma glei — ah, ich hab g'flucht —
Den Dings, den Colleoni g'sucht,
Zwoa Stunden fast bei dera Hitz'n,
Und richti sehgn ma'n drob'n na' sitzen,
Den Mordstrum Lackl auf sein Roß.
Er ist recht schö — do' sag i bloß,
Der Churfürst Max, bei *uns*, der erscht,
Des is fei aa a schöner Ferscht!
So san mir, mir verruckten Hund:
Den suachat neamd — koa Viertelstund!

Am Lido, ja, da hätts uns paßt,
Da siecht ma Madln, nackert fast,
Doch des hat net lang dauert, leider,
Hat *sie* schon g'mammst: Geh, fahrn
   ma weiter!
Da hamms' ihr g'raten des Ravenna —
So was muaß doch der Mensch net
   kenna!

A solchene Basilika
Wie dort hamm mir in München aa!
Und die Moskito, laß dir sagen,
I habs glei dutzendweis derschlagen —
Und heut no juckts mi überall. —
Florenz, des war schon mehr mei' Fall!
Da hamms, auf des hätt i net denkt,
A Münchner Bier vom Faß
    ausg'schenkt.
Anstrengend is's sonst freili g'wesen:
Sie hat all's aus ihr'm Büchl g'lesen,
Auslassen hat's partout nix woll'n
Und i hätt allweil mitgehn solln.
A jede Mauer hätts mir 'zeigt. —
Bei de Uffizien hab i g'streikt.
Naa, sag i, des kannst net verlangen!
I bin in d' Pinakothek net gangen,
Wies gstanden is' vor meiner Nasen,
Und da sollt i jetzt Bilder grasen?

Mei, *die* hats umeinandertriebn!
Auf d' Nacht hats Ansichtskarten
    g'schriebn,
Glei ganze Pack, daß d' Leut erfahrn,
Daß mir aa in Italien warn.
Nach Rom hat's müssen, selbstver-
    ständlich.
Ich hab no' amal nachgeb'n endlich,
Und, Ehr sag i, wem Ehr gebührt:
Rom is a Stadt, wo si was rührt.
Bloß, mit'n Essen, da war's aus.
All's bratens in Salatöl raus,
Gmüs könnens' überhaupt keins
    kochen,
Da wirst fein g'mütskrank, nach drei
    Wochen!
Und für die nächsten zehn Jahr hätt i
Jetzt wieder gnua von de Spaghetti.
Bist in der fremden Sprach net g'wandt,
Hockst scho so hilflos umeinand.
Und mit de Lire mußt fei nachher
Aufpassen wie a Haftelmacher.

Schnell hamms' an Haufen Schein hin-
    gschmissen
Und bis d'di umschaugst, bist schon
    b'schissen!
Natürli bist da du der Dümmer' —
Deutsch könnens' plötzlich alle nim-
    mer!
No, kurz und gut — jetzt hab i's satt,
Sag i zu ihr, dei' ewige Stadt.
An Papst derfst anschaun no', meint-
    wegn,
Na' hau i ab, des wirst jetzt sehgn!
Sie hat sich noch verlegt aufs Betteln,
Doch i hab b'sorgt glei' die Bilettln,
Hoam hat's mi so gewaltig zog'n,
Daß i's riskiert hab: mir san g'flogn!
Sündteuer wars — ich will nix sag'n,
Denn i habs wenigstens vertragn,
Mit Hilf von viele Kognakschluckerl.
Gsehgn hab i net viel aus mei'm
    Guckerl.
Bei meiner Frau war's Geld verlor'n,
Denn der i's gleich speiübel wor'n.
No, überstanden hat sie's ja —
Und jetzt: Jetzt samma wieder da!

Der alte Mann und das Meer

Ein Fischerdörfel lag friedlich einst
Am Meere, al mare, on zee.
Es ist ganz gleich, was für eins du
    meinst:
Wenn du es siehst, ich wett, daß du
    weinst:
Längst ist es nicht mehr wie eh.

Vor Jahren der erste Besucher fand
Die märchenverträumte Stell.
Ein herrlicher Strand, ein goldner Sand,
Und so spottbillig war noch das Land.
Er baute ein kleines Hotel.

Er setzte in die Zeitung, verrucht,
Hier sei noch des Friedens Hort,
Ein Dorado für jeden, der Stille sucht —
Und bald schon hat ein Büro gebucht
Als Geheimtip den reizenden Ort.

Ein zweiter, der sah, was hier geschah,
Erkannte: da wird man reich!
Er gründete eine G.m.b.H.
Und schon stehn viele Hotels jetzt da,
Ein Kasten dem andern gleich.

Kitschläden kamen, Boutik und Bar. —
Und daß niemand am Strand mehr streunt,
Stehn Tafeln dort — und seit vorigem Jahr
Ist einzeln jedes Hotel-Ärar
Mit Stacheldraht eingezäunt.

Reklame bedeckt den historischen Rest —
Er ist ein verschollener Traum.

Und schleichst du durch das scheußliche Nest,
Kannst du, an die Häuser roh gepreßt
Von Autos, dich rühren kaum.

Und rings ist nichts als Gehetz und Geheisch;
Am Strande ist großer Betrieb.
Bei Radio, Lachen und Lustgekreisch,
Da liegen Tausende, Fleisch an Fleisch,
Und haben einander so lieb.

Und Fischerknaben stehn müßig herum,
Halbnackt und romantisch kostümt;
Sie warten, so rum und andersrum,
Auf ihr verehrliches Publikum —
Dafür sind sie weltberühmt.

Nur dir fehlt wohl da der »sex-te« Sinn,
Vielleicht hätts jung dich gefreut?
Ich kann dir nur raten: geh nie mehr hin!
Daß *ich* dort noch einmal gewesen bin,
Das habe ich bitter bereut!

Das Taschentuch

Kulturgeschichte — hochmodern!
Nichts liegt den Forschern heut zu fern.
Drum schäm ich mich nicht des Versuchs,
Den Werdegang des Taschentuchs
(Nicht Taschenbuchs!) seit Evas Zeiten
Historisch vor euch auszubreiten,
Auf die Gefahr, es überschlag
Die Seiten, wers nicht lesen mag!

Das Taschentuch

Als noch das erste Menschenpaar
Vergnügt im Paradiese war,
Da brauchte es kein Taschentuch —
Die Welt war voller Wohlgeruch,
Darin, mit ungeschneuzten Nasen,
Der Adam und die Eva saßen.

Erst, als die beiden Naseweisen
Durchaus den Apfel mußten speisen
Und sie zur Strafe daraufhin
Genötigt wurden, auszuziehn:
Als Adam grub und Eva spann,
Wohl auch die Schnupfenzeit begann.
Der Adam, rauher von Natur,
Putzt' mit der Hand die Nase nur;
Die Eva nahm bei Grippe-Wetter
Wohl eins der alten Feigenblätter,
Das, nach erledigtem Bedarf,
Sie wieder in die Gegend warf —
Ganz ähnlich, wie's heut wir Modernen
Mit dem papiernen wieder lernen.

Doch liefen sicher Kain und Abel
Herum mit ungeschneuztem Schnabel,
Denn es verging — wir lesen's grausend —
Noch manches finstere Jahrtausend,
Bis unsre Welt kam zu dem Schluß,
Daß man auch Kinder schneuzen muß.

Das Taschentuch, das ist vermutlich
Ja überhaupt nicht vorsintflutlich:
Der Noah, der die Flut durchkreuzte,
Wohl einfach über Bord sich schneuzte.
Doch wer das Alte Testament
Sonst als ein Bibelfester kennt,
Wo Moses bis zur Peinlichkeit
Befahl dem Volk die Reinlichkeit,
Der liest von Webern und von Schneidern,
Von Hemden und von Leinenkleidern —
So daß er, wenn er tiefer schürfte,
Aufs Taschentuch wohl stoßen dürfte.
Ein Tuch, zu wischen Schweiß und Tränen,
Sieht man die Bibel oft erwähnen.
Vielleicht — das ist ein Deutversuch —
Hört man nur nichts vom Taschentuch,
Weil man das Tuch zwar — und die Nas —
Doch keine *Taschen* noch besaß.

Wer — hier sei's ausnahmsweis erlaubt —
Nun an die Heilge Schrift nicht glaubt
Und nicht, daß wir von Gott erschaffen,
Kurz, wer die Menschen hält für Affen,
Umsonst Jahrtausende durchsuche:
Nichts findet er vom Taschentuche!
Es wär auch schwer sich vorzustellen,
Daß, dürftig angetan mit Fellen,
Einst in der Eiszeit, in der kältern,
Sich unsre Ur-Ur-Urgroßeltern,
Wenn sie sich ihre Nasen putzten,
Was andres, als die Hand benutzten.
Vielleicht auch machten sie es so,
Wie heute noch der Eskimo:
Das Nasentröpfchen dem gefriert
Und, wenn er's nicht von selbst verliert,
Schlägt er's — gefroren spröd wie Glas —
Sich einfach klirrend von der Nas.

Auch als die Welt dann aufgetaut,
Kein Taschentuch wird rings erschaut.
Pfahlbauern — wie noch heut die Fischer —
War'n wohlgeübte Nasenwischer
Und Neger oder Hottentotten,
Die durch die heißen Wüsten trotten,
Ganz nackt im glühnden Sonnenlicht —
Die brauchten Taschentücher nicht.

Sie machen's ja noch heute kurz,
Sich schneuzend in den Lendenschurz.
Noch unerforscht ist, ob die Inder
Groß warn als Taschentucherfinder,
Ob man im fernen, wilden Tibet,
Wo man das Nasenreiben liebt,
Sich diese vorher hat gereinigt;
Auch ist es keinesfalls bescheinigt,
Ob etwa bei der roten Rasse
Das Taschentuch sich finden lasse —
Obwohl sie alle, was zu loben,
Die schönsten bunten Tücher woben.

Hingegen sind es die *Chinesen*,
Von denen wir begeistert lesen,
Daß sie so klug schon war'n wie wir:
Sie machten Tüchlein aus *Papier!*
Man hätt auch im Ägypterland,
Wo des Papyrus Wiege stand,
Erfinden können sowas schon —
Doch leider hört man nichts davon.
Nachrichten überhaupt sind spärlich
Vom Taschentuch — wie leicht erklär-
 lich:
Es ging das *klassische Altertum*
Auf nichts so aus, als auf den *Ruhm!*
Die Dichter schrieben nur Gedichte
Und die Gelehrten Weltgeschichte.
Auch was an Bildwerk ist erhalten,
Sind durchwegs edle Steingestalten,
Vom Kopfe bis hinab zur Wade —
Und höchstens »Venus nach dem Bade«
Ist oft in Marmor dargestellt,
Wie sie gerad ihr *Handtuch* hält.
Wie Griechen putzten ihre Nasen,
Verrät kein Bild uns auf den Vasen.
Obwohl man dort doch allerhand
Sonst der Beschreibung würdig fand.
Wahrscheinlich waren noch die Dorer
Ganz ungepflegte Nasenbohrer;
Die Bildung lehrte erst Athene —
Doch wußt sie nichts von Hygiene.

Ob schön Helenchen sich »mit nischt«
Ihr holdes Näschen abgewischt,
Tat uns Homer nicht weiter melden;
Auch bei Odysseus, seinem Helden,
Der doch bei der Nausikaa
Die ganze Damenwäsche sah —
Sogar gebügelt und gestärkt —
Wird nichts vom Taschentuch vermerkt.

Ein *Römer* war, ein wirklich alter,
Gewiß kein Taschentuchentfalter.
Ein Mann von echtem Schrot und Korn,
Wie Cato, kam gewiß in Zorn,
Wenn man ihm sprach von solchen Mo-
 den,
Und schneuzte streng sich auf den
 Boden.
Doch als in Zeiten des Verfalls
Die Damen, Schlangen um den Hals,
Sich räkelten auf Lotterbetten,
In raffiniertesten Toiletten,
Als sich mit Lippenstift und Puder
Geschminkt die abgefeimten Luder,
Da trugen sie wohl auch ein Rüchlein
Parfum in seidenen Taschentüchlein —
Und, höchstwahrscheinlich, auch die
 Männer.
Ja, fragt nur die Antiken-Kenner!

Zwar schildert Tacitus genau
Die Kleidung der *Germanenfrau*.
Doch ob ein Taschentuch sie trug,
Er leider Gotts uns unterschlug.
Auch, wie's in Deutschland später war,
Wird nicht aus den Berichten klar.
Ob sich die edlen Minnesinger
Geschneuzt ganz einfach in die Finger?
Ob rings im weiten Vaterland
Wohl damals schon ein Spucknapf
 stand?
Wir hören nichts in diesem Sinne:
Man sang ja nur von hoher Minne!

Und doch war ganz besonders bitter
Ein Schnupfen für die alten Ritter,
Die in geschloßnen Eisenhauben
Nicht konnten sich die Nasen schnauben.
Ein Kreuzzug ohne Schneuztuch gar
Erscheint uns heute undenkbar.

Doch kommt aus den verschollnen Zeiten
Ein Zeugnis: *Friederich dem Zweiten*,
Dem mächtig-kühnen Hohenstaufen,
Schien auch die Nase oft zu laufen.
Drum hat er's Taschentuch benützt —
Denn die Behauptung wird gestützt
Durch die Verfügung, die bestimmt,
Daß jede Frau zwei Tücher nimmt,
Eins im Gebrauch und eins in petto —
Man hieß es damals »fazzoletto«.
Wir wissen selbst die Zahl des Jahres:
1215 nämlich war es.

Seitdem reißt bis zur heut'gen Stunde
Nicht ab die Taschentücherkunde.
Vom *Sultan* und vom *Papste* auch
Ist uns verbürgt nun der Gebrauch.
Der *Sultan* saß in wunderbarem,
Von schönen Fraun erfülltem Harem.
Die, der er warf das Taschentuch,
Mußt' folgen ohne Widerspruch.
Auch sonst das seither Sitte war:
Man hieß es: »Jeter le mouchoir«.
Zum Zeichen, daß man jemand liebt,
Man ihm ein Taschentüchlein gibt.

Den *Papst* hat Raffael gemalt —
Und wurde hoch dafür bezahlt. —
Wir sehen Julius den Zweiten
Ein Tuch auf seine Kniee breiten.
Velasquez malte der Infantin
Ein Riesen-Schneuztuch an die Hand hin,
Und seitdem lichtet sich die Wildnis,
Wir finden Bildnis über Bildnis,
Die Leda selbst, mit sonst nichts an,
Zeigt man mit Taschentuch und Schwan.

Genauso durch die Lit'ratur
Zieht plötzlich eine klare Spur:
Denn dafür, daß *Othello* tot
Sein Weib und sich gestochen, bot
Den Anlaß — nur ein Taschentuch!
Und seither wards wohl oft zum Fluch.
Wenn jemand solch ein Liebespfand
Leichtfertig gab aus seiner Hand.

Um fünfzehnhundert freilich war
Das Taschentuch noch ziemlich rar.
Gabs doch — den Laien wirds befremden! —
Auch noch so gut wie keine Hemden.
Trotz unerhörtem Kleiderprunken
Hat — mit Verlaub — man arg gestunken,
Schon weil sich fast kein Mensch gewaschen,
Drum wirds auch kaum wen überraschen,
Daß Frankreichs Heinerich der Vierte,
Den höchster Ritteradel zierte,
Vier Taschentücher, wie wir wissen,
Besaß — und die war'n noch zerrissen!

Mit Gold und Silber reich gestickt,
Mit Spitzen aus Brabant gespickt,
Die Faszilet_ein in den Jahren
Natürlich schrecklich teuer waren —
Mitunter bis zweitausend Gulden!
Sie stürzten manchen arg in Schulden.
Begreiflich, daß sich das Geschneuz
Da schon verbot aus purem Geiz —
Man hat sie nur an Ehrentagen
Vorsichtig in der Hand getragen.
Doch hört man auch schon andre Stimmen,

Die über Männer sich ergrimmen,
Die einen solchen Sacktuchschatz
Geborgen gar im Hosenlatz.
Erst als die Leut' mit Taschen protzten,
Am Staatsrock, die vom Golde strotzten,
Konnt' man die Mode auch entdecken,
Das Taschentuch dorthin zu stecken.
Doch unter all den Kleidernarren
Gabs sicher Männer ohne Sparren,
Gemütlich sitzend hinterm Humpen,
Im Sack den schlichten Nasenlumpen.

Erasmus schon von Rotterdam
Mit Fug und Recht dran Anstoß nahm,
Daß im Gesicht trug seinen Rüssel
Manch einer wie 'ne schmutzge Schüssel.
Auf deutsch verwahrte und lateinisch
Er sich dagegen, daß so schweinisch
Selbst beßre Leute ihre Glocke
Am Ärmel wischten sich vom Rocke.
Und er verwies sie auch, die Mützen,
Statt Hand und Sacktuch, zu benützen.
Ein Erzherzog von Österreich —
Hat — und man sieht, 's war überall
   gleich! —
Gepredigt Ohren, meist wohl tauben,
Sich in das Tischtuch nicht zu schnauben,
Und Pommerns Herzog sah mit Schrekken
Bei Tafel Herrn das Mundtuch stecken
»Ganz in Gedanken« in den Sack. —
Was nicht von Schliff zeugt und Geschmack.

Wenn das schon Kavaliere taten —
Wie gings erst zu bei den *Soldaten!*
Am Ärmel wischten sich die Tröpfe:
Drum nähte dorthin man die Knöpfe,
Daß ihnen solche Lust vergeh:
Denn an den Knöpfen tut es weh.

Mit unsern Taschentüchlein gehts
Wie bei dem Modezeuge stets:
Erst tragens große Fraun und Herrn,
Dann trügens auch die kleinen gern.
Heut leben wir in einem Freistaat —
Doch damals gab's den Polizeistaat!
Und der — in Dresden beispielsweis —
Verbot, bei solchem Wahnsinnspreis,
Die teuren Tücher noch zu kaufen
Und frech damit herumzulaufen.
Umsonst — die Mode schert sich wenig,
Wenn sie nicht mag, um Rat und König.
Im achtzehnten Jahrhundert dann
Die wüste Schnupferei begann
Mit Rauchtabak, vermischt mit Schmalz.
Und Liselotte von der Pfalz
Erzählt, wie, nehmend Pris' auf Pris',
Die Weiber schmutzig in Paris.
Von großen Männern, großen Nasen
Wir in der Weltgeschichte lasen:
Der Alte Fritz, der schnupfte feste —
Und streute alles auf die Weste.
Ob's bei Napoleon und Blücher
Gestimmt in puncto Taschentücher,
Ist, wie auch sonst bei Feldmarschällen,
Nicht nachprüfbar in allen Fällen.
Graf York zum Beispiel schnupfte
   munter. —
Die Taschentücher wurden bunter,
Gestreift, getüpfelt, rötlich, bläulich —
Um zu verbergen, was abscheulich.
Und während meist sie, wie wir lesen,
Bis dort oval und rund gewesen,
Verfügte — 's war sein einz'ger Sieg! —
Der arme König Ludewig,
Dem man den Kopf dann abgeschlagen,
Man müsse sie *quadratisch* tragen.

Die Incroyables, diese Stutzer,
War'n fleiß'ge Taschentuchbenutzer;
Auch wurden damals, wie wir wähnen,
Nicht alle Weiber zu Hyänen;

Im Gegenteil, aus all dem Leid
Erwuchs die Weltschmerz-Werther-Zeit,
Der Taschentücher unentbehrlich,
Wenn auch die Tränen oft nicht ehrlich.
Und bald gehörte im *Salon*
Ein Taschentuch zum guten Ton.
Der Biedermeier-Mode Gipfel
Wars dann, des Schnüffeltuches Zipfel
Zu zeigen, bei der Männer-Jugend,
Blühweiß, vorn aus dem Busen lugend.
Wahrscheinlich, zu des Schneuzens Zweck
Trug noch ein andres solch ein Geck.
Den älteren Herrn hingegen hing
Ein ungeheures buntes Ding
Wie eine Fahne, eine große,
Weit aus dem Rock- und Mantelschoße.
Bald freilich, gar bei Herrn von Stand,
Diskret in Taschen es verschwand.

Die Frau trug's teils im »Ridicul«,
Teils legte sie's auf Tisch und Stühl'
Und sonst, wohin es nicht gehörte —
Was nur Verliebte wenig störte:
Im Gegenteil, die Narren freute
Solch unverhoffte Liebesbeute.
Sie holten — wenig zu beneiden —
Oft Schnupfen- sich und Eheleiden,
Und schimpften später voller Zorn:
›Schon wieder 's Taschentuch verlorn?
Wo d' hinlangst, liegt ein solcher Fetzen!
Laßt euch aufs Kleid halt Taschen setzen!«

Schon anno siebzehnhundertzehn
War ferner folgendes geschehn:
Frau Anna, Englands Königin,
Ließ, als ein Weib von klugem Sinn,
Die von ihr selbst gehaltnen Reden
Zugänglich machen einem jeden,
Indem sie ihres Geists Produkte
Auf große Taschentücher druckte,
Daß jeder Untertan die Nas' —
Sofern er solch ein Tuch besaß —
Gleich in die Politik konnt' stecken:
So wuchs das Tuch mit höhern Zwecken,
Und alsbald war die ganze Welt
Und Weltgeschichte dargestellt;
Sei es der Briten Haß und Hohn
Auf ihren Feind Napoleon,
Sei's, was man später häufig sah,
Die Werbung für Amerika.

Doch auch Gemüt und Volkshumor
Kam auf den Taschentüchern vor.
Dem Kind bedruckte man sie später
Mit Robinson und Struwwelpeter.
Von Palmström weiß und andern Käuzen
Man längst, daß, sich hineinzuschneuzen
In solche unerhörten Prachten,
Sie sich Gewissensbisse machten.
Sind sie auch nicht, wie eh, beliebt,
Noch heut es solche Tücher gibt.
Ein Kaufmann einst begriff den Trick
Und wandte an ihn mit Geschick:
Bot Taschentücher zum Verkauf
Mit schön gedruckten Bildern drauf.
Mehr Schwung noch dem Geschäft er lieh
Durch eine Art von Lotterie:
Für ein bestimmtes Tuch gewann
Ein Mann ein Weib, ein Weib 'nen Mann.
Zum Glücke meldeten genau
Sich nur ein Mann und eine Frau —
Da war der Fall leicht zu entscheiden:
Der Kaufmann hat vermählt die beiden,
Die, wie man hört, nach vielen Jahren
Noch miteinander glücklich waren.

Ein andrer Kaufmann, der gedacht,
Das wird jetzt einfach nachgemacht,
Der hatte freilich damit Pech:
Es meldeten — und wurden frech —
Die Partner sich in hellen Haufen:
Nichts blieb ihm, als davonzulaufen,
Eh mit Entschädigungsprozessen
Die Leute konnten Geld erpressen.

Der König — heißt ein Rätselwort —
Steckt's ein, der Bauer wirft es fort.
Das dient uns heut noch zum Beweise
Dafür, daß nur die höhern Kreise
Der feinen Herrn und holden Damen
Das Taschentuch in Anspruch nahmen.
Dem ist nicht so: im Volkstum auch
Gibt's manchen guten alten Brauch.
Sei's, daß zum Beispiel die Rumänen
Das Taschentuch, benetzt mit Tränen,
Ins Grab nachwarfen ihren Toten,
Sei's, daß bei Eheaufgeboten
In manchem Land der Bräutigam
Ein Dutzend zum Geschenk bekam.
Auch bei verschiednen Landestrachten
Muß man das Taschentuch beachten.
»Verstüchel«, schön mit Reimen, gibt
Die Maid dem Burschen, den sie liebt.
»B'scheidtüchel« teilt man aus in Bayern
Bei Hochzeits- oder Kirchweihfeiern,
Damit sich jeder Gast bequem,
Was er nicht ißt, nach Haus mitnehm.

Macht einmal selbst nur den Versuch:
Wozu braucht man das Taschentuch?
Um sich durch Fächeln zu erfrischen,
Um Schweiß und Tränen abzuwischen,
Um es im Zorne zu zerbeißen,
Um's, zu Verbänden, zu zerreißen,
Um beim Gedächtnis, einem schwachen,
Sich einen Knopf hineinzumachen;
Als Sonnenschutz bei kahlem Schädel,
Als Knebel, Schleuder, Fliegenwedel,
Man braucht's, um »Blinde Kuh« zu
   spielen,
(Und heimlich drunter vor zu schielen,)
Um »übers Schnupftuch«, sich zu schie-
   ßen,
Wie zu verhindern Blutvergießen,
Indem mans schwenkt als weiße Fahne,
Man braucht's als Bund bei hohlem
   Zahne,
Als Netz, in dem die Fischlein blinken,
Zum Willkomm- oder Abschiedwinken,
Um Schwammerl darin aufzuheben —
Kurzum, es hat im Menschenleben
Vielfältigern und höhern Nutzen
Als den nur, sich die Nas zu putzen.
Mein Rat, zum Schluß, nicht über-
   rasche:
Habt stets ein saubres in der Tasche!

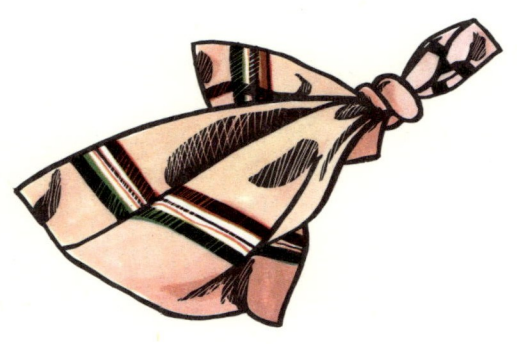

Kurze Suppenkunde

Wer nähm' nicht, jung, sich manches vor,
Woran er dann die Lust verlor?
Auch ich hätt gern die kleine Welt,
Gereimt, dem Leser vorgestellt —
Doch leider bliebs nur beim Versuch:
»Tierleben« oder »Taschentuch« —
Bei anderm, etwa bei den Pflanzen,
Hats nicht gereicht zu einem Ganzen.

Und auch ein Buch vom Essen, Trinken,
Seh ich ins Nichts hinuntersinken.
Ich frage selber mich als Greis:
Hätt es gelohnt den Witz, den Fleiß?
Doch, ob ers tadle, ob ers lobe:
Dem Leser geb ich eine Probe!

Kurze Suppenkunde

Trotz tiefer Forschung ist nicht klar,
Wie unsre Suppen-Urzeit war.
Das Feuer — uns so selbstverständlich —
Mußt erst erfunden werden, endlich!
Doch dann auch läßt sichs leicht erraten:
Noch vor der Suppe kam der Braten —
Heut ists bekanntlich umgekehrt —

Gelegt hätt sicher größten Wert
Die erste Eiszeit-Menschengruppe
Auf eine gute, heiße Suppe;
Denn, hat was Warmes man im Magen,
Läßt Kälte leichter sich ertragen.
Doch fehlte noch der kluge Kopf,
Der fand den Kessel oder *Topf*.
Von da an erst ging alles schneller,
Vom Holznapf bis zum irdnen Teller
Und gar mit Zinn und Porzellan
Ging die *Kultur* der Suppe an.

Der Name kommt von Saufen, Schlürfen:
Der Löffel, des' wir heut bedürfen,
Ist zwar das älteste *Eß-
Gerät*,
Doch wird bezeugt er ziemlich spät.
Ursprünglich hängte man den Rüssel
Ganz einfach in die Suppenschüssel.

Die *Bibel* gibt uns wohl im Grunde
die erste sichre Suppenkunde.
Es nährte ja von Rohkost zwar
Sich selbst das erste Menschenpaar;
Doch hats, vom Satan süß verlockt,
Uns jene Suppe eingebrockt,
An der, obwohl sie keiner mag,
Wir löffeln, bis zum Jüngsten Tag.
Das Salz zur Suppe zu verdienen,
Ist *uns* schon manchmal schwer erschienen —

Und fällt doch selbst dem Ärmsten leicht,
Wenn mit der Urzeit mans vergleicht.

Recht unklar ist auch heut noch, was
Der Mensch in der *Antike* aß.
Die Götter lebten, weiß man ja,
Von Nektar und Ambrosia.

Groß war im späten Altertum
Dann Spartas schwarzer Suppenruhm;
Der erste Eintopf — jedenfalls
Hing bald er allen aus dem Hals.

Mit attischem Salz hat, wie wir sehn,
Gewürzt die Suppen sich *Athen*.
Aspasia, als Hetäre groß,
Hatt auch das Suppenkochen los,
Was von dergleichen Frauen man
Wohl heute nicht mehr sagen kann.

Den Römern, anfangs sparsam-schlicht,
Galt Suppe wohl als Leibgericht.

So wußte beispielsweis Vergil
Auch vom Gemüse-Anbau viel
Und — ob mit Käse oder ohne —
Gabs sicher häufig Minestrone,
Und von »lagana« nährte sich
Der alte Cato sicherlich.
Doch später, als aus aller Welt
Sich Leckerbissen Rom bestellt,
Und nachgab jeder Mode-Schrull' —
Berühmt ist heute noch Lukull —
Sprach man mit höhnischem Bedauern,
Die Suppe wär nur was für Bauern.
Dem *Tacitus* sind wir verpflichtet,
Weil von Germanen er berichtet.
Sie lebten kriegerisch und keusch,
Sie sotten Bier und brieten Fleisch.
Erst später sich entwickelt haben
Die Sueben auch zu Suppenschwaben.

Die Suppe ist, ganz ohne Frage,
Zu finden in der deutschen Sage:
Ein Zwerg war *Mime*, ein verschlagner,
Der — nach dem Text von Richard
 Wagner —
Dem Siegfried einen Sudel braute,
Den der voll Wut vom Herde haute.
Im Mittelalter warn die Klöster
Der armen »Supplikanten« Tröster;
Vor »breiten Bettelsuppen« graust'
Es zwar schon Herrn Professor *Faust*.

Leicht ändern stets sich die Ge-
 schmäcker:
Wer fände heute Suppen lecker,
Wie sie sich da und dort in alten
Speisezetteln noch, zum Glück, erhalten?
So gabs schon dreizehnhundertdrei
Als erstes Suppe, fast nur Ei
Mit Pfeffer, Safran, Hirse, Honig —
Und wieder fänd in mancher Chronik
Man derart wunderliche Speisen,
Geschichtlich Suppen nachzuweisen.

Die Bauern füllten ihren Magen
Mit Fleisch nur an den Feiertagen;
Sonst gab es Suppen bloß und Brei,
Vielleicht auch Mehlspeis mancherlei,
Doch meistens Hirs- und Hafergrütz,
Bis dann bei uns der Alte Fritz,
Wofür ihm sicher Dank gebührt,
Hat die Kartoffeln eingeführt.
Wenn auch die Schlemmer sie erst
 lieben,
Falls man sie durch die Sau getrieben.

Jedweder Suppe Hauptbestand
Ist *Wasser*, von dem Thales fand,
Der erste von den sieben Weisen,
Es sei als höchstes Gut zu preisen.
Liebt man auch Wassersuppen nicht,
Auf Wasser liegt das Schwergewicht,
Und zwar im strengen Sinn des Worts:
Die Schwierigkeiten des Transports!
Man sagt, im Großen habe schon
Daran gedacht *Napoleon*
Und zur Verpflegung seiner Truppen
Selbst eingeführt die Trockensuppen.

Vom Apotheker, ungelogen,
Hat Bouillontafeln man bezogen,
Weil man in Fleischbrüh, eingedickt,
Die beste Medizin erblickt.
Noch glaubte der berühmte Liebig,
Sein Fleischextrakt sei sehr ergiebig.
Es mußten Riesen-Rinderherden
Für diesen Zweck geschlachtet werden.
Die Welt bediente sich in Kürze
Der Suppenwürfel, Suppenwürze,
Und gar die Erbswurst ist bekannt
Als bester Touren-Proviant.

Ein Koch mit Namen Grüneberg
Hat sein ursprünglich kleines Werk
Nach kurzer Zeit, im Siebziger Krieg,
Geführt zu beispiellosem Sieg.

Man teilt die vielen, vielen Gruppen
In klare und legierte Suppen.
Ausschöpfen kann man, wie sonst nie,
Als Suppenkoch die Fantasie:
Ob Brillat-Savarin, Rumohr, Vaerst,
Ob Walterspiel uns gilt zuerst,
Nennt man die Namen, ists, als röche
Den Zauber man der großen Köche.

Gewiß, es werden den Gesunden
Weit mehr als hundert Suppen munden;
Doch müssen auch die armen Kranken
Für ihr bescheidnes Süpplein danken,
Auch wenn natürlich, Tag für Tag,
Den Haferschleim nicht jeder mag.
Und wenn auch Suppenkaspar spricht:
»Nein, meine Suppe eß ich nicht!« —
Wer weiß, was sie dem armen Knaben
Für Mehlpapp angeboten haben
Und ob er nicht doch wohl am Ende
Bei all den Suppen eine fände,
Die, falls er sie entdecken würde,
Ihm ausgezeichnet schmecken würde.

Zum Schlusse, aus der Suppenküche
Noch ein paar weltbekannte Sprüche:
Man ißt die Suppe nie so heiß,
Wie man sie kocht — wohl dem, ders
    weiß.
Doch Vorsicht! Oft hat sich den Rand
Der Volksmund schon dabei verbrannt.
Wer Weisheit mit dem Löffel frißt,
Auf allen Suppen Peterl ist,

In jeder Suppe find't ein Haar,
Zählt nicht zu unsrer Freunde Schar.
Der eigne Herd ist Goldes Wert —
Gewiß; doch gilt auch umgekehrt,
Daß mancher sich, als Kosten-Scheuer
Sein Süppchen kocht am fremden Feuer.
Daß Salz die Köchin, die verliebt,
Zuviel in eine Suppe gibt,
Mag hingehn — doch als Drohung galts
Seit je, daß man sie wem versalz'.
Noch schlimmer (ungern läßt mans
    drucken),
Dem Nachbarn in die Suppe spucken.
Er sei — sagt wer, nicht vollgenommen —
Nicht auf der Brennsupp herge-
    schwommen.

In Hamburg heißts, nach alten Sitten,
Wen auf 'nen Löffel Suppe bitten.
Doch wirds ein Mahl dann, reich be-
    messen. —
Gar »mit dem großen Löffel essen«,
Wird weit sich, über alle Suppen,
Als Riesenfresserei entpuppen.

Beileib nicht alles, was wir wissen —
Sollte darum jemand was vermissen
So darf er gar nicht stolz drauf sein,
Fällt dies und das noch selbst ihm ein.
Sprichwörtlich schließen wir, abrupt:
»Der lange lebt, wer lange suppt.«
Wir hoffen, alle tun da mit, —
Wir wünschen: »Guten Appetit!«

Limericks

Ihr jüngeren Brüder und Schwestern,
Laßt ab, uns Ältre zu lästern!
Wer weiß denn, was bleibt?
Was heute ihr schreibt,
Ist auch schon morgen von gestern.

»Saubere Leinwand«

Laut rühmt, zur Erreichung des Zwecks,
Der Film sich oft selbst seines Drecks;
Zu locken die Massen,
Zu füllen die Kassen:
»Das Letzte an Roheit und Sex!«

Für Humanisten

Die schöne Sprache der Griechen
Beginnt nach dem Abs schon zu siechen.
Kaum kann mans mehr lesen —
Doch noch im Verwesen
Den Duft der Unsterblichkeit riechen.

Sternkunde

Die Astronomie mir stets fern stand,
Wie wunderbar auch ich die Stern' fand.
Mich verwirrt das Gewimmel
Am nächtlichen Himmel —
Die Hoffnung mir, daß ichs noch lern, schwand.

Klage

Den Gellert liest man heut nicht mehr —
Oder gar den Pfeffel und Lichtwer.
Von einst respektabeln
Verfassern von Fabeln
Weiß niemand fast ein Gedicht mehr.

Entwicklung

Erst gings um die freien Waden,
Und dann ums Familienbaden,
Und weiter und weiter. —
Wir fragen, fast heiter:
Was kann der Moral heut noch schaden?

Einsicht

Ringsum auf dem Erdenballe:
Krawalle, Krawalle, Krawalle!
Die Welt voller Wahn!
Wer schuld ist dran?
Wir alle, wir alle, wir alle!

Verpaßte Gelegenheit

Ein Mann denkt am einsamen Tischlein:
»Dort drüben, welch reizendes Fischlein!«
Zu feig, daß ers angelt,
Die Ausred' nicht mangelt:
»Es könnt vielleicht nicht mehr ganz frisch sein!«

Leise Hoffnung

Der Mensch sagt oft zwar so leichthin —
Und doch, die Wehmut beschleicht ihn —
Der Tod treffe jeden!
Doch, noch unterm Reden,
Hofft er, er träf nur vielleicht ihn.

Waldfrieden

Einst war's nur für Hasen und Füchse
Im wildesten Waldesgewüchse
Der einsamste Platz.
Jetzt liegt dort Matratz,
Papier und Konservenbüchse.

Durch die Blume

's wird, Blumen sprechen zu lassen,
Bei mancher Gelegenheit passen.
Doch prüfe, wer's vorhat,
Ob der andre ein Ohr hat,
Die Sprache der Blumen zu fassen.

Erst wägen ...

Es gilt im ganzen und großen:
»Was fallen will, soll man noch stoßen!«
Doch prüfe man scharf,
Ob man stoßen schon darf,
Auf den Verdacht hin, den bloßen!?

Ergänzung

So manchen heimlich bedrücken
Die scheußlichen Bildungslücken.
Doch er rechnet drauf dreist,
Daß du auch nicht viel weißt:
So können Gespräche oft glücken.

Leiden

Ein Mann hat — und die tut weh! —
   Gicht.
Mit Nietzsche er »Weh vergeh« spricht.
»Lust tiefer als Leid!«
Das klingt sehr gescheit —
Doch kümmerts den großen Zeh nicht!

Die Sportgröße

Der neue Weltrekord-Meister,
Die Massen zum Jubel hin reißt er.
Mit Gold gilts zu rahmen
Unsterblichen Namen! —
Verzeiht! Ich vergaß schon: wie
 heißt er?

Noch schlimmer

Ein Mann, in der Kleinstadt verdumpft,
Fühlt selbst, wie die Seele ihm
 schrumpft.
Dem Geschick zu entlaufen,
Verfällt er aufs Saufen —
Was hilfts? Jetzt ist er versumpft.

Hinweis

Sprachforscher, geh auch auf den Sport-
 platz
Und freudig wirst sehen du, dort hats
Beim Fußballspiel
Der Sprüche viel
Um dir zu bereichern den Wortschatz!

Peinliche Geschichte

Ein Mann kam noch knapp bis zur Tür —
Da hieß es: »Zehn Pfennig Gebühr!«
Er fand keinen Groschen,
Sein Stern war erloschen ...
Verzeiht ihm — er kann nichts dafür.

Folklore

Der Sepp nach uraltem Brauch jodelt,
Derweil vom Fasse die Jauch brodelt.
Die Fremden stehn gerne —
Wenn auch nur von ferne,
Weil er, im stinkenden Hauch, odelt.

Redefreiheit

Ein Wörtchen in Nazi-Tagen
Und schon gings um Kopf und Kragen.
Heut läßt man jeden
Nach Herzenslust reden —
Doch hat er auch jetzt nichts zu sagen.

Vergeblicher Fortschritt

Die Fernsehturm-Politik,
Statt Kirchturm-: welch gutes Geschick!
Und doch stimmts fast heiter
Wie trotzdem kaum weiter
Heut reicht der politische Blick!

Kraftsprüche

Als Fahrer flucht ein sonst Feiner —
Kein Fuhrknecht könnt es gemeiner! —
Er fordert im Grolle,
Daß wer ihn was solle! —
Doch tat dies zum Glück bisher keiner.

Ein Ausweg

Ein Mann sucht wie irr einen Park-
    platz;
Doch findet er nicht auch nur karg Platz.
Er ärgert sich tot —
So endet die Not:
Jetzt hat er zumindest im Sarg Platz.

Bezahlter Scherz

Ein jüngrer Bewohner Schweinfurts
Bracht aus Jux einen Holzstoß zum
    Einsturz.
Bei dem frevlen Gekletter
Kam er unter die Bretter —
Seitdem ist sein linkes Bein kurz.

Cliquen-Wirtschaft

Ein unschätzbarer Gewinn ist,
Wenn einer schon irgendwo drin ist.
Daß hinein er sich drängel,
Glückte kaum einem Engel —
Wie gut, daß ers ohnehin ist!

Der Heuchler

Ein Kurgast schreibt aus Bad Nauheim,
Wie arg er sich langweile, schlau heim.
In Wahrheit mißt
Er bang schon die Frist,
Wo er wieder muß zu der Frau heim.

Die Zimperliche

An einer Jungfrau in Witten
Hat mehr als ein Mann schon gelitten.
Denn keiner errät sie:
Erst tut sie, als tät sie —
Und läßt sich dann doch nicht erbitten.

Haushaltsorgen

Schwer ists oft — doch gilts, sie zu
 hegen! —
Die Raumpflegerin zu verpflegen.
Sie hat nur zur Not Zeit,
Von Brotzeit zu Brotzeit,
Ein bißchen zu waschen, zu fegen.

Ausgleich

Ein braves Mädchen aus Düren
Ließ erstmals in Köln sich verführen.
Die Bahn wurde schiefer,
Sie sank immer tiefer —
Doch erhöhte sie die Gebühren.

Schade!

Der Gatte frißt in Minuten
Hinein oft die Sachen, die guten,
Um die sich in Stunden
Die Hausfrau geschunden —
Das Herz möchte manchmal ihr bluten!

Ein Glücksfall

Ein schüchterner Jüngling in Ansbach
Lief brav einer dummen Gans nach.
Längst wär er ihr Gatte! —
Doch Heil ihm, er hatte
Den Mut nicht, daß er sie ansprach.

Kunterbuntes Alphabet

Daß ichs dem Leser nur gesteh:
Versucht hab ich manch ABC,
Auf daß auch ich, von A bis Zett,
Moral in güldnen Reimen hätt'
Und daß Natur- und Weltgeschicht'

Gemünzt wär silbern im Gedicht.
Doch tückisch hat sich stets zuletzt
Der Müh ein Buchstab widersetzt,
So, daß von dem, was ich geschrieben,
Brauchbar nur ein paar Trümmer blieben.
Gern will dem Leser ich erlauben,
Das, was ihm paßt, herauszuklauben.

A

Vor Ärger wird der Autler grün:
Andauernd rot die Ampeln glühn.

Begabung brauchts und Bienenfleiß,
Daß Bargeld man der Welt entreiß.

C

Charakter — chemisch rein der sei —
Nur: etwas Charme sei auch dabei.

Wer nicht raucht, voll Charakter ist. —
Wer raucht, ist auch kein schlechtrer
    Christ.

Die Arbeit macht uns kein Vergnügen,
Wenn wir nur fremden Acker pflügen.

B

Der Bart allein es nicht beweist,
Daß man ganz bar von Bürgergeist.

Das Bitten-müssen bitter ist:
Sei froh, daß du kein Bettler bist.

Die Spannung wächst — es schweigt der Chor:
Zum hohen C klimmt der Tenor.

D

Dem deutschen Dichter droht Terenz
Wie Dante noch als Konkurrenz.

Ich kann beim Denken und beim Dichten
Schwer auf den blauen Dunst verzichten.

Dem Glück mißtrau, je länger's dauert;
Der Dämon desto drohnder lauert.

E

Nur durch das E einander gleichen
Die Erlen, Eschen, Eiben, Eichen.

Manch einer — ernsthaft schwer erklärlich, —
Ist reich an Ehren, doch nicht ehrlich.

Dem Esau ging, für ein paar Linsen
Das Erstgeburtsrecht in die Binsen.

F

Die Freizeit macht die Massen frei —
Für Fußball, Fernsehn, Fresserei.

Der Film zeigt freie Frauenzimmer —
Im Fernsehn schießen sie fast immer.

Die leise Fliege den oft stört,
Der kaum den lauten Flieger hört.

G

Der Geizhals giert nach Geld-Gewinnung
Der Gammler nährt sich von Gesinnung.

Gewiß kann Schweigen Gold oft sein.
Doch bringt auch Reden Geld herein.

Den Greisen grausam wirs verübeln,
Wenn grantelnd sie ins Grab sich grübeln.

Selbst größte Geister rauchten zwar —
Doch grimmer Gegner Goethe war.

H

Hanswursten trifft man weit und breit
Humor ist mehr als Heiterkeit.

Wer auf den Hirschen hebt die Büchse,
Läßt Hasen laufen oder Füchse.

Das Heitre hält meist nicht lang vor:
Homer hats leichter als Humor.

I

Illusion welkt heut wie nie:
Am Indus selbst gibts Indus-Trie.

Den Rhein versau'n die Industrien —
Rheinländer drum zur Isar ziehen.

J

Verschieden lang erscheint ein Jahr
Dem Jüngling und dem Jubilar.

Der Jugend zur Beherzigung:
Auch Jubelgreise waren jung!

Nicht für den Juni, Juli spar,
Was jetzt zu tun, im Januar.

K

Kaffee ist bitter — ich gesteh:
Noch bitterer ist kein Kaffee.

Kalender kriegt man ganze Haufen,
Den, den man braucht, muß man sich kaufen.

Es schafft, wer nicht mehr kochen kann,
Konserven sich und Kühlschrank an.

L

Lautstärken sind noch nicht Beweise:
Die Lautersten sind lieber leise.

Die Liebeskunst tritt außer Kraft —
Sie ward zur Leibes-Wissenschaft.

Vom Leumund leicht der Leser sieht
Zum Löwenmaul den Unterschied.

M

Zur Mäßigkeit sei stets bereit —
Nur nicht zur Mittelmäßigkeit.

Im Morgenblatt liest man genau:
Macht, Meinung, Mord und Modenschau.

Der Menschen werdens immer mehr —
Wo nimmt man all das Mitleid her?

N

Noch bringt in Not uns die Natur:
Zahm fahr bei Nacht und Nebel nur.

Nett, wenn man nach Gebühr uns preist —
Die Nachgebühr verdrießt uns meist.

Ein Narr selbst nichts zu sagen wagt —
Nur, weils ein Nazi schon gesagt.

O

Der Nachtbar-Ober bringt die Karten —
Die Orgien lassen auf sich warten.

Oft scheitert an der Ordnung schon,
Die fehlt, Organisation.

P

Der Pegasus im Stalle steht —
Hochtraben will heut kein Poet.

Zur Politik mag sich bequemen
Nur, wer es wagt, Partei zu nehmen.

Wem Politik nicht paßt, erwägt,
Daß Pack sich schlägt und sich verträgt.

Q

Daß Wahl zur Qual wird, ist bekannt.
Doch quengle nicht als Querulant!

Wenns manchmal auch durch Quatsch gerät —
Quell des Erfolgs bleibt Qualität.

R

Zwar ratlos, aber doch in Ruh
Schaun wir der Riesen-Rüstung zu.

Die Rothaut schlug der Weiße tot —
Zur Rache sind jetzt Gelbe rot.

S

Den Sex hochspielen? — Kein Gewinn:
Selbst Sinnlichkeit verliert den Sinn.

Kaum sank der Sommer, sonnenreich —
»Sauwetter!« schimpft ein jeder gleich.

Der Schütz, zum Laden erst entschlossen,
Hat schon so gut wie scharf geschossen.

Die schlimmste Schule ist auf Erden
Doch die: durch Schaden schlau zu werden!

Der Schlauste, wenn genau ers nimmt,
Ist doch ein Schwätzer nur, der schwimmt.

Von Stentor, dem homerischen Helden
Ist nur der Stimme Kraft zu melden.

Statt daß den Freund man warm sich halt',
Stellt man aus sturem Stolz ihn kalt.

T

Trug ist nur selten der Humor —
Den Tiefsinn täuscht man leichter vor.

Die Technik täuscht uns vor: Genuß!
Und macht uns nur zum Tantalus.

Vor Troja lag Odysseus wach:
Was macht daheim mein Telemach?

U

Die Ungeduld oft Unheil schafft,
Auch Unmut trübt die Urteilskraft.

Von USA lern jeder gern —
Doch manchem Unfug bleib er fern.

Der Unmensch, jeder Urteilskraft bar,
Macht uns nur für sein Unglück haftbar.

V

Vielweiberei ist jetzt modern —
Frau Venus bleibt dem Treiben fern.

An Vor-Verstorbnen kannst du's messen:
So völlig sinkst du ins Vergessen.

Vorfreude oft genügen muß:
Vielleicht kommts nie zum Vollgenuß.

W

Selbst alten Weisen wird nicht klar,
Ob just ihr Weg der rechte war.

Kommt Wissenschaft je überein:
Was wollte wohl der Wallenstein?

Ein Wagnis wars in wüsten Jahren,
Die weiße Weste sich zu wahren.

X

Der Xaver ist ein fleißiger Sohn:
Brav liest er seinen Xenophon.

Ist Xanten auch ein braver Ort —
Xanthippen gibt es wohl auch dort.

Xanthippe selbst, die böse Hex,
Wird aufgewertet heut durch Sex.

Das Ypsilon mich arg verdroß,
Seit man vor Ypern auf mich schoß.

Vom Ypsilon sind wir fast frei —
Nur, leider, gibts noch Tyrannei!

Als »unbekannt« macht' immer schon
Mir Qual das »X + Y«!

Recht rar sind Ypsilon und X —
Du findest beide noch im S*tyx*

Z

Was nützte wohl die Zigarette
Dem Raucher, der kein Zündholz hätte.

Selbst Zeiss hat Hilfe nicht bereit,
Siehst du die Zeichen nicht der Zeit.

Dumm ists, im ersten Zorn zu prahlen —
Zuletzt muß man die Zeche zahlen.

Lebenslauf in Anekdoten

Der neue Schirm

Meine Mutter, in dem Alter, wo man noch keine junge Dame ist, aber gern eine sein möchte, hatte den alten Regenschirm, den man ihr aufzwang, immer schon aufs grimmigste gehaßt. Als sie aber, an einem wetterwendischen Apriltag mit ihm bewaffnet, dem blonden und mantelflatternden Musiklehrer begegnete, war sie gewillt, sich des Schirms, dieses Schandstückes, zu entledigen.
Nichts einfacher als das: Sie ließ ihn, als gerade die Kunden drängten, unversehens beim Bäcker Hierangl stehen, mit dem festen Vorsatz, sich zu Hause auf Befragen durchaus nicht mehr erinnern zu können, wo sie ihn wohl vergessen habe.
Die Sache schien durchaus geglückt; der Ankauf eines neuen Schirms war schon so gut wie sicher. Da stürzte, drei Tage später, als die ganz junge Dame, bei strahlendem Frühlingswetter, mit einer noch jüngeren jungen Dame höchst fein und wichtig des Weges kam, die Frau Bäckermeister Hierangl persönlich auf die Straße heraus, den Schirm schwingend und: zuerst hätte niemand geglaubt, daß das alte, scheußliche Ding einem so feinen Fräulein gehöre, aber die Wimmer-Babett hätt' den Schirm gleich wiedererkannt und die Fensch-Rosa hätt' auch gesagt, natürlich, hätt' sie gesagt, das ist das Schirmerl von der Fräulein Maurer, ich kenn's an dem Riß und dem abgebrochenen Stangerl und an dem kaputten Griff! So sprudelte die brave Frau ihr süßes Gift heraus, mit seligem Lächeln, und es ist in der Tat bemerkenswert, wie sie alle Mängel des Schirms aufzusagen wußte, ohne ihr eigenes Urteil in die Waagschale werfen zu müssen.
Der häßliche unansehnliche Schirm, ohne Gnade, und vor den hämischen Augen der jüngeren jungen Dame (die natürlich im Geist sofort zu einem dummen Lausaffen herabgewürdigt wurde) zwangsweise überreicht und in seine alten Rechte eingesetzt, war nun nicht mehr auf so einfache Weise loszubringen. Aber gleichwohl, in diesem beschämenden Augenblick ward sein Untergang beschlossen.
Von alten Zauberern wird behauptet, sie vermöchten ihre Wanderstäbe in lebendige Schlangen zu verwandeln; jedenfalls bestand der Schirm die Gegenprobe: er verwandelte sich am Arm meiner Mutter in ein giftiges Reptil, das sie nur mit tiefem Grauen betrachten konnte.
Schon wenige Tage später ward die schwarze Tat ausgeführt; der Schirm wurde buchstäblich zu Tode gequält. Es war ein Wetter, wie gemacht zu solch ruchlosem Unterfangen. Der Sturm ging in heftigen Stößen, Regenschauer fuhren nieder, und in den Gassen fand sich jene erfreuliche Mischung von Nässe und Staub, die der Münchner mit dem Wort »Baz« bezeichnet, wobei mit dem langen, hellen A die ganze Wonne des Drinherumschlampens zum Ausdruck kommt. Der Schirm wurde also gegen den Wind gehalten, bis er sich umstülpte und dabei ein paar seiner brüchigen Rippen einbüßte. Dann wurde er mit böser Lust durch besagten

Baz geschleift, daß der Dreck nur so spritzte. Und dazu sang meine Mutter mit froher Stimme ein traurig-einfältiges Lied, eine trunkene Totenklage um den sterbenden Erzfeind.

Und jetzt, an der Straßenecke, zehn Schritte vor dem Haus, brachte sie den Schirm wieder leidlich in Ordnung, um statt dessen sich selber mit allen Anzeichen einer holden Verwirrung zu schmücken. Sogar Tränen vom reinsten Wasser begann sie zu weinen, und schluchzend kam sie daheim an, und so überzeugend war ihr Auftreten, daß sie, ohne weiter Rechenschaft über das Unglück ablegen zu müssen, mit mütterlichem Trost empfangen wurde und der Erwerb eines neuen Schirmes eine rasch genehmigte Sache war.

Sie hatte aber die Rechnung ohne den Wirt gemacht, nämlich den Wirt der Gaststätte »Zum fröhlichen Militärgericht«, woselbst ihr Vater allabendlich seine drei Quart Dunkles holte und diesmal eine noch dunklere Geschichte mit drein bekam. Denn während der Wirt ihm die Neige aus dem Faß zapfte und aus den kupfernen Gatzen zusammenschüttete, erzählte er, vielleicht mehr, um von seinem trüben Treiben abzulenken als aus Verklagerei, wie er heute nachmittag ein wunderliches Regenidyll habe beobachten können, das liebe Töchterl nämlich, das singend den Schirm, den gewiß noch pfennigguten Schirm, mit aller Gewalt hingemacht und durch die Rinne geschleift habe.

Und da dem Großvater das schale Bier an diesem Abend noch besonders schlecht schmeckte, mit dem bitteren Wermutstropfen der Erkenntnis darin, daß er eine mißratene und verlogene Tochter habe, so kam das von den beiden Frauen klug eingefädelte Gespräch, ob man nach dem unbezweifelbaren Hintritt des alten einen grauen oder einen grünen Schirm kaufen sollte und daß es beim Salvatori am Rindermarkt ganz entzückende Schirme gebe — und gar nicht so teuer: dieses Gespräch also kam an den Unrechten. Und endete — ohne daß der Zornige über einige finstere Andeutungen, von wannen ihm seine Wissenschaft gekommen, hinauszugehen brauchte — mit dem unanfechtbaren Spruch, der Schirm, der nun so lange gut genug gewesen sei, halte noch gern ein Jahr oder zwei aus, wenn man ihn nur schonend behandle.

Und ohne Gnade mußte meine Mutter nun das Jammergestell von Schirm geduldig tragen, obwohl sie jetzt wirklich schon eine junge Dame zu werden anfing. Bis sich die Großmutter ihrer erbarmte, den Schirm mit auf eine Reise nahm und ihn kurzerhand stehen ließ, ohne dem zornigen Gatten oder auch der dankbaren Tochter je zu verraten, wo.

Dann erst wurde der neue Schirm gekauft, ein schöner, grauseidener. Der hat dann ein noch romantischeres Ende gefunden, zehn oder zwölf Jahre später: wir Buben haben große, grüne Heupferde in seinen Falten geborgen und, wer hätte das auch gedacht, die nichtswürdigen Bestien fraßen sich durch den Stoff hindurch in ihre Freiheit.

Beim Bügeln

Eine meiner frühen Erinnerungen ist das Bügeln. Es ist unzertrennlich mit dem Gedächtnis an Zahnweh und schlaflose Nächte verknüpft. Die Köchin, trotz ihrer kaum dreißig Jahre und ihrer hünenhaften Erscheinung die »Alte Anna« geheißen, hatte Zahnweh und suchte es durch wilde Arbeit zu übertäuben. Ich hatte auch Zahnweh und war froh, in der Küche sitzen zu dürfen und zu plaudern, natürlich meistens über das Zahnweh.
Die Hitze in der Küche hätte jeden Gesunden krank gemacht; wir Kranken erhofften uns Gesundheit von ihr. Alles glühte: der mächtig angefeuerte Herd, in dem die Eisen heiß gemacht wurden, barst schier vor Feuer. Ich schob mit dem Schürhaken die Kerne hinein und zog sie wieder heraus, weiß und sternchensprühend. Es galt, sie mit Geschick in den Mantel, das eigentliche Bügeleisen, zu stecken. Der sengende Anhauch des Stahlkeils, die Aufregung, die Mühe — das alles vertrieb das Zahnweh augenblicklich.
Die Wandlampe brannte, ich hatte aufzupassen, daß sie nicht qualmte, unversehens aber flogen doch die dicken Rußfetzen und schwebten bedrohlich über der dampfenden, blütenweißen Wäsche. Dann fingen Anna und ich die flatternden Flocken wie Schmetterlinge — und auch das war gut gegen das Zahnweh.
Manchmal entschloß sich Anna, mit dem neuen Eisen zu bügeln. Das war beileibe nicht das elektrische, wie eine junge Leserin glauben könnte, sondern das große Holzkohlen-Plätteisen, das mehr und mehr den erhitzten Bolzen verdrängte. Es schien ein Schiff mit hohem Bug zu sein, es glich auch einem scharfzahnigen Krokodilschlund, denn der Deckel mit dem Griff war auf- und zuzuklappen, in den zackig aufgesperrten Rachen wurde die Holzkohle gelegt, mit Spiritus begossen und angezündet. Ich durfte dann das Eisen hin und her schwingen, bis die blauen Flämmchen erstarben und die rote Glut der Kohle zu wabern begann. Einen Rest von Mißtrauen gegen das neumodische Verfahren wurde aber die alte Anna nie los.
Mitunter löste sie um Mitternacht ihr schweres, schwarzes Rabenhaar, das ihr bis in die Kniekehlen hing, und hub zu singen an, nur leise natürlich, in der sausenden, brausenden Stille des schlafenden Hauses. Dann war ich ganz verzaubert, ohne zu wissen, daß es ein Mädchen, daß es das Weibliche war, was mich in seinen Bann zog. Anna war dann auch weicher und zärtlicher als je am Tage; und gefühlvoll waren auch die Lieder, die von ihren Lippen kamen und denen ich lauschte. Sie sang nichts anderes als andere Dienstboten auch, »Still ruht der See« sang sie und das Lied vom Edelweiß, das der abgestürzte Bua noch in blutiger Hand hält, oder eine vielstrophige Ballade aus dem Siebziger Krieg, die anfing: »Zu Sedan wohl auf der Höhe, da stand ich manche Nacht . . .«
Gelegentlich las ich ihr auch aus den »Deutschen Heldensagen« vor; kein anderes

Buch wollte sie gelten lassen. Dieses aber, obgleich erst wenige Jahre alt, war völlig zerlesen und mit unser aller Tränen benetzt. Mit immer neuer Ergriffenheit vernahmen wir die Geschichten von Siegfried und Etzel, von Kudrun und dem Kampf auf dem Wülpensand, von Dietrich von Bern und König Alpharts Tod. Ich las und las mit zitternder Stimme, und Anna bügelte, nassen Auges, mit wütendem Eifer.
Oft genug schlief ich auf meinem Platze ein oder wurde ins Bett geschickt. Wenn mich aber, in der ersten Morgenröte, das Zahnweh wieder heraustrieb, dann stand Anna immer noch und schwang das Eisen. Die gebügelte Wäsche lag zu reinlichen Bergen getürmt, und nur ein kleines Häufchen noch, frisch besprengt, deckte den Boden des großen Weidenkorbes. Das Mädchen aber, wie es hochroten Gesichts flink über das weiße Linnen fuhr, glich mir jener Müllerstochter, die in einer Nacht die ganze Stube voller Gold spinnen mußte, und mit scheuen Blicken sah ich mich um, ob ich nicht doch den helfenden Kobold entdeckte ...

Kindliche Erwerbsquellen

So dreist wie zehn Jahre später unser jüngster Bruder trieben wirs noch nicht; der fing alle Besucher schon unten an der Haustür ab und bettelte sie um ein Fünferl an, bis ihn einmal ein erziehungsbeflissener Gast verriet und unsere Eltern dem Wegelagerer das Handwerk legten.

Freilich, recht viel edler war unsere erste Bemühung, zu Geld zu kommen, auch nicht; immerhin boten wir Drei- und Vierjährigen eine Gegenleistung. Wir waren in Berchtesgaden in der Sommerfrische, in der Ramsau beim »Wimbacher«, nahe der berühmten Klamm. Damals zog freilich noch nicht ein Heerwurm von Fremden an dem alten Bauernhof vorbei, einzeln und in Trüppchen kamen die Leute; und es waren besonders Damen darunter, die sich vor dem Vieh fürchteten und jede weidende Kuh für einen wilden Stier hielten. Sie getrauten sich nicht ohne weiteres, durch die Gatter zu gehen — und da waren wir als rettende Engel bereit: wir trieben die Kühe und Kälber zur Seite, auf Wunsch — und blieben selbst erwartungsvoll stehen: nur selten wurden wir enttäuscht; wenn auch nicht immer bares Geld, ein Stückchen Schokolade schaute fast immer dabei heraus. Um jedoch das Geschäft einträglicher zu gestalten, trieben wir das Vieh jedesmal wieder zum Gatter hin, ja, wir holten es gelegentlich von den nächsten Wiesen: denn je mehr Kühe den Weg zu sperren drohten, um so größer waren Angst und Dankbarkeit der Klammbesucher.

Unser Spielkamerad war der gleichaltrige Wimbacherschn Schorschl, von uns »Sorgel« genannt, weil wir zwei »sch« hintereinander nicht aussprechen konnten; wahrscheinlich war er ein netter Bub, ich habe ihn im Leben nur noch einmal gesehen, da war er ein Zwölfender in Ingolstadt, ein sturer Büffel und gewiß nicht die Wonne seiner Rekruten. Damals jedoch hatten wir zu dritt großartige Pläne; so gruben wir im tosenden Wimbach einen ganzen Sommer lang an einem riesigen Marmorblock herum, den wir zu Tal schaffen und gegen teures Geld verkaufen wollten.

Wir lernten früh, daß nicht alle Blütenträume reifen, das Felsstück liegt wohl heut noch im Geschiebe des Sturzbachs. Weil wir gerade von Blütenträumen reden: eine alte Häuslerin hatte dort einen weit und breit berühmten Nelkenstock vom Balkon hängen, ein Amerikaner war auf dieses Wunder so versessen, daß er der armen Häuslerin hundert Mark dafür bot; aber sie lachte ihn nur aus. Als wir übers Jahr wiederkamen, war der Stock in dem strengen Winter erfroren.

Daß ich, wie die Bauernkinder, durch den Verkauf von Bergblumen, Schwammerln und Walderdbeeren ehrlich ein paar Pfennige verdiente, versteht sich. Aber, daß ich wenige Jahre später, in Abensberg, unter die Sklavenhalter und Ausbeuter gegangen bin, beschämt mich heute noch. Es war die Zeit, in der sich zwar nicht jedermann, aber jede Frau von der Heilkraft einheimischen Tees Wunder versprach. Ich kam allein mit dem Zupfen von Schwarzbeerblättern dem Bedarf gar nicht mehr nach und trieb ein Dutzend Kinder auf, die auf dem Speicher bei tropischer Hitze für mich arbeiten mußten, nicht anders als die armen Hopfenzupfer, die dort, in Niederbayern, jeden Spätsommer in zigeunerischen Scharen zusammenströmten. Ich paßte scharf auf, daß sauber gepflückt wurde — und ich fürchte, daß ich den Lohn ganz gemein gedrückt habe.

Daß jung gewohnt — alt getan auch zu den Sprichwörtern zählt, die keineswegs immer stimmen, ist durch meine Berufswahl hinlänglich bewiesen; als Kind freilich fragte ich jeden Besucher, vom Hausarzt bis zum Geheimen Kommerzienrat: »Was verdienen Sie pro Tag?«, und je nach ihrer Auskunft war ich entschlossen, dasselbe zu werden, bis ein nächster noch bessere Aussichten bot. Dieser merkantile Zug hat sich aber im Lauf der Jahre verloren, und heute, wo alle Welt sich nur nach dem Geld richtet, vermisse ich ihn sogar mitunter.

Tante Möli

Amalie Schönchen, um die Jahrhundertwende Schauspielerin am berühmten Wiener Burgtheater, war unsre Großtante und verbrachte mehrere Sommer mit uns gemeinsam in Hochgart bei Berchtesgaden.
Die Rolle der »Zwiderwurzen« mußte ihr auf den Leib geschrieben worden sein, uns Kindern jedenfalls war die schrullige alte Frau unheimlich — und auch sie mochte keine Kinder. Als es einmal meinem Bruder, der zu viel Erdbeeren gegessen und hernach zu heftig geschaukelt hatte, zum Erschrecken übel wurde, eilte sie, des armen Buben nicht achtend, an die Unglücksstätte mit dem pathetisch empörten Ruf: »Ach, die schönen Erdbeeren!« Und ein Mädchen, das meine Mutter eingeladen hatte, damit das blasse Großstadtkind auch einmal an die frische Luft käme, zwang sie, da ihr die etwas gequetschte Stimme des Kindes mißfiel, durch die ewige, unfreundliche Ermahnung: »So schneuz dich doch!« zu einer vorzeitigen, tränenreichen Abreise.
Die Tante hatte drei bissige Wesen mitgebracht, eine grantige, herrschsüchtige Haushälterin, die immer umschmeichelt, einen Pinscher, namens Affi, der immer gekämmt werden mußte und einen Papagei, Lora, ein so kluges Tier, daß die Tante schwor, er habe am Morgen ihres siebzigsten Geburtstages ganz deutlich gesagt: »Ich gratuliere!«
Von den tausend Rücksichten, die auf die Tante zu nehmen waren, galten neunhundert diesem verzogenen, kläffenden Wollknäuel und dem tückischen Vogel, den wir später, nach ihrem Tod, noch lange, bis zu den Bomben des Zweiten Weltkriegs, ausgestopft und friedlich, als Zierde unsres Biedermeierzimmers betrach-

ten durften, wo auch ein Jugendbild der Tante hing, die ein ungewöhnlich schönes Mädchen gewesen sein mußte.

Damals aber, in Berchtesgaden, ging die alte Dame spazieren, den Papagei auf der Schulter, das ängstlich in Tücher gewickelte Hündchen im Arm, mit Kettchen, Lorgnons und Beutelchen behängt, einer Indianerin nicht unähnlich. Eine greise Bäuerin blieb einmal am Wege stehen, beäugte sie eindringlich und sagte treuherzig: »Jetzt bin i doch froh, daß i di amal g'sehn hab — gel, du bist die Narrische, von der's oan allweil so viel verzähln!«

Der fremde Herr

Mit Hunden sind wir Buben aufgewachsen, der Großvater besaß drei reizende Windspiele, wie sie der Alte Fritz in Sanssouci gehabt hatte — sie scheinen ausgestorben zu sein, nie mehr bin ich solchen Hunden begegnet, vom englischen Schlag, klein, spitzköpfig, gertenschlank und immer ein wenig zitternd, als ob sie's fröre.

Wir lebten lange auf gleicher Ebene mit ihnen, auf dem Fußboden; jeden Tag fuhr der Großvater abends, wenn München wie ausgestorben lag, mit der Pferdebahn und später mit der »Ringlinie« um die Altstadt, damit sie sich auslaufen konnten. Wir sprachen von »Lord«, »Miss« oder »Flock« wie von Familienangehörigen.

Eines Sommertags ging unsere Mutter mit uns zwei Buben und den drei Hunden im Nymphenburger Park spazieren, als ein alter Herr im weißen Bart auf uns zutrat und die schönen Tiere lobte, die ohnehin in der ganzen Stadt berühmt waren. Meine Mutter, die allem Zeremoniellen abhold war, stellte sich unwissend, sie unterhielt sich ganz unbefangen mit dem Greise, bis beim Abschied mein kaum fünfjähriger Bruder die Matrosenmütze zog und laut und fröhlich sagte: »Adieu, Herr Prinzregent!«

Wir begriffen erst viele Jahre später, warum da der alte Herr so herzlich lachte und warum uns die Mutter, wie eine Pfingstrose erglühend, so eilig fortzog.

Erinnerungsblatt

Ich war noch nicht lang in Ettal, in der Klosterschule, um neunzehnhundertzehn mag es gewesen sein, im Herbst, da hieß es, der alte Prinzregent sollte, auf der Fahrt zur Jagd im Ammerwald, vom Kloster und von der Gemeinde feierlich eingeholt werden. Und ich, als ein bereits schulberühmter Poet, sollte ihn, beim kurzen Halt auf der Straße, mit einem selbstverfaßten Gedicht begrüßen.
Von der dreifachen Aufgabe: dichten, auswendig lernen und aufsagen, war gewiß der dritte Teil das bedrohlichste; leutseliger alter Herr hin, harmlose fünf Minuten her — die andern hattens leicht, mir Mut zuzusprechen, ich allein mußte die Sache bestehen, Seiner königlichen Hoheit unter die Augen treten, ihm, dem Landesvater, Verse vortragen, für die ich selber verantwortlich war.
Vielleicht stellt sich der Leser vor, *er* würde dazu ausersehen, oder er entsinnt sich der Anekdote von Girardi, der, von Franz Josef zum Kaffee eingeladen, ganz verzagt dasaß und auf die etwas enttäuschte Frage, wo er denn all seine Munterkeit gelassen habe, gesagt haben soll: »Jausnern Sie amal mit an Kaiser!« Jedenfalls, ich sah der Begegnung mit einer Majestät mit gemischten Gefühlen entgegen — und das ist hier keine abgebrauchte Redensart: stolze Freude, fluchtbereite Feigheit und wurmgekrümmte Qual wechselten in mir vom Herzen bis in die Hosen.
Der bedeutungsvolle Tag, die aufregende Stunde kam heran, am Ettaler Berg stand ein Mann mit einem großen, roten Taschentuch, um im gegebenen Augenblick zu winken; die Mönche und Laienbrüder, der hochwürdigste Herr Abt an der Spitze, die Gemeinde mit dem Bürgermeister, die Schulkinder und wir Zöglinge trippelten an der Straße hin, der Mann hob sein Taschentuch, alle Glocken läuteten, die Berge standen still, die Sonne loderte mit doppelter Kraft, ich warf einen letzten, heimlichen Blick auf mein Gedicht: »Vater Bayerns, edler Fürst, der du von mir bewillkommt wirst.«
Und da kam schon der Wagen mit dem Regenten daher, gefährlich knapp an mir vorbei stampften und schnaubten die zwei Pferde, das Gefährt hielt, und ich, ein Kind noch, stand am Schlag, es war ein offener Jagdwagen, eine nieder gebaute Kutsche, und wenn ich die Hand ausgestreckt hätte, greifbar nahe wäre mir der Bart des hohen Herrn gewesen — er beugte sich ein wenig vor und lächelte, vielleicht gabs in der engsten Umgebung des Regenten nur wenige Männer, die ihm so nah gestanden sind, Gesicht gegen Gesicht, und ich tat einen tiefen Schnaufer und fing beherzt an: »Vater Bayerns« — aber weiter kam ich nicht — steckengeblieben! denkt der Leser, aber er irrt sich: Der Prinzregent hielt zwei Dackel auf dem Schoß, ich hatte kaum den Mund aufgemacht, als sie schon mit wütendem Kläffen auf mich losfuhren, sie würgten sich aus den Händen des alten Herrn, sie wutzelten sich aus der Decke, sie krallten sich an den Wagenschlag, wanden sich

vor- und übereinander, mit Schnauze und Pfoten heraus und bellten, immer noch beim Läuten aller Glocken, aber beim jähen Verstummen des Lobsprechers, bedrohlich die Zähne fletschend, auf eine Handbreite Entfernung in mein Gesicht, das vermutlich nicht gerade das festlichste war.
Der Regent und sein Begleiter wurden mit Mühe der Hunde habhaft, stopften sie in die Decke, das Gebell erklang nur noch erstickt, und der Greis ermunterte mich mit einem freundlichen Blick, wieder anzufangen. Diesmal kam ich bis »edler Fürst«, da hatten sich die Dackel frei gestrampelt und hingen, mit wütendem Geschimpfe, über den Wagenschlag heraus; und meine tapfer gesprochenen Worte gingen unter im Hundegebell und in den begütigend-drohenden Zurufen des edlen Fürsten, der von mir bewillkommt werden sollte.
Beim dritten Versuch, wo ich gedachte, mit aller Kraft das Hundegebell zu überschreien, gebärdeten sich die Tiere wie rasend. Der geistesgegenwärtige Musiklehrer sah, wie aussichtslos die Lage war, er hob die Hand und alle stimmten das: »Gott mit dir, du Land der Bayern!« an, der Regent winkte und dankte für den Empfang, die Hunde knurrten nur noch leise.
Ob Seine königliche Hoheit dann noch im Chinesenzimmer des Klosters mit dem Abt eine Tasse Kaffee getrunken hat, vermöchte ich nach fünfzig Jahren nicht mehr zu sagen, und der einzige, der mir noch draufhelfen könnte, der Herr Bischof von Passau, Pater Simon Landersdorfer, weiß es wohl auch nicht mehr. Jedenfalls, ein paar Wochen später hat er mir, als mein damaliger Klaßlehrer, ein blaues Schächtelchen überreicht, in dem, auf Samt gebettet, die silberne Prinzregentenmedaille lag — fast ein Orden. Kann sein, das Andenken, um das ich nicht wenig beneidet wurde, liegt heute noch in einer Schublade; wahrscheinlich aber ists mit allem, was ich besaß, am Ende des zweiten Krieges dahingegangen und zu einer großen silbernen Träne zerschmolzen, einer der Tränen, die wir der Kindheit nachweinen und den unwiederbringlichen Zeiten.

Die Kanone

Die Kanone war kein Kinderspielzeug, sondern die genaue Nachbildung einer Feldschlange aus dem Dreißigjährigen Krieg, stark verkleinert natürlich, samt Lafette vielleicht eine Elle lang oder anderthalbe — in meiner Erinnerung gewiß größer als in der Wirklichkeit. Jedenfalls, in den beiden Weltkriegen ist sie nicht mehr in Wirkung getreten. Überhaupt ist nur einmal aus ihr geschossen worden, seit sie in unserem Familienbesitz war; aber dieses eine Mal ist mir unvergeßlich.
Um die Jahrhundertwende, mitten im Frieden, war eine waffenfrohe Zeit — vorausgesetzt, daß die Gegenstände historisch waren; Stechzeug und Prunkrüstungen, maßlos überzahlt (oder nachgemacht, oder beides) grüßten in den Vorhallen von Kommerzienräten, Radbüchsen und damaszierte Klingen lagen auf gotischem Samt in Schaukästen, bürgerliche Flure starrten von Hellebarden, Saufedern und Hifthörnern, und jedes bessere Wirtshaus hatte seine Veteranenvereinsecke mit Raupenhelmen, Käppis, Chassepots und Zündnadelgewehren. Es gab ganze Malerschulen, die ausschließlich Soldatenszenen anfertigten, leidenschaftliche Sammler reisten die halbe Welt wegen eines Monturstücks aus, und Kenner sagten an Hand eines geprägten Knopfes Standort und Uniform eines Regiments auswendig her.
Auch wir waren daheim schwer gerüstet; kein Wunder, da ja der Großvater mit Kostümen handelte. Eine riesige Trommel war unser Spielzeug, zwei Gewehre mit Bajonetten, aus der napoleonischen Zeit, schleppten wir auf schwachen Kinderschultern durch die Wohnung, schwere Reitersäbel, Galanteriedegen, arabische

Flinten (wie sie unweigerlich jedermann mitbrachte, der auch nur einen Fuß nach Tunis gesetzt hatte), Dolche und Pistolen standen uns unbegrenzt zur Verfügung, und auf besonders inständiges Bitten schnallte uns der Vater auch einen bayrischen Küraß um, setzte uns einen roßschweifgezierten Helm auf den Kopf und ließ uns ein Weilchen als kleine Kriegsgötter herumstolpern. Daran, daß wir zehn Jahre später alle in den Weltkrieg stolpern würden, dachte kein Mensch.

Das Aufregendste war aber doch die Kanone; so still sie das Jahr über als Zierstück an ihrem Platz stand, gelegentlich rüttelten wir an ihr oder vielmehr an den moralischen Grundfesten unserer Eltern; eine sozusagen echte Kanone müßte man doch auch mit Pulver laden und richtiges Pulver hinwiederum mit einer Lunte anzünden können. Die Mutter erklärte das rundweg für ausgeschlossen, der Vater hielt es für eine scharfsinnige und richtige Annahme, die durch einen Versuch zu beweisen wäre. Mit einem Wort, der »alte Kindskopf« — er war freilich erst sechsunddreißig Jahre alt — war schon fest entschlossen, mit der Kanone zu schießen.

Eines Nachmittags war es so weit. Es dämmerte schon, als unser Vater so beiläufig wie möglich das Geschütz ergriff und uns mitgehen hieß. Er sagte beileibe nichts von Laden und Schießen. Spazierenfahren wollten wir, an die frische Luft müßten wir alle zusammen, wir Stubenhocker. Wir Buben aber rochen natürlich Lunte und sahen uns bedeutungsvoll an. Wie auf Verabredung gingen wir allen Leuten aus dem Wege, der Hauptverschworne trug die Kanone unterm Radmantel.

Wir hätten eigentlich nur in unsern Hof zu gehen brauchen, an den sich ein verwilderter Garten anschloß. Mein Vater mochte jedoch befürchten, die Kanone sei hier schon zu bekannt und ein Schuß unter den Fenstern des Großvaters, der im Erdgeschoß wohnte, nicht ratsam. Wir schlichen daher unter die Toreinfahrt des Nachbarhauses; und während wir Buben regelrecht Spähe standen, schüttete der kühne Artillerist aus einer Tüte Pulver in das Messingrohr, brachte das Geschütz in Front des verlassen daliegenden Hinterhofes in Stellung, entzündete, während wir vor Aufregung von einem Fuß auf den andern tanzten, ein Streichholz und hielt es, mit weitausgestrecktem Arm in die Hocke gehend, an das Zündloch.

Es tat einen ungeheuern, wirklich ohrenzerreißenden Knall, das Geschütz sprang samt Lafette zornig in die Luft, Feuer entfuhr dem Lauf, und ein schwerer Schwaden von Pulverdampf kroch am Boden hin. Die Ladung war zu stark gewesen — aber zu unser aller Glück hatte sie das Rohr nicht zerrissen; es hätte ein übler, blutiger Scherz werden können. Ganz verdattert, aber doch blitzschnell ergriff mein Vater das rauchende Ungetüm; und schon standen wir, harmlose Abendspaziergänger, auf der Straße; es war, ohne Worte, eine ausgemachte Sache, daß wir nichts gehört und gesehen hatten, und wir ließen uns denn auch mit Unschuldsmienen die greulichsten Geschichten nebst allen Mutmaßungen erzählen, ehe wir in unsere Wohnung hinaufstiegen, wo mein Vater die Kanone mit einem Lappen schlecht und recht abrieb. Bald stand sie wieder schweigend auf ihrem Platz.

So billig, wie wir gedacht hatten, sollten wir aber nicht davonkommen. In unsrer Nachbarschaft wohnte ein Metzger, mit dem es stark bergab ging. Geschlachtet hatte er schon seit einer Woche nicht mehr, so daß ihn hämische Freunde fragten, ob er kein Blut mehr sehen könne. Denen war er mit düstern Redensarten gekommen, Blut gäbe es bald genug zu sehen — und ausgerechnet diesen Abend war sein Geschäft zugesperrt; niemand wußte, wo der Schuß gefallen war, nirgends war der Metzger zu finden; aufgeregte Leute holten einen Schandarm, es stand so gut wie fest, daß der verschuldete Metzger sich umgebracht haben mußte, der Schutzmann fragte die Gegend ab, ehe er den Laden mit Gewalt aufbrechen lassen wollte. Wir saßen beim Abendessen, der noch einmal davongekommene Feuerwerker sang mit jenem dreisten Übermut, der so oft die Untäter bis an die Grenzen des Geständnisses hinreißt: »Wenn der Vater mit dem Sohne auf dem Zündloch der Kanone —« weiter konnte er den alten Biergesang nicht, wir kicherten in uns hinein, und die Mutter schüttelte ob solch ungeheurer Heiterkeit stumm den Kopf: da ereilte uns, von der bierholenden Magd weh- und wollüstig erzählt, das Gerücht.

Mein Vater erblaßte sichtlich, er lief vom Tisch weg auf die Straße hinunter, der fragenden Frau konnte er ja sagen, daß er als Pressemann der Sache nachgehen müsse. Natürlich hatte es unsre Mutter leicht, aus uns Hilflosen derweilen ein Geständnis zu erpressen. Der rasch zurückgekehrte Vater aber nahm die Standpauke mit heiterer Gelassenheit hin. Denn, so berichtete er lachend in die Sturmpause der Mutter hinein, noch ehe er sich einem Verhör über den Schuß habe zu stellen brauchen, sei der Metzger, ziemlich angetrunken, in einer Bierwirtschaft aufgegriffen worden. Und die Frage des Schutzmanns, ob er sich erschossen habe, oder, wenn nicht, ob sich zu erschießen seine Absicht gewesen sei, habe er, der Metzger, mit jener bayrischen Aufforderung beantwortet, die noch auf ungebrochene Lebenskraft schließen lasse.

Trotz dieses glücklichen Ausgangs wurde die Kanone von meiner Mutter bald verräumt mit der Begründung, sie sei für den alten Esel noch und für die jungen schon zu gefährlich; Helm und Küraß habe ich erst zwanzig Jahre später wieder einmal getragen, im Fasching. Seither sind, bis auf einen indischen Kris, alle Waffen verschollen, die letzte Windbüchse haben die Amis mitgenommen.
Und daß ich in der Zwischenzeit in zwei Kriegen aus dem Gewehr 98 manchen scharfen Schuß getan habe, das ist, weiß Gott, eine andere Geschichte ...

Die Schweinsblasen

Der Metzger Windschiegl ist ein gestandener Mann, ich habe ihn freilich nur im Vorbeigehen in seinem Not-Laden hantieren sehen, den er sich an Stelle des zerstörten Hauses in der Augustenstraße errichtet hat. Er wird auch schon Mitte der Fünfziger sein, er schaut jetzt genauso aus wie sein Vater damals, als wir Nachbarsbuben waren, ausgeschaut hat: aufgeschwemmt, naßäugig, mit einem blonden Wischer von Schnurrbart...
Natürlich hat es mich gelockt, hineinzugehen und dem alten Kindheitsgefährten Grüß Gott zu sagen. Aber ich weiß, daß außer einem hilflosen Lächeln und ein paar verlegenen Redensarten nichts herauskommt; allerdings, an die Geschichte mit der Schweinsblasen hätte er sich bestimmt noch erinnert.
Ein richtiger Münchner meines Jahrgangs weiß selbstverständlich, was eine Schweinsblase oder »Bladern« ist; er kann sich auch das Karnevalstreiben um die Jahrhundertwende mühelos ins Gedächtnis zurückrufen, das so ganz anders war als die Umzüge von heute mitsamt dem Prinzenhofstaat, den wir den Kölnern abgeschaut haben. Nur der Bubenfasching ist noch ungefähr derselbe geblieben, mit seinen Wildwestlern und Indianern, die rudelweise in den Straßen auftauchen und manchmal ein bißchen unbeholfen und verfroren, lustiger sein möchten, als sie sind.
Vor dem Ersten Weltkrieg war die Maximilianstraße der Mittelpunkt eines Korsos, in dem reiche Mitbürger in geschmückten Zweispännern fuhren, wohlverproviantiert mit Krapfen und Süßigkeiten, die sie unters Volk warfen, mehr noch

freilich mit Konfetti und Luftschlangen, mit denen sie stürmische Schlachten ausfochten. Noch gewaltiger waren die Vorräte der Zuschauer, die aus allen offenen Fenstern quollen, unter denen immer Kinder und Erwachsene drängelten und hüpften, um die an einem Schnürchen tanzende Orange oder Wurst zu ergattern. Pierrots und Pierretten, aus der besten Gesellschaft, zogen in weißen Wolken durch die Straßen, die Radfahrervereine hatten ihre berühmten Artisten gestellt, die in drolligen Verkleidungen die Freitreppen des Hoftheaters auf und nieder fuhren. Das glänzendste Schauspiel aber boten die Offiziere, die auf edlen Pferden heransprengten, als Buren, Hereros, Indianer jeweils echt bis in die Sattelknöpfe und durch ihre noble, fröhliche und oft tollkühne Ritterlichkeit den Ton angebend, den dann auch der sogenannte kleine Mann gerne aufnahm, indem er darüber wachte, daß sich nirgends Unfläterei und Pöbelhaftigkeit einschlich; zu lautem Jubel und ausgelassenem Lärmen neigen die Münchner ohnehin nicht, »stadlustig« waren sie auch damals schon, bis dann alles mehr und mehr, nach dem Kriege, müder wurde und zugleich angestrengter, während aus den Untergründen der wachsenden Großstadt jene Kräfte aufstiegen, die die heitere Harmlosigkeit des Münchner Faschings zerstörten.

Aber nun bin ich endlich die Auskunft über die Schweinsblasen den ungeduldigen Lesern schuldig; soweit sie nicht Altbayern sind, wissen sie ja gar nicht, was diese Schweinsblase mit dem Fasching zu tun hat. Je nun, sie war ein schier unentbehrlicher Begleiter des Straßenstreuners: mit Luft aufgeblasen, zugebunden, mit einem Schnürchen an einem ellenlangen Stock befestigt, war sie ein ebenso harmloser wie wirkungsvoller Schläger, einer Fliegenklatsche vergleichbar. Sie tat — im Gegensatz zu den oft rohen Pritschen aus Holz oder Pappe — nicht weh, machte dafür einen gehörigen Spektakel, und über den Vorwurf, daß sie unappetitlich sei, hätte vor vierzig, fünfzig Jahren noch jedermann gelacht.

Eine Schweinsblase war also die Sehnsucht aller Buben, und als Toni Windschiegl, der Mitschüler, der Metzgerssohn, meinem Bruder und mir eine zu verschaffen antrug, waren wir begeistert und dankbar.

Am Faschingssamstag, beim Mittagessen, herrschte, wir wußten nicht warum, Gewitterluft. Der kleinste Verstoß wurde mit finsteren Andeutungen quittiert; an unserer Stelle, sagte die Mutter, würde sie sich nicht so viel Kraut herausnehmen — was nur bildlich gemeint sein konnte, denn es gab kein Kraut; und der Vater sprach in verdächtiger Geschmerztheit von den großspurigen Herren Söhnen, die wohl nicht wüßten, wie schwer das Geld zu verdienen sei. Wir Brüder schauten einander fragend an, wir fühlten uns wirklich ganz unschuldig.

Wenn wir wieder, rief der Vater jetzt streng und das Geheimnis halb lüftend, uns solche Eigenmächtigkeiten erlauben und mir nichts, dir nichts weiß Gott was für Bestellungen machen wollten, so möchten wir gefälligst dergleichen von unserm Taschengeld — wieso? dachten wir, denn wir hatten keins — bezahlen, statt es auf Barons- und Grafenart ins Haus schicken zu lassen.

Wirklich, langsam erst begriffen wir, es handelte sich um die zwei Schweinsblasen. Wir hatten gedacht, wir bekämen sie geschenkt, als Schulkameraden, als Söhne und Enkel alter Kundschaft; oder, wenn schon nicht umsonst, so zum Kurswert von Bubengeschäften, Briefmarken, Knallerbsen oder Minzenkugeln. Statt dessen hatte der geschäftstüchtige Sohn seinem Vater einen Auftrag vermittelt, und der Metzgermeister Windschiegl hatte pünktlich die bestellte Ware dem Schriftsteller Roth durch den Gesellen ins Haus geliefert. Die Magd aber, die allein daheim gewesen war, hatte guten Glaubens die beiden Schweinsblasen in Empfang genommen und damit vorerst die Schuld von einer baren Mark anerkannt.

Uns jedoch wurde gerade unsere Unschuld zum Verhängnis; denn unsere Mutter hatte nicht sobald gemerkt, daß man von dem Geschäft noch zurücktreten könnte, als sie uns auch schon unerbittlich den Canossagang antreten hieß: wir sollten dem Metzger die Schweinsblasen wieder hintragen. Sogar der Vater wollte uns offensichtlich beispringen, aber auf eine Auseinandersetzung mit der erbosten Frau ließ ers doch nicht ankommen und zog sich mit einem matten Geplänkel unverbindlicher Redensarten zurück.

Wir machten uns beklommen und maulend auf den Weg, standen unschlüssig im Treppenhaus herum, zuletzt läuteten wir bei der Großmutter im Erdgeschoß und erzählten ihr die ganze Geschichte.

Sie nahm die zwei Schweinsblasen, ging zum Metzger Windschiegl hinüber, nach einer Weile kam sie wieder, zornrot, mit den Schweinsblasen; wir könnten sie behalten, sagte sie, die Sache sei in Ordnung.

Was sie mit dem Metzger ausgehandelt hat, haben wir nicht erfahren. Sie hat nur böse gelacht, das wäre das letzte Markl gewesen, das der ausgeschamte Kerl an uns verdient hätte. Uns aber haben die Schweinsblasen keinen rechten Spaß mehr gemacht, dem Toni sind wir aus dem Weg gegangen und er uns auch; das Fleisch ist von dem Tag an beim Holzbauer gekauft worden, zehn Häuser weiter. Der Großvater und der Metzgermeister, die einander über die Straße in die Läden schauen konnten, haben sich mit grimmigen Blicken gemessen, zehn Jahre lang und länger – und alles um zwei Schweinsblasen ...

Die Braut

Auf einer Radfahrt, noch vor dem ersten Krieg, kamen wir in einem Dorf so um Tegernsee herum mitten in eine große bäuerliche Hochzeit hinein. Das Wirtshaus quoll über von Männern und Frauen, Burschen und Mädeln. Wir setzten uns auf eine abseitige Bank, und der Doktor Billinger fragte leutselig ein altes Weiberl, das dort hockte, wer denn die Braut sei. »Die Braut, ja mei, die Braut war i!« Und ehe der Doktor, fassungslos, zu einer Gegenfrage ausholen konnte, kuschelte sich die alte Frau zutraulich und verschmitzt nahe an sein Ohr und wisperte: »Wissen S', ich hab a Häuserl!«

Gute alte Zeiten...

Es ist schon fünfzig Jahre her, da bekam ich, ein Pennäler in den besten Flegeljahren, von meinen Eltern den Auftrag, einen wertvollen alten Zinnkrug zum Ausbessern zu tragen.
Der wackere Münchner Handwerksmann und Kleingewerbetreibende empfing mich mit jenem hierzulande nicht seltenen mürrischen Augenaufschlag, der ungefähr besagen will: »Ja, muß jetzt der Depp ausgerechnet zu mir kommen, als ob's in der ganzen Stadt keinen andern Zinngießer gäbe!«
Er besah sich den zögernd hingereichten Krug, lange, ohne ein Wort zu sagen. Ich ließ derweil meine Augen durch den finsteren Raum gehen und entdeckte eine Aufschrift in Riesenlettern: »Reparaturen, wo in sechs Wochen nicht abgeholt werden, wird nicht gehaftet!«
Der Meister fing nun tiefsinnig zu grunzen an, es wäre eine saubere Arbeit, und solche Stückln würden jetzt nicht mehr gemacht. Und heutzutage sei die ganze Zinngießerei eine... worauf ich mich, längere Aufklärungen scheuend, zurückzog.
Die Jahre fliehen pfeilgeschwind. Vom Mädchen reißt sich stolz der Knabe, hat weiß Gott was im Kopf, und so ist es begreiflich, daß auch ich den Zinnkrug völlig vergaß. Aus den Augen, aus dem Sinn — bis eine notwendig gewordene Lötung unserer Suppenschüssel den ganzen zinnernen Komplex unheilvoll an die Oberfläche meines Bewußtseins zerrte.

Schlotternd vor Angst, machte ich mich auf die Suche nach dem Meister. Er konnte ausgezogen oder gestorben sein, ich wußte nur mehr undeutlich, wo er wohnte. Aber siehe da, noch prangte an derselben Stelle die verschmutzte Inschrift: »Alois Hirneis, Zinngießerei.« Und da saß auch der Meister, nur ein wenig gealtert, mürrisch wie einst, auf seinem Platz. Ich stürzte hinein, stotterte, ob er mich noch kenne, ob er sich erinnere, es sei zwar schon lange her ... Er unterbrach meine aufgeregte Rede mit den sachlichen Worten: »Ja, ja, Sie möchten Eahna Zinnkrügl, wo S' mir neulich bracht ham. Da drob'n steht's no!« Ich stieß einen Seufzer der Erleichterung aus, den der gute Mann jedoch offenbar mißdeutete. Denn mit jäher Zornröte im Gesicht sprang er auf und bellte mich an: »Ja, meinen Sie, wegen Eahna kann i mi dastürz'n? I bin no net dazukemma! Na trag'n S' halt Ihr Glump zu wem andern, wenn's Eahna gar so pressiert!« Und holte den Krug herunter, stellte ihn vor mich hin und wandte sich, ohne mich eines weiteren Wortes zu würdigen, seiner Arbeit zu. Meine entgeisterten Blicke hingen aber noch lange an der Inschrift: »Reparaturen, wo in sechs Wochen nicht abgeholt werden ...«

Ein Unvergessener

Der alte Doktor Hirth, ein großer Münchner Verleger vor fünfzig, sechzig Jahren, war ein reicher Mann, er war, unterm schlohweißen Haar, auch ein Feuerkopf und, zur rechten Gelegenheit, ein rechtes Schreckenskind — er konnte sichs leisten.
Damals, vor dem ersten Krieg, gab es ungeheure Festessen; erlesene Weine wurden gereicht, und auf riesigen Platten lockten getrüffelte Pasteten, köstliche Salate und Sulzen, kunstvolle Speisentürme, deren Zinnen von prachtvollen, leuchtend roten Hummern bekränzt waren. Die Gäste machten sich tapfer über alles her, untergruben die Bollwerke aus Fisch und Geflügel, räumten die Vorfelder der Austern und Kiebitzeier, aber den Mut, den schweren Panzertieren auf den Leib zu rücken, hatten sie doch nicht. Wie sollten sie, zwischen Porzellan und Gläser gezwängt, von hübschen und empfindsamen Nachbarinnen flankiert, waffenlos den Kampf mit den Ungeheuern wagen?
Die Kellner, so untadelig sie in ihren schwarzen Fräcken hin und her schwirrten, so unterwürfig sie jedem Wink der Gäste gehorchten, in diesem Punkt stellten sie sich blind und taub; sie übersahen den Mangel an Brechwerkzeugen, sie überhörten jeden Wunsch danach. Denn sie hatten längst ausgemacht, die unversehrten Krustentiere andern Tags wieder zu verkaufen. Sie hatten aber ihre Rechnung ohne den Hirth gemacht. Denn beim Abschied brach sich der fröhliche Greis mit dem gewinnendsten Lächeln von den ihm erreichbaren Hummern die Scheren ab und verteilte sie mit der Versicherung, sie schmeckten auch zum Frühstück ausgezeichnet, an seine Tischnachbarinnen. Bei einem dieser Festessen hatte Doktor Georg Hirth eine Tischdame, die ihm in ermüdender Ausführlichkeit erzählte, wie ihr Vater schon vor Jahren elendiglich zugrunde gegangen und wie ihre Mutter erst jüngst auf traurige Weise gestorben sei. Hirth hörte ihr scheinbar geduldig zu, nicht abweisend, aber, wie sich zeigen sollte, völlig abwesend; denn als man endlich aufstand, verabschiedete er sich mit der herzlichen Frage: Ihren werten Eltern geht's aber gut?

*

Eine leere Sektflasche wird den meisten Leuten ziemlich wertlos scheinen — den Kellnern des Deutschen Theaters tat sie einst unschätzbare Dienste.
Bei den großen Faschingsbällen, beim Pressefest etwa, wurde viel Sekt getrunken, sehr viel Sekt sogar; aber noch viel mehr Sekt wurde bezahlt. Denn die hurtigen Kellner schenkten, in den großen, gastfreien Logen besonders, ständig alle erreichbaren Kelche voll, am liebsten, wenn außer ein paar Schnorrern niemand anwesend war. Die bezahlten Flaschen, so war es damals ausgemacht, wurden unter den Tisch gestellt oder abgeräumt; was auf dem Tisch stand, galt als noch unverrechnet.

Als nun, während einer Française vielleicht, wieder einmal die Logen ziemlich leer standen, kamen die Kellner, flink und beflissen, wie immer, natürlich nur, um nachzusehen, ob alles in Ordnung sei. Niemand schaute ihnen auf die Finger, der abgekämpfte ältere Herr, der einsam vor sich hindöste, war bestimmt nicht zu fürchten — und so griff jeder Kellner im Vorbeigehen blitzschnell unter den Tisch und stellte eine leere Flasche neben den Eiskübel, bis eine stattliche Batterie beisammen war.

Der vermeintliche Schläfer jedoch — er hat es uns später einmal selber erzählt — packte, kaum daß die Herren Ober den Rücken gekehrt hatten, die Flaschen kurzerhand beim Kragen und stellte sie wieder unter den Tisch. Die Gäste strömten zurück, die Kellner eilten herbei, um wieder einmal abzurechnen — sie machten große Augen, wagten aber nicht, aufzubegehren, denn die Schlafmütze von vorhin zeigte plötzlich ein sehr waches Gesicht und ein Lächeln, das ihnen dringend empfahl, gute Miene zum bösen Spiel zu machen ...

*

Doktor Georg Hirth war auch wegen der offenen Hand geschätzt, die er für Künstler und Dichter hatte. Eines Tages, so erzählte der feurige Greis, ließ sich ein Maler bei ihm melden, der beim Eintritt ins Zimmer lange in stummer Ergriffenheit an der Tür verharrte und endlich in die begeisterten Worte ausbrach: »So stehe ich denn wirklich vor dem Manne, dem seit einem Menschenalter meine tiefste Verehrung gilt — was spreche ich von mir! —, dem ganz München, ja ganz Deutschland als einem geistigen Führer, als einem Mäzen verpflichtet ist! Auch ich bin ein Künstler, eine innere Stimme ruft mich nach Italien, ich will Rom sehen, und ich weiß, daß Sie, Hochedler, mir zu diesem Schritt die helfende Hand nicht verweigern werden!«

Der geschmeichelte Gönner hatte schon in seiner Brieftasche nach einem Hundertmarkschein geangelt, drehte sich aber noch vorher zu dem Besucher um und fragte, was der sich eigentlich von ihm erwarte. »Wenn ich Sie«, kam in schöner Inbrunst die Antwort, »um zwei Mark gebeten haben dürfte?«

Seitdem, so berichtete Doktor Hirth, habe er sich angewöhnt, sich nach den Wünschen seiner Bittsteller zu erkundigen, statt blindlings seiner Geberlaune zu folgen. Er habe dadurch viel Geld gespart, damals bare neunzig Mark. Der Maler, mit einem Goldstück entlassen, sei überglücklich gewesen ...

Ludwig Thoma

Einmal im Fasching stand meine Mutter mit Ludwig Thoma plaudernd auf der Galerie des Saales, als drunten sich der Vorhang zum Festspiel des Abends hob. Eine Weile hörten sie zu; als aber der Lärm immer größer und der Text immer unverständlicher wurde, sagte meine Mutter lachend zu Thoma: »Geh zu, den Schmarren brauch'n ma doch net anhör'n!« »Hast recht!« antwortete Thoma und wandte sich zum Gehen, ohne auch nur mit einem Wort anzudeuten, daß das Spiel von ihm verfaßt war.

*

Thoma bot seinen Bauernroman »Andreas Vöst« den Münchner Neuesten Nachrichten zum Erstdruck an und verlangte zwölftausend Mark — im Urfrieden eine Summe, wie sie der Verlag noch nicht bezahlt hatte. Direktor Helfreich tat denn auch, als er dem Dichter das Honorar aushändigte, einen tiefen Seufzer und sagte: »Herr Doktor, das ist viel Geld!« »War auch viel Arbeit« knurrte Thoma und steckte ungerührt die Scheine ein.

Der Lotterie-Weinkeller

Was mein Vater auch für Tugenden und Schwächen gehabt haben mochte — jedenfalls, vom Wein hat er nichts verstanden. Nicht, daß er als ein Altbayer Biertrinker gewesen wäre; sparsam war er vor allem, und die Leichtigkeit, mit der wir Söhne später, viel später, Flaschen entkorken lernten, war den Münchnern vor dem Ersten Weltkrieg fremd.
Ist es nun wirklich so schändlich, vom Wein nichts zu verstehen und keinen im Keller zu haben? Nein, es ist so wenig eine Schande wie Armut, aber weh tut es doch; und es hat keinen Sinn, die andern, die Gesunden, die frohen Zecher, mit dem verächtlichen Wort »Saufbrüder« abzutun. Wer nichts verträgt, wer nicht mittun darf, der ist ausgeschlossen, in mehr als in einer Hinsicht, denn der Stammtisch ist nun einmal die letzte Hochburg der Männer, und auch die wirklich guten Geschäfte werden bei der Flasche gemacht, nicht bei der ersten natürlich. Entrüstet euch nicht, ihr Nichttrinker, es ist so; und wer aus unseliger Leibesbeschaf-

fenheit sauer werden muß, wenn die andern süß zu werden anfangen und schwer vom Wein, der weiß es, daß ihm ein Paradies versperrt ist; schlecht kann es ihm werden, aber Spitz wird er nie einen kriegen — von einem richtigen Rausch brauchen wir gar nicht reden.

Freilich haben wir manch Kerngesunden in ein frühes Grab sinken sehen, weil er gern getrunken oder, deutlicher gesagt, maßlos gesoffen hat; und mein Vater ist trotz seines schweren Magenleidens, nach zwei Operationen, noch rüstig wie ein Junger fünfundachtzig Jahre alt geworden. Aber stichhaltig ist das auch nicht.

Daß wir übrigens keinen Wein im Keller gehabt hätten, ist natürlich übertrieben. Wir besaßen sogar einen fast mannshohen eisernen Weinkäfig, als Gelegenheitskauf billig erworben. Er rostete im finstersten und feuchtesten Winkel seiner Auflösung entgegen. Und nun kommen wir auch der Erklärung seines Namens »Lotterie-Weinkeller« näher. In seinem zerblätternden Gestänge berührten sich die Extreme. Mein Vater selbst besaß nur geringe Sorten, wie sie der Zufall zusammenbrachte. Sie ruhten neben Apfelsekt und Selterswasser, um vielleicht einmal im Fasching oder im Sommer zu einer jener billigen und »ganz leichten« Bowlen gemischt zu werden, die einen übermütigen Gast zu der Bemerkung verlocken konnten: »Durst hätte ich jetzt eigentlich keinen mehr, es wäre Zeit, etwas zu trinken!«

Daneben aber lagerten die edelsten Weine, Ehrengeschenke, mit denen die Stadt oder das Deutsche Museum unsere Festspiele und Vorsprüche abgalt. Infolge der Kellerfeuchtigkeit lösten sich jedoch bald die Zettel von den Flaschen, Stanniolhülsen aber trugen damals auch die minderen Sorten, und nach Jahr und Tag ruhten Moselblümchen und Gimmeldinger ununterscheidbar neben Johannisberger und Deidesheimer Kirchenstück. Von nun an war es Glückssache, ob wir den geeigneten Tropfen herausfanden. Wir feierten die höchsten Familienfeste bei schlichten Tischweinen, setzten erlesenen Gästen schieren Essig vor, kochten unser Blaukraut mit Rauentaler und merkten erst am überschwenglichen Dank des

Hausmeisters, daß wir ihm eine Trockenbeerenauslese zum Geburtstag verehrt hatten.

In einer Zeit, in der Schwedenpunsch und Asti spumante die höchsten alkoholischen Genüsse der besseren Münchner waren, empfanden freilich meine Eltern die ganze Abgründigkeit solchen Frevels nicht. Und wir Buben, daß ichs nur gestehe, achteten weit früher auf die Zigarrenkisten unsres Vaters als auf seine Weinflaschen. Viele Jahre später ist dann mein Vater noch einmal das Opfer seiner völligen Ahnungslosigkeit geworden. Kollege Kunkel hat ihn hereingelegt. Er war ein gewaltiger Trinker, ein Perpetuum mobile gewissermaßen, denn wenn er vor der vierten Flasche saß, hatte er die zwei ersten schon vergessen; der Wein vermochte ihn sozusagen nicht einzuholen. Der nun rühmte sich so gewaltig, der Knabe an der Quelle zu sein, daß er schließlich meinen Vater zu einer größeren Bestellung bewog, der ersten und letzten seines langen Lebens. Arglistig fragte er ihn, ob er auch, für besondere Feste, ein paar Spitzenweine mitschicken lassen dürfte, ein Dutzend Flaschen vielleicht; und mein Vater war gern damit einverstanden — was konnte da schon viel geschehen?

So kamen unverhofft noch ein paar Haupttreffer in unsern Lotterieweinkeller, es war guter Wein, wie wir nach weiteren zehn Jahren feststellten, bei der Goldenen Hochzeit der Eltern, tafelnd unter Luftalarm und Bombenwurf des zweiten Krieges. Damals freilich, als mein Vater die Rechnung bekam, neben den wohlfeilen Pfälzern zu anderthalb Mark noch zwölf Flaschen zwischen zwanzig und dreißig, freute er sich nicht, denn er war ja nicht der Mann, um das herauszutrinken, wie die Fachleute sagen. Ein Kenner, der sich den Himmel auf die Erde zwingt mit jedem Glas, ja mit jedem Tropfen, der trinkts heraus, mehr noch, wenn er sichs nur leisten kann, das Zahlen oder das Schuldigbleiben, denn Spitzenweine gibts, wir erzähltens unserm Vater zum Trost, zu sagenhaften Preisen, fünfzig Mark ist noch lange nicht das teuerste.

Immerhin waren diese zwölf Flaschen die ersten, die, soweit möglich, dem Lotteriebetrieb entzogen wurden. Mit klug ausgedachten Warnsignalen ausgerüstet, wurden sie in die entlegenste Ecke des eisernen Käfigs gesteckt; und wenn der eine oder andre von uns auf den dreisten Gedanken kam, bei ganz großen Anlässen vorzuschlagen, eine zu trinken, wurde er im Familienrat glatt überstimmt. Bis wir Kinder dann, eben bei jener Goldenen Hochzeit, kurzerhand den ganzen Weinschrank ausräumten, ahnend, daß nicht nur die beste, sondern auch die letzte Gelegenheit gekommen sei. Ein halbes Jahr später lag alles in Trümmern.

Die Freundin des Malers

Im zweiten Stock des Hauses in der Karlstraße uns gegenüber, das einem biederen Schlossermeister gehörte, wohnte eine Person, die uns »Buben« — in Wirklichkeit waren wir längst junge Männer geworden — immer wieder in Aufregung versetzte: die rastlos durch die Zimmer wandernde, halbirre Geliebte eines berühmten Münchner Malers, eines Freiherrn, dessen vornehme Erscheinung in einem unbegreiflichen Gegensatz zu der verfallenen, ja, unter dicken fahlen Puderschichten sich geradezu schon auflösenden Frau stand.
Olga hieß sie, mehr wußten wir nicht; aus Wiesbaden stammte sie, aus gutem Hause, hieß es; später sei sie eine große Kokotte gewesen, der Freiherr habe sie nach München gebracht. Seit dreißig Jahren lebte sie allein mit einer Magd in der weitläufigen Wohnung. Der beispiellose Liebhaber jedoch besuchte sie nach wie vor beinahe täglich, auch als sie dem Bild, das er oft und oft von ihr gemalt und gezeichnet hatte, in keiner Weise mehr entsprach.
Meist blieb der Freiherr, ehe er in die Wohnung hinaufging, schräg vor dem Hause stehen, damit die aufgeregte Frau ihn erblicken konnte und auf sein Kommen vorbereitet war; oder auch nach dem Besuch stand er noch ein Weilchen auf der Straße, der große, hagere, vornehm und nachlässig zugleich gekleidete graue Herr, schwang den weichen Künstlerhut ritterlich in der behandschuhten Hand, spähte durch den an einem schwarzen Band gesicherten Hornzwicker empor, und sogar uns halbwüchsigen Tölpeln kam das Ergreifende zum Bewußtsein, wie da dieses noble, schmale bärtige Greisengesicht unten und der riesige, von Locken umwallte mehlweiße Kopf der Frau sich in halbverloschenen Liebesblicken begegneten, in unverwelkter Treue den Glanz einer Jugend sehend, den außer den beiden niemand mehr sah auf der weiten Welt und den niemand mehr sehen wollte.
Nein, etwas ganz anderes erhofften sich die Nachbarn zu gewinnen, die da, halb hinter Gardinen versteckt, hinüberlugten, oder die Vorübergehenden gar, die stehen blieben auf offener Straße: daß die wunderliche Alte das Fenster aufmache und verliebte, aufgeregte Worte herunterrufe, wie ein Papagei mit Flügeln schlagend in ihrem lose wallenden Schlafrock, und daß der närrische Baron dann, zurückrufend, sie beruhige und zurechtweise, zärtlich und bekümmert, nicht eher vom Platze weichend, als bis droben die Frau lächelte und das Fenster schloß.
Manchmal und später leider immer häufiger, kam es freilich zu peinlichen Szenen, von deren Ausmaßen der Freiherr wohl nie erfuhr, denn sie ereigneten sich nur, wenn die Frau allein war und ohne Hilfe finsteren Gewalten ausgeliefert.
Vor Gewittern besonders oder unter dem Druck des Föhns, jedenfalls, wenn Luft und Licht auch dem Gesunden nicht ganz geheuer schienen, wurde das Schattenwesen da drüben aufgeregt, die Gestalt wuchs zu einer dämonischen Größe an, sie begann zu wogen, von Fenster zu Fenster gleitend und in bleicher Trauer durch

die Scheiben starrend. Und dann riß sie einen Flügel auf, oder beide — und nun entsprudelten ihrem Munde wüste Selbstgespräche, zu irrem Stammeln verebbend und wieder auflodernd in Qual und Angst. In Anklagen schrie sie sich aus, in Zoten verkicherte sie sich, in hoheitsvoller Gekränktheit stellte sie sich dar. Sie hielt, des wirren grauen Haars und der unbedeckten Brust nicht achtend, mit einem nicht unedlen, aber ins Närrische gesteigerten Spiel der Mienen und Hände große Reden an ein Volk, das sie allein sehen mochte auf leerer Straße.

Die Zustände in Sachsen, rief sie etwa, seien unhaltbar, da müsse man eingreifen ... Und ihr nackter Arm fuhr gebieterisch aus dem Nachtgewande. Eine Weile murmelte sie unverständliches Zeug. Dann schrie sie laut, der Schlossermeister bringe sie noch ums Leben, er habe sie eingesperrt, man möge doch die Polizei verständigen. Und kläglich bettelte sie um Hilfe.

Natürlich nahm weder der Schlosser noch die übrige Nachbarschaft dergleichen ernst; und kam ein Fremder des Wegs, zögernd stehenbleibend, wurde er diensteifrig aus dem nächsten Fenster oder Hausgang heraus darüber belehrt, daß bei der tollen Person da oben eine Schraube locker sei, und kopfschüttelnd ging er weiter — es sei denn, das puderblasse, schwappende Ungeheuer begann mit neuen, schrilleren Tönen einen neuen Auswurf seines zerstörten Gemütes: und ich muß mit Scham bekennen, daß das die Flötenläufe waren, auf die auch wir insgeheim gelauert hatten. In einer unendlichen Melodie gab sie sich selbst und ihre Vergangenheit preis, in schlüpfriger Krötenlust ergoß sie sich noch einmal über ihre verjährten Liebschaften, und es mußte ihr zugestanden werden, daß sie einen schaudernden Reichtum an verschollenen Abenteuern und schlimmen Redensarten auszubreiten wußte. Zwischendurch gab sie sich mit einer fremden Kakadustimme selber Antwort auf äußerst unfeine Zumutungen, die sie neuerdings an sich gestellt wähnte, und sie rief mit Entrüstung das Urteil aller Welt an, ob sie sich, als eine anständige Frau, dergleichen Unflätigkeiten bieten lassen müsse.

Nach solchen Ausschweifungen versickerte sie in ein undeutliches Gebrodel, oder sie stand, wie ausgelöscht, stumm und schlaff da, als übersähe sie die leere Bühne ihres Lebens, Triumph und Verfall — und wir unerfahrenen jungen Burschen, die wir mit Lust und Grausen solche Geheimnisse hatten ausplaudern hören, wähnten wohl, so sei das Leben und manches Schaudervolle dieser Art müßten wir noch erleben, wenn wir erst die Frauen kennengelernt haben würden — wir kannten sie noch nicht.

Das Leben ist aber dann — so schrecklich auch sonst die fünfzig Jahre waren, die wir seitdem hinter uns gebracht haben — doch stiller und reinlicher an uns vorübergegangen, nie hat es uns in Wirklichkeit jenen schamlos schillernden Abgrund gezeigt, den es uns damals hatte ahnen lassen.

Der Krieg brach aus, der Umsturz kam, durch die Karlstraße gellten die Schüsse, die Inflation wuchs und wuchs, wir lebten in einem Taumel jugendlichen Aufbruchs und begehrten vermessen eines neuen Himmels und einer neuen Erde. Die verrückte Greisin gegenüber kümmerte uns nicht mehr, nur wenn sies gar zu toll trieb, deuteten wir, zwischen Spott und Mitleid, flüchtig hinüber und sagten: Aber heute redet sie wieder wild — ohne daß wir auf das, was sie herunterpredigte und schimpfte, noch neugierig gewesen wären.

Einmal machte uns der Freiherr — er kannte meinen Vater — einen verlegen-höflichen Besuch. Er habe inzwischen erfahren müssen, sagte er, daß Frau Olga mitunter eine unerquickliche Nachbarin sei, er danke uns für unsere Geduld und bitte um weitere Nachsicht. Hoffentlich sei es nichts Schlimmes, was die verwirrte Frau in ihrer Aufregung sich von der Seele rede. Wir beeilten uns, ihn lächelnd über die Harmlosigkeit des Geschwätzes zu beruhigen, das niemand ernst nehme.

Damals habe ich, beim nahen Anblick des berühmten Malers, des großartigen, greisen Edelmannes, noch einmal eine tiefe Scham empfunden, als ein unziemlicher Belauscher seines geheimen Lebens, wie es oft und oft mit heraufgequollen war in der trüben Flut, die dem Munde der alten Frau entsprudelte. Sie hatte ja, verworrnen Sinnes, auch seiner nicht geschont und seiner Leidenschaften, hatte wahllos alle Erinnerungen ihres Daseins preisgegeben, verjährte Wonnen nachgenießend und in unlösbare Verstrickungen greifend ...

Zum Glücke hat ja jede Menschenbrust, soweit sie selber noch rein ist, auch eine verwandelnde, reinigende Kraft. Und so gewann der Freiherr seinen vollen Rang zurück.

Ob er zuerst dann gestorben ist oder seine Freundin Olga, weiß ich nicht mehr. Jedenfalls verlor ich sie beide völlig aus dem Gedächtnis, und nur gelegentlich, wenn ich in alten Heften blättere, sehe ich eins seiner Gemälde abgebildet — der Ruhm des Malers ist rasch abgesunken, ob zu Recht oder Unrecht, sei dahingestellt. Aber ich sehe dann den hohen, hageren Kavalier mit dem Spitzbart und dem Künstlerhut wieder durch die Straße streichen, und am Fenster, teiggrau und verschwommen hinterm Glas, taucht das Gesicht der irren Frau aus einsamer Dämmerung.

Ein Glücksfall

Daß Gott am nächsten, wenn die Not am höchsten, ist ein schlechter Reim, aber doch oft eine gute Wahrheit. Anno siebzehn, als es gar nichts mehr zu essen gab, auch auf dem Lande nicht mehr viel, war ich zum Hamstern unterwegs auf einem Bauernhof und streifte recht hoffnungslos durch die Gegend.

Plötzlich sah ich, halb im Gebüsch verdeckt, ein Hühnerei liegen — wo eins ist, können auch zwei oder drei sein: es wurde aber ein halbes Schock, ich konnte den Segen kaum in meinem Hut bergen. Vermutlich hatten mehrere Hennen dort unter den Stauden, gegen die Dienstvorschrift, ihre Eier verlagert; und die Bäuerin mag sich über ihre faulen Mistkratzer nicht schlecht geärgert haben. Mir aber und den Meinen ward es zum Himmelssegen — kaum ein Verleger hat mir später so viel Freude gemacht, wie damals diese Verlegerinnen. Freilich war eine ganze Anzahl der Eier schon hinübergegangen, aber wir waren nicht wählerisch seiner Zeit — und was nicht zu jenem gütigen Himmel stank, der uns diese Gottesgabe zugespielt hatte, kam in die Pfanne. Nie vorher und nachher haben wir Rühreier mit tieferer Rührung gegessen.

Ein Mosbacher

Was ein Mosbacher ist, die alten Münchner wissens noch, und können mit manchem schlagenden Beispiel aufwarten. Die Gebildeten haben dem Wort das Gemütliche genommen, sie sprechen von einem faux pas oder umschreibens mit der Wendung, daß man im Hause des Gehenkten nicht vom Strick reden dürfe.
Nun, einen solchen Mosbacher treibt mir grad der Wirbel der Erinnerung hoch, wie uns ja manche wunderlichen Gestalten noch einmal flüchtig erscheinen, ehe sie für immer aus dem Gedächtnis entschwinden.
Diesmal ists die alte, zaundürre Frau Siry, die nach dem Ersten Weltkrieg zu uns als Störnäherin kam und Grabesluft um sich verbreitete. Sie erzählte unserer Köchin und auch uns natürlich, wenn wir grad in der Nähe waren, tausend Wichtig- und Nichtigkeiten aus ihrem kümmerlichen Dasein und erging sich soeben ausführlich über die beengten Wohnverhältnisse in ihrem Herbergshäusl in der Au, in das sie auch ihren aus dem Feld heimgekehrten Sohn und seine Braut aufgenommen hatte.
»Ja, wissen S', Fräuln Berta, oft sitz i a Stund lang auf'm Abort, net, damit ja koan Zwist net gibt, net, denn die jungen Leut wolln halt aa amal unter sich sein, net?«
Und in einem jähen Ausbruch von Gram und Groll fügte sie hinzu: »Denken S' Ihnen nur, Fräulein Berta, ein *Dienstmädchen* will mein Sohn heiraten!« — und merkte gleich, was für einen schrecklichen Mosbacher sie gemacht hatte. »Jessmarandjosef!« rief sie, winselnd vor Angst und Unterwerfung, »Fräuln Berta, net eins wie Sie, wo denken Sie hin — ein ganz ein gewöhnliches Dienstmädchen!«

Milch

Während des Ersten Weltkriegs durften wir uns jede Woche einmal einen Liter Milch in einer Wirtschaft im Tal holen. Der Herr Opernsänger Schratzenstaller hatte uns die kostbare Gabe vermittelt. Er war ein gescherter Oberländler in der Lederhose, mit einem speckigen, gamsbartgeschmückten Hütl, einem großartigen Hosenträger mit dem Bildnis des Märchenkönigs Ludwig und einem riesigen Hirschgeweih-Hackelstecken. Dick war er wie ein Faß, Schweinsäuglein hatte er und einen hingewichsten Schnurrbart, den er sich aber umgehend abnehmen lassen wollte, falls er eine Rolle bekäme.

Er hatte aber noch nie in einer Oper gesungen, ein »Krawattel-Tenor« war er, auf gut münchnerisch, er hoffte, die Feder meines Vaters als Sprungfeder zu seinem Ruhm gebrauchen zu können, und wir waren — zu unserer Schande sei es gesagt und durch unsere Not entschuldigt — so gewissenlos wie der finstere Ehrenmann, der ihn unentwegt ausbildete, solang seine Mittel reichten, vor allem die Lebensmittel, zu denen er geheime Zugänge zu haben schien. Wir nährten seine Hoffnung, und er nährte unsern Leib, er war stolz darauf, unser Gönner zu sein.

Wenn das mit der Milchabholung betraute Familienmitglied — wer halt grade Zeit hatte — in der finstern Wirtschaft an das Küchenfenster klopfte, wurde recht geringschätzig in den Hintergrund gerufen: »Die Milch für den Schriftsteller!«
Im Hausgang dieses alten Gasthofs hielt sich ein Vogelhändler auf, mit vielen Kanarien, Sittichen und Finken, die fast alle frei herumflatterten. Dieser wunderliche Greis hätte brennend gern gewußt, was so ein Schriftstellereigeschäft sei, wie viel es im Tag abwerfe und ob es mehr zur Schriftsetzerei neige oder zur Vogelstellerei. Meine Mutter erklärte es ihm, so gut es ging, und vielleicht übertrieb sie auch ein bißchen, was da zu verdienen sei. Auf rätselhafte Weise stieg daraufhin der Milchpreis auf das doppelte — was aber reichlich dadurch ausgeglichen wurde, daß es jetzt hieß: »Die Milch für den *Herrn* Schriftsteller!«
Leider nahm das Wunder der weißen-schwarzen Milch ein jähes Ende, just, als wir seiner am meisten bedurft hätten. Wir schickten, allzusicher geworden, eines Tages unser sächsisches Hausmädchen hin, das in jeder Hinsicht landfremd und für einen solchen Auftrag ungerüstet war. Um sie ins Bild zu setzen, an wen sie sich wenden müsse, gab ihr meine Mutter eine äußerst unvorsichtige Beschreibung der Milchspenderin mit; und das Unglückswurm fragte denn auch unverzüglich nach der rothaarigen Köchin mit der Glatze.
Milch brachte unsere Botin keine mit nach Hause; auch die Gelegenheit, neunhundertneunundneunzig Worte Bairisch — vermutlich waren es bare tausend! — in einem Atemzug zu lernen, nahm sie nicht wahr. Der Herr Opernsänger entzog uns sein Wohlwollen, was ich ihm bei ruhiger Überlegung der Umstände nicht verübeln kann. Denn wer weiß, ob nicht durch solch schnöde Kränkung auch sein eignes markenfreies Voressen in ernste Gefahr gekommen war.

Rigorosum

Daß ich meine Doktor-Prüfung machen sollte, war seit Kriegsende das ständige Drängen meines Vaters, ohne daß er mir freilich einen greifbaren Vorschlag zur Finanzierung dieses Unternehmens gemacht hätte. Die Inflation griff immer markzerfressender um sich, es galt, zu verdienen, ich schrieb für Zeitungen, ich übernahm die Schriftleitung eines Winkelblättchens, und die Hochschule, von der allmählich auch fast alle meine Freunde und Freundinnen abgewandert waren, sah mich nur mehr selten.

Während des Krieges — ich war schon im Herbst 1914 vor Ypern verwundet worden — hatten sich nicht wenige junge Menschen verschworen, eines neuen Himmels und einer neuen Erde zu warten und den alten Ordnungen einen erbitterten Kampf anzusagen. Jetzt aber waren die Zeiten des Aufruhrs vorüber, die bürgerliche Welt holte sich einen Ausreißer um den andern zurück, die Rebellen von gestern wollten wieder brave Beamte mit Pensionsberechtigung werden, die Verfechterinnen der freien Liebe suchten händeringend nach einem Ehemann, und auch ich wies den Gedanken, den Titel eines Dr. phil. zu erwerben, nicht mehr als eine spießerische Zumutung zurück.

Den Stoff der Dissertation fand ich gewissermaßen im leeren Nest unserer verflogenen Ideale: ich gedachte, dem »Gemeinschaftserlebnis des Göttinger Dichterkreises« nachzuspüren, und träumte davon, höchst aufschlußreiche Funde zu machen, wechselseitige Beweise aus eignen Erfahrungen und historischen Dokumenten zu ziehen und so eine ruhmreiche Leistung zu vollbringen.

Zu meinem Erstaunen war Fritz Strich, den ich in zitternder Bescheidenheit aufsuchte, von meinen Bemühungen sehr angetan, und nicht minder schüchtern, so schien mirs, als ich selbst, sprach er nur von ein paar Verbesserungen, die zum »summa cum laude« nötig wären, in drei Wochen könnte ichs schaffen. Ich aber hatte berechtigte Angst, ob ich im Mündlichen überhaupt »rite« bestehen würde, und zu seiner Verwunderung schlug ich das Anerbieten aus.

Mein ursprünglicher Plan war, mich neben Deutsch und Geschichte in Kunstgeschichte prüfen zu lassen. Aber ich hatte bei dem berühmten und gefürchteten Wölfflin wohl die öffentlichen Paradevorlesungen (und auch die selten genug) gehört, war jedoch noch nicht eine Stunde in seinem Seminar gesessen. Gewiegte Adepten des Gewaltigen warnten mich, in die Höhle des Löwen mich zu wagen, und schauerliche Anekdoten schreckten mich ab. So soll Wölfflin einem Zögernden in der Zuschreibung eines Bildes mit finsteren Brauen zugebrummt haben: »Sagen Sie nichts — sonst sehe ich, daß Sie von zweien nichts verstehen!« Kurz, sechs Wochen vor dem Termin sprang ich aus und wandte mich in tollkühner Verblendung der Philosophie zu, von der ich heute noch keine Ahnung habe, dergestalt, daß ich, dem Titel nach ein Gelehrter der Weltweisheit, den Fichte kaum von einer Tanne unterscheiden könnte. Mit dem milden Erich Becher einigte ich mich auf das achtzehnte Jahrhundert, bei dem bodenlosen Nichtwissen war mir jedes recht.

Ich ließ mich an Leitfäden in die unbekannten Tiefen hinab oder suchte auf Eselsbrücken die Abgründe zu überqueren. Mit den Engländern hatte ichs am schwersten, da ich der Sprache nicht mächtig war; und doch — grade dies sollte mich retten, denn als der gütige Prüfer nach zwei oder drei halben Versagern mich die Peinlichkeit der Stille fühlen ließ, ehe er zur nächsten Frage ansetzte, gab ich mich schon verloren. Wie der englische Titel von Humes Hauptwerk heiße, wollte er wissen. Und ich, ganz erlöst, plapperte los: »Enquiry concerning human understanding!« — nie hätte ich mirs gemerkt, wenn mirs nicht eingebleut worden wäre von meiner kleinen Schwester. Und nicht minder begierig stürzte ich mich auf das zwischen uns stehende Wasserglas, die letzten fünf Minuten mit der Erklärung hinziehend, in der Vorstellung von Leibniz bedeute es eine Summe von Monaden. Ich glaube nicht, daß ich den grundgescheiten Becher getäuscht haben konnte; aber ich denke, er war so sehr Philosoph, daß er mir das sokratische: »Ich weiß, daß ich nichts weiß!« hingehen ließ, solange wenigstens die Form von Frage und Antwort gewahrt wurde.

Ernstlich konnte mir nun nichts weiter zustoßen, in Deutsch und Geschichte war es wenigstens kein Ritt überm Bodensee mehr. Der alte Franz Muncker freilich, der geierhälsige Wonnegreis, den ich als letzten gefürchtet hätte, setzte mich gleich in arge Verlegenheit. Ich hatte mit ihm die deutsche Lyrik mit Ausnahme des vorlutherischen Kirchenliedes vereinbart, und da er sichs genau, aber leider falsch gemerkt hatte, krähte er mir strahlend entgegen, er freue sich, daß endlich ein Herr Kandidat sich mit diesem entlegenen Gebiet beschäftigt habe. Nun, ich ließ es darauf ankommen, wir unterhielten uns ausgezeichnet, bis er auf ein anderes Feld übersprang und unvermittelt fragte, was ich von den Sonetten August Wilhelm Schlegels hielte. In der ersten Verwirrung hatte ich keine Ahnung, aber ich sagte dreist, ich hielte nicht viel von ihnen. Es wird von Glücksfällen erzählt, wo ein Kanonier mit dem einzigen Schuß, den er im Rohre hat, den Pulverturm der Festung trifft; so ging es mir. Eine unbeschreibliche Genugtuung leuchtete aus dem alten Gesicht, und ohne daß ich selbst auch nur ein einziges Wort zu sagen brauchte, verfocht er, für den Rest der Prüfungszeit, seine Meinung, die ich noch nie so gerne hatte gelten lassen wollen wie damals.

Nun kam die Geschichte an die Reihe. Geheimrat Erich Marcks, wegen seiner weitschweifigen Variationen um sein einziges Thema von mir kurz »Bismarcks« genannt, erschien, ein aufgeblasener Stumpen, schrägen Kopfes und brillenfunkelnd; unfreundlich näselte er mich an. Ich konnte mir denken, daß er mich hineinlegen wollte: zwei Tage vorher hatte ich ihm aufgelauert, um mich, wie üblich, noch einmal vorzustellen. Den Schlüssel schon in der Tür zum Historischen Seminar, hatte er mich, von unten herauf und doch von oben herab — was immer lächerlich sein muß — angeschnauzt, daß er keine Zeit für mich habe. »Nur eine Minute!« flehte ich ihn an; und, was zweifellos ungehörig war: ich vertrat dem grauen Männchen den Weg in das Mauseloch, in das er schlüpfen wollte. Wer ich überhaupt sei, er kenne mich nicht, wie ich mich unterstünde, mich von ihm prüfen lassen zu wollen: noch nie habe er mich in seinem Seminar gesehen ... Ich bin seither ein gutmütiger, oft sogar ein ängstlicher Mensch; aber ich dachte in einer jähen, jugendlichen Wallung: Fahr hin, lammherzige Gelassenheit! und sagte, höflich, ich hoffte, ihm zu beweisen, daß man Geschichte treiben könne, auch ohne das Seminar des Herrn Geheimrats besucht zu haben. Er zahnte und blies mich zornig an, und mit der geschnaubten Drohung, man werde ja sehen!, war der Krieg erklärt, und ich konnte dem schlechten Diplomaten in mir den Vorwurf nicht ersparen, daß ers dümmer hätte kaum machen können. Nicht einmal das wichtige Stichwort »19. Jahrhundert!« war mehr anzubringen.

Ich mußte fürchten, daß der kleine Graue mich nach den Hethitern, Sassaniden oder Hussiten fragen würde; freilich war Geschichte mein Steckenpferd von Kindesbeinen an, durchrasseln würde er mich nicht lassen können; ein stolzes Wort, aber ich wags, es auszusprechen. Ich hätte sogar gewußt, wieso Karl XII. von Schweden ein Wittelsbacher ist oder was es mit dem Krieg der drei Heinriche auf sich hatte, ganz zu schweigen davon, daß ich die römischen Kaiser und die Päpste wie das Paternoster herbeten konnte.

Bismarcks aber, sei es, daß er sichs seinerzeit aufgeschrieben hatte, oder daß er ein so glänzendes Gedächtnis besaß, hielt sich streng an die Abmachung: er wollte sich den Triumph nicht versagen, mich in seinen ureigensten Jagdgründen zur Strecke zu bringen. Er wollte von mir die Entwicklung des preußischen Eisenbahnwesens in den vierziger Jahren wissen, die Folgen des österreichischen Februarpatents dargelegt haben, die Besonderheit und den Wert der Sybelschen Geschichtsschreibung erfahren, meine Meinung über den Vertrag von Olmütz

hören — und er hörte sie, auf die Tischplatte trommelnd, bis er, in ärgerlichem Erstaunen, fragte, woher ich das alles wüßte (ohne ihn, ohne sein Seminar! meinte er natürlich). Und ich sagte durchaus artig, ich hätte es in Büchern gelesen. Ich will mich nicht rühmen, wie Verdienst und Glück sich ketteln; altes Wissen und sehr flüchtig geschüttelte Lesefrüchte waren es, die ich dem Gnomen bot; aber noch war zum Hochmut kein Grund — mein Gegner würde mir keine Minute schenken, und fast zehn waren es noch, als er zu wissen begehrte, wie die verschiedenen Historiker sich zu Persönlichkeit und Politik Friedrich Wilhelms IV. stellten. Mir war im ersten Augenblick wie einem Taroker, der sein Bettelsolo doch noch verliert. Aber, hier muß ich Fortunas Beistand vollauf bekennen: wenige Wochen vorher war ich, auf Formblätter wartend, nach Jahr und Tag wieder einmal in der Universität gewesen. Ich sah den kleinen Marcks in einem großen Hörsaal verschwinden und dachte, besser als die Gänge entlangspazieren könnte es ja sein, sich hinten auf eine Bank zu setzen. Und ich hörte wirklich mit halbem Ohr, was mich der erboste Zwerg jetzt mit ganzem Nachdruck fragte; den Rest rechnete ich mir aus: wie sollte sich Ranke oder Treitschke stellen? Heute wüßte ichs nicht mehr. Marcks aber ging grußlos hinaus, der bodenloseste Nichtswisser mag ihn nicht so geärgert haben wie ich, den er so gern gedemütigt hätte.
Der letzte Prüfer blieb, und er galt nicht nur mir, sondern den Kandidaten schlechthin als der gefürchtetste: Karl von Kraus, der Germanist. Ich saß ihm be-

klomm gegenüber oder vielmehr übers Eck des Tisches, an dessen vier Enden mehr oder minder rigoros gefragt und famos geantwortet wurde.

Vier Wochen vorher hatte ich seine Bekanntschaft gemacht; mit den denkwürdigen Worten: »Herr Geheimrat, ich muß gestehen, daß ich Sie heute zum ersten Male sehe!« war ich in sein Zimmer getreten. Das hieß, den Stier bei den Hörnern packen — wobei allerdings das Bild nicht ganz stimmt, denn Kraus war ein großer, dürrer Mann, mit einem gepflegten Schnurrbart, wenn ich mich recht erinnere. Natürlich hatte ich beim alten Hermann Paul und bei ihm belegt; aber so lange ich Zeit gehabt hätte, war ich nicht hingegangen, und während der letzten Jahre, das gestand ich ihm auch treuherzig, war ich durch Berufsarbeit verhindert. Der strenge Herr trug meine wunderliche Eröffnung gefaßt, beinahe mit Humor; er hatte sich bei der Nennung des Namens verhört und nannte mich Herr Eigenbrot, was ich ihm auch nicht verübeln konnte. Sonst hatten wir uns gut unterhalten.

Nun also kam der spannende Augenblick: welchen Text würde er mir vorlegen? Auf irgendwelche Begrenzung ließ sich Kraus nicht ein; der Prüfling mußte damit rechnen, daß die Stichproben aus dem frühen, dem hohen, ja dem späten Mittelalter gemacht würden; Lyrik und Epos, Literaturgeschichte und Grammatik waren gleicherweise bereitzuhalten. Ich warf einen Blick auf das offen hingereichte Buch und atmete erleichtert auf: es war ein Gedicht von Walther. Einem Bayern fällt es nicht schwer, dergleichen zu lesen: »Bin ich dir unmaere, das enweiz ich nicht; ich liebe dich...« Kurz und gut, ich vermochte Rede und Antwort zu stehen, des Meisters Stirn entwölkte sich, ich hatte, um einen alten Militärwitz anzubringen, das in mich gesetzte Mißtrauen verbraucht. Wir gerieten sogar in einen gelinden folkloristischen Streit, die halbe Stunde war im Flug vergangen, er sagte — man verzeihe mir die Eitelkeit, aber herschreiben muß ichs — »Danke, ich war ausnehmend zufrieden!«

Die Prüfung war damit beendet und sichtlich bestanden, dem Übermut dieses entspannenden Augenblicks mag man die Dreistigkeit zugute halten, daß ich lachend herausgab: »Und ich, Herr Geheimrat, bin sehr erstaunt. Ich hatte mirs, bei dem fürchterlichen Ruhm, der Ihnen vorausgeht, weit schlimmer vorgestellt!«

Der ernste Mann war guter Laune, ein paar Minuten waren frei, da sein letzter Prüfling noch in den Fängen eines andern zappelte, und so gab er mir Auskunft. Es stimme schon, sagte er, daß er nach zwei Zeilen Lesen einen Kandidaten auffordere, das Buch zu schließen und abzutreten. Beim ersten Wort merke ers, was zu erwarten stünde, und die Herren, die glaubten, es genüge, in vierzehn Tagen die Lautverschiebungen durchzupauken, empfinde er als eine persönliche Beleidigung. Er habe es ohnehin schwer, sein Fach den öden Zweckstudenten gegenüber in seiner Würde zu wahren. Und zum Schluß mir die Hand reichend, fragte er geradezu, ob ich nicht Lust hätte, mich ganz den Minnesängern zuzuwenden. Ich kannte meine Grenzen jedoch besser und dankte bescheiden.

Eine Weile hieß es nun noch im Flur herumstehen, die erste Zigarre mag — vielleicht durfte ich sie erst später rauchen — köstlich geschmeckt haben. Dann kam der Glückwunsch des Dekans und, soweit sie noch zur Stelle waren, der Professoren. Und dann ging ich auf die Straße hinaus, die große, breite Ludwigstraße. Ich müßte jetzt schreiben, sie wäre zu eng für mein Glück gewesen, aber da würde ich lügen: meiner Lebtage hat es mir an der Kraft gefehlt, mich gründlich zu freuen.

Niemand wartete auf mich, kein Freund, keine Frau; Geld, um richtig zu feiern, hatte ich auch keins. Zuerst meint man immer, das Glücksgefühl müsse sich an einem Punkte fassen, halten lassen; aber dann merkt man, es ist gleitend, noch von Angst gemischt, noch nicht bewußt — schon vorüber, schon selbstverständlich. Übrigens kam noch dazu, daß mir gar nicht gut war: meine Mutter hatte, in bester Absicht, das magere Mittagessen jener Jahre durch ein fettes Schweinsschnitzel ersetzt — und das ging mit der Angst und Aufregung eine unbekömmliche Verbindung ein.

Zu Hause gabs eine kleine Feier, mein Vater machte Verse aus dem Stegreif — aber meine Sehnsucht ging weit aus dem Familienkreise in eine Welt, die damals schon, im Grunde für immer, für mich versunken war.

So verlief mein Doktorexamen, wers genau wissen will, am 3. März 1922. Ich brauchte lange, bis ich mich an die neue Anrede gewöhnte, aber schließlich fiel sie mir nicht mehr auf, und ich gedenke, ohne Ehrgeiz nach einem andern, diesen Allerweltstitel bis zum Tode weiterzuführen.

Der Ruhm

Georg Steinicke, der gemütvolle Inhaber einer Künstlerkneipe im Norden der Stadt München, im berühmten Schwabing also, bekam eines Tages ein Schreiben, darin sich, voll Überhebung und Armseligkeit zugleich, ein Sänger erbot, gegen eine entsprechende Vergütung aufzutreten, was man ihm um so weniger abschlagen dürfe, als er, wie ja auf dem Kopf seines Briefes gedruckt zu lesen sei, sich durch Gastspiele in Nabburg, Ingolstadt, ja selbst in Ulm an der Donau einen Namen gemacht hätte. Zeitungsausschnitte, die seinen vollen Erfolg bestätigen, wolle er auf Wunsch gern vorlegen.
Der Wirt ließ, zuerst mehr des Spaßes halber, den Sänger kommen, und fand in ihm einen angenehmen, weißhaarigen Greis, von Not heimgesucht, aber nicht gebrochen, ja, in aller Großsprecherei von einer geradezu edlen, kindlichen Einfalt, einem Vertrauen in die guten Kräfte der Welt, daß er ihn nicht zu enttäuschen wagte, sondern ihm erlaubte, ungeprüft sich am nächsten Samstag einzufinden. Er wußte, daß in vorgerückter Stunde, bei heiterer Stimmung seine Gäste es mit den Darbietungen nicht mehr allzu genau nahmen, ja, daß oft genug aus ihrer Mitte einer auf die Bretter stieg, um ohne allzuviel Anspruch etwas vorzutragen; warum sollte er nicht auch dem alten Herrn das Vergnügen machen, ein bißchen mitzutun. Ein Schoppen Wein und ein paar Mark als Ehrensold würden schließlich auch die Welt nicht ausmachen.
Der Sänger freilich sah die Sache bedeutend ernsthafter an, feierlich erschien er in seinem abgetragenen Frack, verging schier in Lampenfieber und zugleich in Begierde, vor die zahlreiche, wohlgelaunte Hörerschaft zu treten, unter der just heute neben Kunstjüngern, Studenten und kleinen Mädchen ein paar ältere Männer saßen, erfolgreiche, berühmt gewordene, die an diesem Abend nichts wollten, als kindlich vergnügt sein, und die — gerade, als der alte Mann auf die Bühne trat und zu singen anhob — die ersten Gläser anklingen ließen. Ein Gott mochte ihm eingegeben haben, daß er nicht, wie er vorgehabt, eine Löweballade sang, auch nicht den »Lenz« von Hildach oder sonst ein verschollenes Paradestück, sondern ein italienisches Lied, ein Volkslied: »O si o no ...« Er sang es nicht gut, besser konnte er es nicht. Er gab es zum besten, wie man so sagt, und zum besten hielten ihn nun auch die Zuhörer in ihrer tollen Laune; sie dankten ihm mit einem reichen, einem stürmischen, einem tobenden und tosenden Beifall.
Aber der Sänger war glücklich! In seinem Kindergemüt stieg nicht der leiseste Verdacht auf, dieser Jubel könnte nicht echt sein; er verneigte sich, lächelte, ja er leuchtete vor Dankbarkeit. Die Menschen drunten spürten diesen wahrhaften Widerschein ihres Spottlobs, es rührte sie geheimnisvoll an, wie selig der Greis da oben war, und als er nun nochmals sang und ein drittes Mal, da war keiner unter den Gästen, der dem Alten hätte weh tun wollen. Sie rührten ihre Hände

kräftig, es war nun schon wirkliche Anerkennung in ihrem Zuruf, ja einer der Herren von dem Tisch der Berühmten hielt eine kleine witzige Ansprache, eine herzliche Begrüßung bot er dem neuen, dem spät entdeckten Maestro. Er legte, taktvoll genug, einen Geldschein auf einen Teller, andere taten das Ihre dazu, und der Herr überreichte die kleine Summe dem Sänger, der nun seinerseits das Wort ergriff, um das hohe künstlerische Verständnis zu rühmen, das ihm, wie nicht anders zu erwarten war, der feinsinnige Kreis edler Menschen entgegengebracht. Für das Geld aber danke er vor allem im Namen seiner Frau.

In diesem Augenblick sahen alle, die sehen konnten, die bittere Not, die hinter diesen Worten stand; sie sahen, wie schäbig sein Frack war, wie hohlwangig und vergrämt er selber erschien unter dem flüchtigen Glanz seiner Freude. Und da schämte sich mancher, daß er nicht eine Mark mehr auf den Teller gelegt hatte.

Nur einem hohen Einverständnis Fortunas ist das Gelingen einer solchen Spannung zu danken. Es steht auf Messers Schneide, und der wilde Übermut einer heiteren Gesellschaft weidet sich in mitleidslosem Gelächter an der Verwirrung und Scham eines hilflosen Alten, der sich vermessen hat, ihr Urteil herauszufordern. Die Musik der Herzen aber, die hier so schön erklang, daß sie den bescheidenen, ja mangelhaften Gesang des alten Mannes übertönte, kam aus dem kindhaft reinen Ton seiner Seele, einem unbeirrt tapferen Ton, an dem sich der ganze Chor, wenn wir so sagen wollen, hielt, da er schon falsch singen wollte.

Der greise Sänger jedenfalls ging an diesem Abend heim in der schönsten, in der seligsten Täuschung seines Lebens. In dem feurigen Bericht, den er spät noch seiner kummervoll und ungläubig wachenden Frau gab, vermischten sich die bescheidenen Erfolge seiner mühseligen Laufbahn, die vermeintlichen Siege von Nabburg, Ingolstadt und Ulm an der Donau mit dem späten, aber noch nicht allzu späten Triumph in der Hauptstadt selbst; und an diesen ersten Schritt auf einer ihrer kleinsten, aber erlesensten Bühnen knüpfte er die verwegensten Hoffnungen, als stünde er am Anfang seines Weges und nicht am Ende.

Er stand aber näher an des Grabes Rand, als er selbst wußte; und dies war sein letztes und volles Glück. Denn wenn es schon eine Gunst der Stunde war, daß einmal solche Verwandlung gelang, wie müssen wir fürchten, daß bei einem zweiten, einem dritten Auftreten der schöne Wahn zerreißen muß! Und doch: Das Unwahrscheinliche wurde noch einmal möglich und noch einmal. Der Kreis der Stammgäste, wie in einem stillen Einverständnis, dem alten Manne seine Freude zu lassen, zog einen schützenden Ring um ihn, und als einmal ein angeheiterter Neuling roh diesen Bann sprengen wollte, ward er empfindlich zurechtgewiesen. Und doch drohte dem Gefeierten gerade von seinen Freunden das vernichtende Unheil: Durch seine Sicherheit, die durch nichts mehr zu erschüttern schien, kühn und sorglos gemacht, gedachten sie bei nächster Gelegenheit das gewagte Spiel auf die Spitze zu treiben. Mit Lorbeerkränzen, Ansprachen und Ehrungen ungeheuerlichster Art wollten sie den siebzigsten Geburtstag begehen und hatten, alles noch in der besten Absicht, für ihren Schabernack gerüstet. Sie warteten jedoch an diesem Abend vergeblich, der Jubilar blieb aus.

Wie der Wirt anderntags erfuhr und es bei nächster Zusammenkunft seinen Gästen mitteilte, war der Greis, schon im Frack und zum Gange zu seinem Ehrenabend gerüstet, vom Schlage getroffen worden, gerade als er auf den sechsten und letzten Briefkopf, den er noch besaß, mit schöner, zierlicher Hand unter die Anpreisungen verschollener Gastreisen geschrieben hatte: »Mitglied der Schwabinger Künstlerspiele« — als wäre damit ein Ziel erreicht, wert und überwert der Mühsale und Opfer, der Demütigungen und Entbehrungen eines siebzigjährigen Lebens.

Reformen

»Mit Fahne und Musik geleiteten...« »Ein Mauergrab nahm den im zweiundachtzigsten...« »Unter zahlreicher Beteiligung wurde...« »Die letzte Ehre gaben gestern...« »Eine große Schar von Leidtragenden hatte sich eingefunden...« Das waren die ein für allemal feststehenden fünf Einleitungen zu den Beerdigungen sechster Klasse, sozusagen, wie sie tagtäglich im Lokalen oder im Generalanzeiger fällig waren, todesfällig, sozusagen.

Alles, was der Mensch auf lange Zeit hinaus gleichförmig tut, verroht zur Gewohnheit; und so ging auch das Lokale eiskalt mit dem Schicksal um, die Frage: »Ist noch eine Leiche da?« erscholl herzlos durch die Redaktionsstuben, und mancher Dahingegangene wurde grausam umbrochen, die bleischweren Füße wurden ihm abgehackt, in den schmalen Sarg seiner fünf bis zehn Zeilen wurde er gequetscht, und die Witwe nebst Kindern, die er hinterließ, blieb oft ungetröstet zurück, nicht nur im Leben, sondern auch in der Setzerei, eben beim Umbruch, der Fachmann weiß schon.

Die uns die Leichen lieferten, mit den eingangs genannten Sätzen geschmückt, das waren die Beerdigungsberichterstatter, nicht die erste Garnitur der Mitarbeiter, wohl aber eine Gilde für sich; solche Journalisten gibts nicht mehr, ein andermal will ich ein paar von ihnen ausführlich, samt wunderlichen Lebensläufen, beschreiben. Es waren bedeutende Philosophen, Schachmeister und Lateiner unter ihnen. Nicht jeder konnte an jeder Beerdigung teilnehmen; sie tauschten drum in einer Art Börse ihre Toten wie Briefmarken, ja, da sie doch alles wie im Traum wußten,

den Friedhof, den Pfarrer, den Lebenskreis, sogen sie ihn sich aus den Fingern, man könnte fast sagen, aus den Hungerpfoten, denn bezahlt waren sie miserabel.
Unser Willy Rett — »unser« heißt soviel wie der Vertreter der Münchner Neuesten Nachrichten — huschte, grau, klein und glanzäugig wie er war, mäuschenhurtig von Friedhof zu Friedhof, beim ersten Leichenschragen gleich links vertauschte er seinen Schlapphut mit dem Zylinder, den er dort hinterstellt hatte; und sieben auf einen Streich — nein, das nicht, aber auf einen Tag brachte er unter die Erde oder verbrannte sie, und mitunter schwang er sich sogar zu einer sechsten Abwandlung des Berichts auf: »Reicher Blumenflor schmückte den Sarg des . . .«
Eines Tages mußte ein Mann von Einfluß an dem guten alten Brauch Ärgernis genommen und dem Verlagsgewaltigen, dem nie sichtbaren, halbblind in Höhlen hausenden Professor Paul Nicolaus Cossmann etwas davon vermittelt haben; denn es wehte einen der gefürchteten, nur mit C (aber es war das hohe C schlechthin) gezeichneten Zettel in die Lokalredaktion, der Beerdigungsberichterstattungsschlendrian müsse sofort aufhören.
Wir setzten unverzüglich unsre besten Feuilletonisten an, es häuften sich neben Naturkränzen und künstlichen Blumen die Stilblüten; die von der Gewalt des Todes erschütterten oder von der Vergänglichkeit des Irdischen mit Wehmut beschlichenen neuen Verfasser taten ihr Bestes, Schilderungen des nördlichen Friedhofs im Schnee, des südlichen in Sonne verflochten sich mit Berichten über die Trauerfeier von Bäckermeistern und Bezirksinspektoren, und bald wuchsen die Schiffe mit dem zurückgestellten Lokalsatz zu ganzen Flotten an, und der Chef vom Dienst rief um Mitternacht an, ob wir übergeschnappt seien. Ums kurz zu machen: nach einem hoch über dem Lokalen ausgekämpften Geisterkampf zwischen Chefredaktion und Verlagsleitung kehrten wir zum alten Herkommen zurück, und die sechs Einleitungen wurden wieder in ihre Rechte eingesetzt.

Straßenbahn

Heutzutag geht alles geschwinder, niemand hat mehr Zeit zu verlieren, außer den Toten — und die werden nicht gefragt. Die Bestattungsbeamten geben sich unauffällig. Leichenwärter und Totengräber wollen sie nicht mehr heißen, selbst dem Prinzen Hamlet fiele es wohl schwer, ein tiefsinniges Gespräch mit ihnen anzufangen. Nach getanem Dienst setzen sie sich hurtig in ihren Kraftwagen, militärisch beinah, und brausen davon.

Vor Jahren war das noch anders; vier Totengräber, ein bitterkalter, schneeloser Dezembertag wars obendrein, stiegen in die Straßenbahn und blieben auf der offnen Plattform stehen, Totengräber, wie sie sein müssen: wunderliche, knochige alte Männer in blaugrauen Umhängen, fröstelnd, hohläugig, einen schwankenden Nasentropfen überm Schnurrbart und dem Stoppelkinn. Stumm stehen sie da, Grabeskälte weht aus ihren Mänteln. Bei der nächsten Haltestelle will ein dicker Mann aussteigen, er versucht, seine gewaltigen, nicht mehr ganz frischen Fleischmassen vorbeizuwängen, die Männer, obgleich bemüht, zur Seite zu rücken, ste-

hen ihm im Wege, endlich tappte er, hochrot und laut schimpfend, übers Trittbrett hinunter: »Solche G'spenster sollt' man überhaupt net in der Trambahn fahren lassen!«
Die vier Totengräber haben kein Wort gesagt, sie haben ihn nur groß angeschaut. Aber jetzt, wie der Dicke von der Straße aus noch einmal zurückbellt, beugt sich der eine übers Gitter und sagt mit einer dumpfen, wie gefrorenen Stimme: »Reg di net auf, Manderl, du kommst uns aa net aus!«

*

In der Straßenbahn sitzt eine Frau, nicht uneben soweit, rundlich vielmehr, behäbig von Statur, aber behaglich sitzt sie nicht da, sondern unruhig, zappelig, und bei jeder Haltestelle ist sie auf dem Sprung, auszusteigen; der Schaffner, ein geduldiger Mann, hat sie nicht aus den Augen gelassen und: »Bleiben S' nur sitzen!« sagt er und: »I sag's Ihnen nachher schon!«
Und dann kommt endlich doch der Augenblick, wo sie den Wagen verlassen muß. »Die Sachsenstraß«, belehrt sie der Schaffner noch einmal, »ist gleich rechts, brauchen S' bloß da aufs Trottoir gehn und dann ums Eck, rechtsum!«
Die Frau steigt aus, flattert wie eine Henne links herum über die Fahrbahn, bleibt verwirrt stehen und geht dann entschlossen zurück, falscher hätt' sie's gar nicht machen können.
Der Schaffner, während er abläutet, schüttelt den Kopf, blickt die Reihe der Fahrgäste entlang, bleibt an einem dicken Herrn hängen, der auch grad der Frau nachgeschaut hat, und sagt: »Sehn S', deswegen hab i net g'heirat!«

*

In die Trambahn steigt eine dicke, giftige Madame ein, vom ersten Augenblick an masselt sie, nichts paßt ihr, an den Schaffner und an alle Fahrgäste belfert sie hin, aber offenbar ist sie an eine Fuhre von Weisen geraten, alle schauen schweigend über sie hin, wie schwer es ihnen auch fallen mag. Nur ein Mann mit einem Gamsbarthut, einem grünen Gilet und einem Hackelstecken fängt zu bimsen an, wie ein Maikäfer, der fliegen möchte. Und wie er jetzt aussteigt, im Vorbeigehen, sticht er die Frau ganz dreist mit dem Finger an und sagt: »Von Eahna möcht i a Pfund! Als a ganzer waarn S' mir doch z'viel!« Und ist draußen, bevor sich die Frau von ihrer sprachlosen Empörung erholt hat. Den übrigen Fahrtgenossen aber war es gleich darauf vergönnt, tiefe Blicke in eine edle Frauenseele zu tun.

*

»Sie Frau!« sagt ein Münchner gutmütig-verwundert zu einem schwer ausdeutbaren weiblichen Wesen, das ihm, mit einem Mäderl auf dem Schoß, in der Straßenbahn gegenübersitzt, »des is aber schon a b'sonders kloans Kinderl, des Sie da haben!«
»Mei!« antwortet die Frau, nicht herzlos, aber bekümmert, »wissen S', des hätt überhaupt koans wer'n solln!«

Die vergessene Mappe

Mit meinem Schwager, der ab und zu die bayrischen Kreise bereist, um im Auftrag der Regierung die Kirchen und Denkmäler zu besichtigen und zu pflegen, bin ich einmal, vor dem letzten Krieg, vierzehn Tage lang im Kraftwagen durchs obere Franken gefahren. Ich habe schöne Dinge gesehen, vom kleinsten Bildstöckl und Kapellenkind, das verloren am Wegrand vor wogenden Kornfeldern oder an schlanken Buchenwäldern stand, bis zu den wehrhaften Kirchenburgen und den reichen Klöstern, Wallfahrten und Stadtkirchen. Ich mußte alles genau anschauen, denn der Schwager machte es gar gründlich mit Begutachten und Nachfragen, und wenn ich mich auch manchmal derweil in einem Apfelgarten ins Gras legte oder beim nächsten Wirt ein Schöpplein trank, die meiste Zeit mußte ich doch dabei sein mit Rat und Tat und allerlei gelehrten Mutmaßungen, denn ein bißchen versteh ich auch was von der Kunst. Wir sind vom Fränkischen in die Oberpfalz herüber und hinüber gewechselt, haben die lutherischen Landstriche mir nichts dir nichts dreimal an einem Tag mit den katholischen vertauscht, so wie sie dort oben aneinanderstoßen seit dem unseligen Dreißigjährigen Krieg und noch früher. Wir sind bei den kinderreichen Pastoren und einschichtigen Pfarrern zu Gast gewesen und haben hier wie dort umgängliche Herren und querköpfige Narren kennengelernt, haben in heiterem Frieden unsere Sache erledigt oder in hitzigem Streit gegen die Bretter gehämmert, die der oder jener vorm Hirn hatte.

Es ist ganz hoher Sommer gewesen, so glühend und dürr, wie er im grünen, wasserdurchrauschten Oberbayern, bei uns daheim, gar nicht sein kann, viel Sand und Staub hat auf den Wegen gelegen, und wir sind auf den schlechtesten Sträßlein gefahren, um in irgendein elendes Nest zu kommen, wo dann oft, wie ein Wunder aus einer anderen Welt, die edelsten Bauten von einer verschollenen Zeit geträumt haben.

So fuhren wir auch einmal auf sandigen und holperigen Spuren über einen Heidehügel, es war schon Abend, voll zittriger Hitze noch, aber blau schon rauchend aus den Gründen, und die Sonne glitt riesengroß und dunkelrot in eine veilchenschwere Dämmerung hinunter. Es war hinreißend schön, gewiß, aber es war auch eine elende Fahrerei, und mein Schwager, am Steuer, hat mehr als einen Fluch durch die Zähne gestoßen über die verdammten Wege. Und auf einmal, wer weiß, wie ihm der Gedanke plötzlich an die Oberfläche gerüttelt und geschüttelt worden ist bei dem wüsten Dahinkutschieren, auf einmal sagt er ganz blaß und leise: »Meine Mappe!?« und hält mit einem Ruck den Wagen an.

Richtig, die Mappe ist nicht mehr dagewesen, die schwarze Aktenmappe mit den wichtigen Papieren, und wir haben auch gar nicht lang zu suchen brauchen, denn jetzt, wo es zu spät ist, fällt es meinem Schwager ganz klar und schön ein, daß er sie droben in Heiligenstein hat liegenlassen und daß sie dort noch liegen muß, auf der letzten Kirchenbank links ...

Mißmutig genug drehen wir unseren Wagen um und fahren in die Nacht hinein, den erbärmlichen Weg wieder zurück, mit tausend ängstlichen Vorstellungen im Kopf, wie gerade, vielleicht im letzten Augenblick, ehe wir ankommen, krallige Hände die Mappe ergreifen und ausweiden, wie es, selbst im günstigsten Fall, hundert Schereien und Rückfragen gibt, bis wir die Mappe wieder haben, das gute, das unersetzliche Stück.

Die Kirche auf dem Berg hat schwarz und still dagestanden. Kein Dieb ist verdächtig drum herumgeschlichen. Die Tür war offen. Vor dem heiligen Antonius haben golden die Kerzen gebrannt, und ein altes Mütterchen hat ganz eingesunken davor gekniet. Die Mappe aber lag friedlich in der letzten Bank links ... Wir haben sie aufatmend an uns genommen und sind, jetzt schon bei völliger Finsternis, mit tastenden Lichtern, zum viertenmal den Weg gefahren.

In Auerbach haben wir dann ein leidliches Quartier gefunden, und am anderen Tag, als wir auf der großen Straße zügig dahinfuhren, ist die ganze aufregende Geschichte mit der vergessenen Aktenmappe zu einem fast heiteren Reiseabenteuer zusammengeschrumpft.

Wir sind in eine größere Stadt gekommen, eine langweilige Stadt, und mein Schwager hat nur rasch einen Blick in die dortige evangelische Kirche tun wollen, ob eine befohlene Ausbesserungsarbeit an der Orgel auch sinngemäß gemacht worden ist.

Die Kirche ist offen gewesen, weil der Verwalter gerad drin war, um irgend was in Ordnung zu bringen. Wir stellen also unseren Wagen in den Turmschatten und spazieren gemächlich hinein, als Leute, die ein Recht dazu haben, auch am Werktag in die Kirche zu gehen. Aber wir hatten nicht mit dem Machtgefühl des Küsters gerechnet, der, gelbhäutig und stechäugig wie er war, hager und frostig uns in den Weg trat und uns böse fragte, was wir hier zu suchen hätten. Er war der unbeugsamen Meinung, das sah man ihm an: nichts, aber rein gar nichts!

Mein Schwager ist gerad so gut aufgelegt, daß er den galligen Burschen ein bißchen tratzen muß, er zieht also nicht gleich seine Beglaubigungsschreiben aus der Tasche, sondern versucht es mit einer spöttischen Liebenswürdigkeit. Aber der hohlwangige Schwarzbart versteht keinen Spaß, er geht in die Luft wie eine Kette von Knallfröschen, und als wir ihm nun amtlich, schwarz auf weiß, kommen, ist es fast zu spät, er mißtraut uns gründlich, er behält uns im Auge, wie wir jetzt durch das Schiff wandeln, zur Orgel hinaufsteigen, um den Altar herumpirschen.

Die Sache selbst ist leidlich in Ordnung, wir haben auch keine Lust mehr, uns mit dem Grobian in ein Gespräch einzulassen, das Nötigste kann von München aus schriftlich gemacht werden — kurz, wir empfehlen uns in dem berühmten unbewachten Augenblick, ohne Abschied; aber die schwarze Mappe, die mein heillos vergeßlicher Schwager wieder im Gestühl hat liegenlassen, nehme ich mit, werfe sie, ohne daß er's sieht, hinten auf den freien Sitz des Wagens, und wir brausen

los in voller Fahrt diesmal, auf breiter, glatter Straße, in den glühenden Sommertag hinein. Eine halbe Stunde vielleicht sind wir gefahren, da halte ichs nicht mehr aus; ich muß, wenn ich nicht platzen soll, meinen ungeheuren Trumpf ausspielen, und ich frage, so beiläufig, wie mirs gelingt, den aufmerksam Steuernden neben mir, ob er nicht am Ende wieder einmal seine Mappe liegengelassen hätte. Mein Schwager, ohne weiter aufzublicken, sagt gleichgültig, indem er ein Bauernfuhrwerk überholt, die Mappe habe er diesmal gar nicht in die Kirche genommen, die liege hinten im Wagen; heute früh wenigstens, davon habe er sich überzeugt, hätte sie noch dort gelegen. Aha, denke ich, der hat was gemerkt und zahlt dir deinen schlechten Spaß heim. Aber unheimlich wird mirs doch, und ich frage ihn noch einmal dringlicher. Und er, schon etwas unwirsch, sagt, ich solle ihn doch mit der saudummen Mappe in Ruhe lassen.
Jetzt ist das Erschrecken an mir, und ich sage, wenn das wahr ist, dann habe ich, Himmelherrschaftseiten, die Mappe von dem galligen Schwarzbart mitgenommen!
Mein Schwager lacht häßlich, er fährt an den Straßenrand und zieht die Bremse. Natürlich, jetzt seh ichs auch: Es ist nicht unsere Mappe, aber das Massenzeug sieht sich ja so ähnlich wie ein Ei dem anderen. Wir schauen in die fremde Mappe hinein, Geld ist darin, viel Geld und ein Rechnungsbogen über vereinnahmte Kirchensteuern, an die tausend Mark.
Wenn so ein Abenteuer einem Geschichtenschreiber in die Hände fällt, der macht einen Roman daraus mit vielen lustigen Verwicklungen und peinlichen Zwischenfällen. Auch ich hätte nicht übel Lust dazu. Aber ich will bei der Wahrheit bleiben — der Roman ist uns erspart geblieben. Wir sind auf der Stelle zurückgefah-

ren, bei jedem Ortseingang haben wir schon gedacht, jetzt steht ein Gendarm da, oder ein Leiterwagen ist quer über die Straße gestellt, um die flüchtigen Banditen aufzuhalten. Aber es ist alles noch gutgegangen, wir haben den finsterbleichen Mann in seinem ersten ratlosen Schrecken abgefangen, als er zur Polizei hat gehen wollen. Es ist nicht leicht gewesen, ihm klarzumachen, daß es sich um ein Versehen gehandelt hat. Er ist aber dann höflich genug gewesen, so zu tun, als ob er uns glaube. Ja, er hat sogar der Versuchung widerstanden, vor unseren Augen das Geld abzuzählen, ob auch nichts daran fehle. Aber für Hochstapler und ausgemachte Spitzbuben, die's dann doch mit der Angst gekriegt hätten, hält er uns sicher heute noch.

Zeppelin

Im Spätsommer 1929 sollte ich, von Friedrichshafen aus, die Jungfernfahrt des Luftschiffes »Graf Zeppelin« mitmachen; die »Münchner Neuesten« waren bei diesem Ereignis stark vertreten, Doktor Trefz mit einer Sekretärin, mein Vater und ich hatten sich im Hotel »Kurgarten« eingenistet, das von Presseleuten der ganzen Welt bevölkert war.

Das Wetter war ungünstig, der Aufstieg des Zeppelin verzögerte sich von Tag zu Tag; wir brachten die Zeit mit unerquicklichem Nichtstun hin, nur auf die Nachricht lauernd, daß das Luftschiff startbereit sei. Nicht einmal zum Baden wagte ich zu gehen, denn jeden Augenblick konnte die Meldung eintreffen. Schließlich reisten, des Wartens müde, diese und jene ab und auch die »Neuesten« vertrat nur noch ich allein.

Just in dieser Zeit hatte ich den Plan, mir einen Bart stehenzulassen; aber das ging noch langsamer als die Flugvorbereitungen; und nur durch scharfes Ausrasieren konnte ich den Trennungsstrich ziehen zwischen glatter Wange und beabsichtigter Manneszierde; recht wohl fühlte ich mich trotzdem nicht, denn wie sollte ich jedem, der mich mit scheelen Augen ansah, mein Vorhaben erklären — die Zeit der Existenzialistenbärtchen lag noch in weiter Zukunft.

Das Wetter blieb zweifelhaft und ich legte mich getrost zu Bett; wenn das Luftschiff wirklich aufsteigen sollte: der oft und eindringlich gemahnte Hausknecht, der ja wußte, daß wir alle nur um dieses Ereignisses willen in Friedrichshafen weilten, würde uns gewiß rechtzeitig wecken, abgesehen davon, daß der Trubel von zwei Dutzend Pressevertretern gewiß nicht zu überhören sein würde. Meinen Bart aber hatte ich wachsen lassen, um so kurzfristig wie möglich den Verdacht, es handle sich nur um die Stoppeln eines Ungeschabten, durch eine besonders genaue Rasur zu entkräften.

Wer mich am Morgen weckte, war nicht der Hausknecht und nicht der Aufbruchslärm der Kollegen, sondern die Sonne, die schon verdächtig hoch am Himmel stand. Ich fuhr auf und lauschte ahnungsvoll — es war beängstigend still im ganzen Haus und ein Blick auf die Uhr belehrte mich, daß der Zeppelin zur selben Stunde schon aus der Halle gezogen wurde, wenn er nicht überhaupt bereits in den Lüften schwebte, mir vor der Nase davon.

Zum Waschen oder gar zum Rasieren hatte ich keine Zeit, ich schlüpfte in meine Hose, warf den Rock über, den Schlips konnte ich mir unterwegs noch binden, ich raste aus dem Haus, ich lief um mein Leben — es ist eine Redensart, ich weiß es, aber ich nehme es nicht zurück; und da ich ein Schnelläufer war, vom Brummen der Motoren gehetzt wie von einem Hornissenschwarm — nur daß der vor mir braust statt hinter mir —, kam ich, ausgepumpt, atemlos und mit wild schlagendem Herzen gerade auf dem Flugfeld an, als der graue Riese, aus der Halle gezogen, daherschwebte, an Seilen noch gehalten von vielen schwäbischen Soldaten — und noch mehr Soldaten sperrten den Platz ab gegen das herbeigeeilte Volk, kurz, es war wie in der Bürgschaft von Schiller, ich stand am Tor und sah das Luftschiff schon erhöhet, das die Menge gaffend umsteht, an dem Seile schon zog man das Schiff empor — da zertrennte ich gewaltig den dichten Chor, aber nicht »da bin ich!« rief ich, sondern »Lehmann! Lehmann!« Denn ich hatte den Kapitän Lehmann erblickt, der, keine zwanzig Schritte von mir entfernt, von der Erde aus das Abflugmanöver leitete — erlaube, lieber Leser, daß ich selbst diesen spannenden Augenblick unterbreche, um mich eines Unvergeßlichen zu erinnern, des freundlichsten der Freunde, der dann später bei dem Brande des »Hindenburg« so grausam ums Leben gekommen ist.

Ein Soldat packte mich, den vermeintlich dreisten Schreier oder vielleicht gar Attentäter, grob vor die Brust und wollte mich, ungeachtet des aufgeregt geschwungenen Passierscheins, in die Menge zurückstoßen, da hatte Kapitän Lehmann meine Hilferufe gehört, er erkannte mich, trotz meines verwilderten Aussehens, und wenn ich auch nicht behaupten kann, wir wären uns in den Armen gelegen, ich jedenfalls war nah dran, vor Schmerzen und Freude zu weinen; und gar nicht zu leugnen ist, daß Erstaunen das Volk umher ergriff, als mich verdächtigten Burschen der erste Offizier zu der schwankenden Strickleiter führte und wir beide, zwischen Himmel und Erde, in das Luftschiff stiegen, das eben wiederum — und diesmal endgültig, seine Motoren brummen ließ.
Der Doktor Eckener freilich, der Kommandant, maß mich mit einem vernichtenden Blick: »Was sind denn Sie für einer?« In die Erde hätte ich versinken mögen, aber das ging nicht mehr an, denn die lag bereits hundert und mehr Meter unter uns.

So setzte ich mich denn bescheiden auf mein Plätzchen, noch immer schlagenden Herzens und von Schweißausbrüchen überströmt und murmelte über den verdammten Hausknecht Verwünschungen in meinen Bart — aber so bedeutend war der auch wieder nicht, es waren nur die kaum unterscheidbaren kürzeren oder längeren Stoppeln eines Unrasierten. Und daß ausgerechnet die noch immer schöne Lady D. und der pikfeine Mister W., die Vertreter amerikanischer Blätter, meine Nachbarn waren, dergestalt, daß ich, der englischen Sprache unkundig, auch noch als Tölpel gelten mußte, machte mein Mißgeschick noch grausamer — bis wir alle, über dem starken Eindruck der Luftreise, unser selbst vergaßen.

Übrigens habe ich an diesem Tage ein zweitesmal eine beachtliche Leistung im Laufen vollbracht: wie ich als der letzte in das Luftschiff gekommen war, so verließ ich es als erster wieder. Es schwebte, vor der Halle, noch zwei, drei Meter über dem Boden, als ich heraussprang und, so schnell mich meine Füße trugen — und das war sehr schnell —, in das Sonderpostamt stürzte und dem wartenden Beamten das halbe Dutzend Zeitungen nannte, denen ich über den Flug zu berichten hatte. Bis die anderen Presseleute vorschriftsmäßig ausgestiegen waren, bis sie ihre abgestellten Wagen gefunden und in Gang gesetzt hatten, war ich schon halb heiser vom Schreien, denn so weit war die Technik noch nicht wie heute, wo mans der Stimme kaum anmerkt, ob sie vom Ort oder von Hamburg oder Berlin kommt. Und als ich endlich, wieder in Schweiß gebadet wie am Morgen, die Zelle verließ, und mitten durch den Schwarm Kollegen ging, die vor Ungeduld von einem Fuß auf den andern traten, da trafen mich nicht mehr, wie in der Früh mitleidig-belustigte Blicke, sondern neidvoll-zornige; aber weh taten sie nicht mehr.

Fleisch

Im Jahr vierundvierzig, im Frühling, fuhr ich ins Schwäbische, ein Bekannter, der dort eine riesige Fleischwarenfabrik betrieb, hatte mich zu einer Besprechung gebeten; und obwohl das Reisen unterm fliegerdurchbrausten Himmel kein Vergnügen war, in übervollen Zügen, auf verstopften Strecken, ungewiß, ob das Ziel je erreicht würde — ich wäre zur Hölle gefahren, damals, angesichts solcher Verlockung, sich einmal satt zu essen und vielleicht gar ein paar Pfund Fleisch mitzukriegen als Gastgeschenk.
Und die bekam ich auch wirklich: einen Viertelzentner, wenn nicht mehr, schieres Fleisch, in einen Pappkarton verpackt, unhandlich, schwer zu tragen, die Finger schmerzhaft in den Draht geklemmt, der das Paket umschloß. »Und ich habe es doch getragen, aber fragt mich nur nicht, wie!«
Spät am Abend nach vielen Alarmen, Aufenthalten und Umleitungen es kaum noch erhoffend, kam ich in München an. Die Stadt war von den Bombern heimgesucht worden; sie sah abscheulich aus. Da und dort brannte es, Häuser waren eingestürzt, die Drähte der Oberleitungen lagen am Boden. Auf Straßenbahnen war nicht zu rechnen; und ich wohnte weit weg, an der Isar. Wie sollte ich die schwere Last nach Hause bringen? Und vielleicht hatte ich Heim und Herd verloren und stünde, die Fülle des Fleisches in Händen, vor den Trümmern des Hauses?
Da kam ich, verzweifelnd schleppend, am Künstlerhaus vorüber und sah beim Pförtner noch Licht. Ich kannte den Mann gut und ging hinein; es waren noch Gäste da — nicht leicht wird einer, ders nicht mitgemacht hat, dieses Nebeneinander von Leben und Tod begreifen, wie es damals alltäglich war, wo dicht an dicht die einen die Leichen aus dem Schutt gruben und die andern sich bei dem unwiderruflich letzten Schoppen Wein trafen, der für die Eingeweihten noch ausgeschenkt wurde.
Ich bat also den Mann — und er war gern bereit dazu, mir bis morgen das Paket aufzuheben, ich wollte es dann, mit einem Rucksack ausgerüstet, abholen. Von der Last befreit, ging ich durch die lange Maximilianstraße dahin, aber drei Sorgen, ungleich wohl in ihrem Rang, nicht aber in ihrem Gewicht, bedrückten mich: meine Frau lag krank im Mütterheim, mit dem Söhnchen — wie mochte es ihnen gehen? Das Haus, ja die halbe Widenmayerstraße konnte in Flammen stehen oder in Trümmern liegen; und das Paket, unschätzbar in seinem Wert, hätte ich es nicht doch mit letzten Kräften lieber heimtragen sollen, statt es so leichtsinnig fremden Händen — und Nasen anzuvertrauen? Gewiß, es war gediegen verpackt, nur mit einer Beißzange zu öffnen, es war geruchlos und verriet seinen Inhalt nicht. Aber gestohlen konnte es werden, aus Neugierde peinlich untersucht, mit Scharfsinn entlarvt oder von einem Hund gewittert, der sich dort herumtrieb: die Möglichkeiten des Verlustes steigerten sich zur häßlichsten Gewißheit: das Fleisch ist hin,

rie mehr wirst du es sehen — du hast es ja überhaupt noch nicht gesehen, nur besessen hast du's, besessen warst du davon: ein Zauber wars, ebenbürtig dem Geist in der Flasche — Fleisch in der Schachtel, sündhaftes Fleisch!
Freilich, Schlimmeres war vorerst zu bestehen: die Isar rauschte unter der Brücke, ich bog, ihren Fluten entlang, in meine Straße ein: unversehrt stand sie noch, in der Frühlingsnacht dämmernd; unter den Bäumen des Flußufers ging ich dahin, pirschte ich mich heran, von Front zu Front spähend — alles in Ordnung! dachte ich, sollte ausgerechnet...? Du lieber Gott! seufzte ich ein Stoßgebet und erwürgte es gleich wieder: nur jetzt den lieben Gott nicht bemühen, dachte ich. Und da stand ja auch wirklich das Haus noch, schmal, zwischen zwei erdrückende Nachbarn gepreßt. Und die Tür tat sich auf, freundlich wie immer, das Licht ging an, die Treppe trug mich leicht empor — nur schmutziger wurde sie von Stockwerk zu Stockwerk und jetzt, im fünften, war es Schutt, notdürftig weggeräumt: also doch!
Was soll ich lang erzählen? Ein halber Schlag war es, das Schilf stachelte aus geborstenen Rabitzwänden, die Bücher lagen angesengt in Haufen, der Flügel war mit Brandwunden überspritzt und durchs Dach blinkte ein Stern.
Das Schlafzimmer, rückwärts, war noch ungetroffen, glimpflich war ich davongekommen, ich kroch ins Bett und schlief unverzüglich ein, so müde war ich.
Am andern Morgen erst, dumpf aus Träumen erwacht, in denen sich Weib und Kind, Bombentod und Verklärung des Fleisches zu scheußlichen Knäueln der Angst und Begierde verwirrten, schaute ich mir alles genauer an. Manches war ärger, manches hoffnungsvoller, als ich vermutet hatte. Das Telefon war hin, aber die meisten Lampen brannten noch.
Auch der Flurschrank und der Rucksack darin waren zum Glück unversehrt, und so machte ich mich auf den Weg, das Paket zu holen. Bei erster Gelegenheit rief ich im Mütterheim an, ich erfuhr, daß es meiner Frau leidlich gehe, sie wußte schon mehr als ich selber: ihr Vater, meldete die Schwester, sei wie durch Fügung des Himmels gleich nach dem Angriff des Wegs gekommen, habe mit der Hausmeisterin und den Nachbarn zusammen gelöscht und den ärgsten Schutt weggeräumt. Leichteren Herzens eilte ich ins Künstlerhaus; so harmlos wie mirs nur gelingen wollte, fragte ich nach meinem Paket. Und siehe, es war wirklich da, wohl aufgehoben, unberührt. Nicht ohne Mühe zwängten wir, der Pförtner und ich, die unhandliche Last in den Rucksack. »Oh mei!« seufzte der Mann, »da sollt' halt jetzt lauter Fleisch drin sein!« Ich sah ihn erschrocken an: hatte er Verdacht geschöpft? Wollte er mit den so verfänglichen Worten eine mitwisserische Erpressung einleiten! Mir blieb der Atem stehen — aber schon schnaufte ich auf: nichts als die träumerische Seligkeit eines, ach, unerfüllbaren Wunsches war aus seinen Zügen zu lesen.
Beinah hätte ich, in einer Aufwallung von Großmut, ein offnes Geständnis abgelegt, hätte dem armen Teufel ein Stück Rindfleisch oder einen Nierenbraten angeboten: aber gerade noch erkannte ich, daß das Wahnsinn gewesen wäre. Und so

sagte ich, wehmütig und arglos, wie ers grade gesagt hatte, ja, wie ein Echo seufzte ich: »Ja, da sollt' lauter Fleisch drin sein!« Schnürte den Rucksack zu, schwang ihn fesch auf die Schulter, als wäre er leichter, als er war und empfahl mich mit herzlichen Dankesworten.

Den Viertelzentner Fleisch nach Hause zu tragen, dazu reichten meine Kräfte und mein Verstand gerade noch aus. Nun aber war ich ratlos: wie es da aus dem Karton quoll, tiefrot und rosenfarben, von Rind und Kalb und Schwein — Fleisch, Fleisch, noch unverdorben, aber wie leicht verderblich! Nicht aufzubewahren, aber auch durch heimliches Fressen nicht zu bewältigen!

Zuerst fuhr ich — die Straßenbahn ging wenigstens streckenweise wieder — zu meiner Frau, ein prachtvolles Lendenstück siebenmal eingewickelt in der Tasche. Ich wollte sie um Rat fragen: wohin mit all dem Fleisch? Sie wußte es auch nicht. Ja, wenn sie gesund zu Hause gewesen wäre, sie hätte es eingeweckt, gebeizt oder wenigstens angebraten. Sie wollte nicht einmal das Lendenstück nehmen; jedenfalls, mehr dürfte ich ihr nicht bringen, es wäre allzu verdächtig. Wir überlegten, ob wir an Nachbarn im Hause verschenken oder zu gelegentlich-späterm Tausch anbieten sollten? Um Gottes willen nein — die Gerüche würden sich zum Gerücht verdichten, wilder Neid würde durch sämtliche Stockwerke geistern und der erste »Unbedachte« würde seinerseits ein unbedachtes Wort fallen lassen, beim Krämer, beim Schuster oder gar beim Blockwart. Freunde in der Stadt — aber wo waren sie? Ausgebombt, unbekannten Aufenthalts, oder weit in den Vorstädten zerstreut. Lediglich den Schwiegereltern konnte ich ein paar Pfund bringen, wenn ich einen halben Tagesmarsch dransetzte. Natürlich, einem Wirte hätte ichs anbieten können, aber welchen kannte ich so gut, daß ich ihm, ohne zum Schwarzhändler mißdeutet zu werden, unter vier Augen meine wunderliche Geschichte zuflüstern durfte?

Der sagenhafte Mann mit der geheimnisreichen Million im Koffer hätte noch leichter sein Geld unter die Leute gebracht, ja, ein Mädchenhändler wäre — wenn wir schon vom Fleisch reden — unverdächtiger seine Ware losgeworden, als ich im Frühjahr vierundvierzig diesen von Tag zu Tag, von Stunde zu Stunde mehr gefährdeten Berg von Filets und Schnitzeln, Rumpsteaks und Schweinsbraten.

Höchst wunderbarerweise wurde ich jedoch binnen der möglichen Frist von meinen Sorgen befreit: Freunde und Verwandte, die schworen, ganz zufällig und ahnungslos, aus reiner Nächstenliebe gekommen zu sein, stellten sich in auffallender, in unwahrscheinlich wachsender Zahl bei mir ein — ich möchte wetten, daß sie auf rätselhafte Weise das Fleisch, den verlockenden Braten gerochen haben. Und bald ließ ich auch wirklich jede Vorsicht fahren: es ging, in dem einzigen Hafen, den ich noch hatte — fast alles Küchengerät und Geschirr war schon in einer Ausweichwohnung — an ein unendliches Sieden, auf der einzigen Pfanne ein Brutzeln und Schmoren; Teller und Bestecke brauchten wir nicht, und Brot hatten wir keins.

Natürlich waren es nicht immer *die* Freunde, in deren Mägen ich all die Köstlichkeiten liebend gern hätte verschwinden sehen mögen: aber wie hätte ich die Würdigen erreichen und einladen können? Und so mühte ich mich wenigstens, nach Kräften selber mitzuschmausen, wie die Wilden waren wir, die einen Elefanten erlegt haben und ihn nun auffressen, ausgehungert und gierig, wohl wissend, ein solcher Glücksfall würde sich kein zweitesmal mehr ereignen.

Die Plünderer

Heute bin ich wieder einmal in der Wohnung meiner Eltern gewesen, in der Steinsdorfstraße. Das Haus steht noch, aber das Erdgeschoß ist von einer Sprengbombe zerschlagen. Es ist zwar jetzt März, aber es ist kalt und alles ist dick verschneit; und so hat man gar nicht das Gefühl, als ob so viele Wochen vergangen wären seit dem Angriff vom siebzehnten Dezember. Die schmutzige Trostlosigkeit eines ewigen Winters liegt über der zertrümmerten Stadt. Neue Einschläge haben die Straßen entstellt; für viele zerschmetterte Bäume wird es keinen Frühling mehr geben.
Ich komme mir vor, als wäre ich selber nur einer der zahllosen Plünderer, die sich ständig in den zerstörten Häusern herumtreiben. Ich reiße jedesmal den Wust von Papieren auseinander, grabe nach Schätzen, schütte Schubladen voller Zettel, Durchschläge, Rechnungen und Schriftstücke auf dem Boden aus, hüte mich, weich zu werden. Immer sag ich mir vor: die Welt geht unter, was willst du noch retten? Und werfe einen Pack Briefschaften auf den großen Haufen, auf die Gefahr hin, daß ein Handschreiben von Possart oder Paul Heyse drunter ist.
Zugegeben, mit meiner eigenen Wohnung in der Widenmayerstraße habe ich so viel Arbeit nicht. Sie ist sauber und ohne Rest in Flammen aufgegangen.
Ich bleibe nicht lange allein in meinem Geschäft. Schritte nähern sich, ich spähe vorsichtig hinaus. Ein Invalide humpelt herbei, an zwei Stöcken; aber gewandter, als man vermuten möchte, besteigt er einen zerbrochenen Stuhl und schraubt an der elektrischen Leitung herum »Sie da!« ruf ich ihn an, und vor Schreck rumpelt er in den Schutt herunter. Die Fräulein Marie vom dritten Stock, stottert er, habe ihm angeschafft, ein bissl was zu holen von dem Sach, das kein Mensch mehr brauche. Nun, ich kenne die Fräuln Marie nicht, ich weiß nicht, wer alles im Hause meines Vaters gewohnt hat; aber ich muß es wohl gelten lassen: es ist kein gewöhnlicher Plünderer, sondern immerhin ein Beauftragter der Hausgenossen. Er verschwindet allerdings verdächtig rasch, ohne erst in den dritten Stock hinaufzusteigen.
Bald darauf schlurft und poltert es wieder. Ein Wachsoldat, der auf ein Dutzend Engländer aufpassen sollte, die vor dem Haus eine Leitung aufgruben, schnuppert herein wie ein Kinihas. Er hat das Gewehr umgehängt, er macht sich, fiebernd vor Hoffnung, über einen Stapel Zigarrenkisten her. »Armer Irrer«, denk ich mir, »als ob das nicht auch mein erster Gedanke gewesen wäre, vor Erstausgaben und Chinavasen...« Ich schaue ihm ein Weilchen zu. Plötzlich sieht er mich, wirft, was er grad in Händen hält, mit einer mürrisch-verächtlichen Gebärde weg und entfernt sich, nur von meinem Blick gedemütigt, lautlos. Lied ohne Worte.
Ein jüngerer Mann, fast ein Herr, tritt ein und blickt forschend um sich. Den werde ich mir kaufen, denke ich; aber er sieht mich rechtzeitig, und ohne im geringsten

verlegen zu werden, fragt er mich höflich, ob hier der Abort noch benützbar sei. Ich sehe mich daher genötigt, ihm aufs liebenswürdigste zu versichern, daß es hier nur die Möglichkeit gebe, sich des unbewohnten Hofes zu bedienen, und überreiche ihm überdies mit Grandezza eine alte Nummer der Münchner Neuesten Nachrichten, worin in großen Lettern zu lesen ist, daß der Hottentottenattentäter verhaftet ist. Ob er — vielleicht erst auf Grund solch abgesichtigen Lesestoffs — wirklich mußte, habe ich weiter nicht verfolgt, sondern mich mit erneutem Fleiß den Trümmern meines väterlichen Erbes und meiner eignen, dort untergestellten Habe zugewendet.

Jetzt schiebt ein Mann herein wie ein Bär, ein Kerl, von dem man glauben möchte, er gehe für gewöhnlich auf allen vieren. Er trägt einen alten, schlaffen Rucksack, einen hungrigen Diebsmagen sozusagen, über dem breiten Buckel. Ich ergreife diesmal doch vorsichtshalber den Eispickel, der in der Ecke bei dem wohlgetarnten Öfchen steht. Übrigens — Öfchen! Sollte der geneigte Leser im Winter nicht die hundert bös qualmenden Röhren aus allen Fenstern des technischen Rathauses und anderer Dienstgebäude gesehen haben? Die dazu gehörigen Öfen sind zum größten Teil nicht nur Eisen, sondern Dieb-Stahl; und zwar von der Polizei höchsteigen aus den zerstörten Wohnungen mit Lastwagen abgeholt. Ein prächtiges Verfahren: der Ofenbesitzer kriegt keinen Wagen, um das kostbare Ding wegzuschaffen, die Polizei erklärt die Öfen für vogelfrei und verhaftet sie.

Ich ergreife also den Eispickel und lauere. Der die öden Räume durchschweifende Mann schaut sich den und jenen Gegenstand an, prüft ihn auf Tauglichkeit und Gewicht. Ich räuspere mich, er blickt auf. Was er hier suche, frage ich in strengem Ton. Nichts, sagt er drohend, sieht die Waffe in meinen Händen, wechselt blitzschnell seine Haltung und sagt zutraulich: man werde doch einmal schauen dürfen? Ja, mit den Händen schauen, ich kennte das, poltere ich los. Hernach fände man dann alles durcheinandergewühlt und aufgesprengt und die besten Stücke davongetragen. »Geln S'«, meint er treuherzig, »man hörts allenthalben, daß so viel gestohlen wird. Die Leute sind so schlecht heutzutage . . .« und er erzählt mir eine Geschichte, wie seiner Frau bei der Bäckerin der Geldbeutel aus der Tasche gemaust worden ist. Meiner Frau ist auch die Markentasche weggekommen; so ergibt sich ein erbauliches Gespräch über die Verderbtheit der Welt, an der wir nicht mitschuldig zu sein begehren. Er wirft noch einen traurigen Blick auf die zerfetzte Wohnung und bestätigt, daß die sauber ausschaue und entfernt sich mit einem herzlichen Grüß Gott. Vermutlich wird er am Abend wiederkommen . . .

Da pfeift draußen die Lokomotive der Kleinbahn, und der »rasende Gauleiter« hält vor der Wohnung. Herein tritt der Lokomotivführer, der den längeren Aufenthalt nicht ungenützt verstreichen lassen will. Mit schöner Unbefangenheit, als käme er in einen Laden, erklärt er, daß er sich ein Buch heraussuchen wolle, am liebsten einen Kriminalroman. Da werde es schlecht ausschauen, sage ich und führe ihn vor das Gestell, das freilich immer noch hundertmal reichhaltiger ist als eine zeitgemäße Buchhandlung. Ich berate ihn fachmännisch und gebe ihm auch noch ein Bilderbuch für die Kinder mit. Es freut einen doch, wenn man sieht, wie das einfache Volk zur Literatur strebt und sich zum Guten erziehen läßt. Auch dieser brave Mann, der ja täglich mehrmals vor dem Hause hält und ein Kenner dieser Gegend ist, bestätigt mir, daß die Leute ganz frech hier aus und ein gehen, wie in einem Taubenschlag. Erst heute früh hat er seinen Heizer auf einen Kerl aufmerksam gemacht, der mit einem Sack in der Hand herein ist und der ganz gewiß nicht hergehört hat. Ich bewundere das feine Rechtsempfinden des schlichten Mannes und beende gleich nach seinem Weggehen für heute mein Tagewerk. Seit dem Dezember grabe ich nun in diesen Trümmern, verwerfe das Unwichtige und lege das Gute zusammen. Das hat natürlich den Nachteil, daß sich die Plünderer viel leichter tun: sie brauchen nur aus dem bereits mit unendlicher Mühe gesichteten Haufen zu wählen.

Einen letzten Blick werfe ich noch auf das wüste, immer neu gebändigte Chaos, um doch gleich mitzunehmen, was sich irgend tragen und in die Straßenbahn verfrachten läßt. Da liegen, aus der Mappe gerissen, die Deckblätter meiner Handzeichnungen. Die habe ich freilich seinerzeit herausgetan und wohlgeborgen, mein Gott, was man heute bergen heißen kann. Ein einziges Blatt ist mehr wert, als alles, was hier an Büchern und Gerümpel noch herumliegt. Aber sollte ich nicht auch die Mappen noch mitnehmen, für den Tag, da die kostbaren Blätter wieder in ihre Rechte zurückgeführt werden können? Wieviel Mühe hat sich meine Frau gegeben, um die sauberen Pappen zu schneiden?

Ich blättere den Stoß an, verstaubt ist er und von Granaten angefetzt. Aber da — und mir erstarrt das Blut zu Eis — da sind ja noch drei vier Aquarelle: und ich entsinne mich plötzlich, daß ich sie in ihren Hüllen gelassen hatte, weil sie besonders fest verklebt waren und weil ich sie, in einer Anwandlung von Seelengröße, dem unbekannten Gotte zum Opfer hatte anbieten wollen.

Zwölf Wochen lang sind sie nun hier gelegen, Möbel und Kleiderbürsten, Bücher und Heizkissen, Bilderrahmen und Kochtöpfe sind davongetragen worden, hundert Augen haben gesucht, tausend Füße sind vorbeigetrampelt, aber diese vier Blätter in Wasserfarben, diese unschätzbaren Köstlichkeiten, jeder Sammlung würdig, sind unbeachtet liegen geblieben, mehr noch, sie sind geprüft und verworfen worden, als nicht des Mitnehmens wert. Ich bin nun doch wieder froh, daß die Volksbildung keinen allzugefährlichen Grad erreicht hat.

Mit wollüstigem Grausen packte ich meine Lieblinge in einen mächtigen Plan der Stadt München, und dieses Märchengebilde unzerstörter Straßen, Plätze und Denkmäler erinnert mich an verschollene Friedenszeiten meiner ersten Erwerbungen: so hüllte ich auch damals meine Funde in Altpapier von tieferer Bedeutung.

Es dämmert schon, wie ich das Haus verlasse; da höre ich noch einen späten Wanderer, und es taucht ein Mann auf, schwer mit Holz beladen, die ich als die Reste einer Vitrine erkenne, die ich eigentlich noch hätte richten lassen wollen. Jetzt, denke ich, habe ich endlich den Verbrecher gefaßt, an dem ich meinen Zorn auslassen kann. Ich rufe ihn an, er geht stumm vor mir her, als wäre er taub. »Sie!«

sage ich zornig, »was fällt Ihnen eigentlich ein? Sie nehmen ja gleich die Möbel zum Einheizen mit? Sie gehören ja als Plünderer erschossen!« Da dreht sich der Mann um, lächelt mich pfiffig aus seinem Greisengesicht an und sagt: »Fünfundachtzig Jahr bin ich alt!« Und geht still seines Weges weiter. Was soll ich da machen? Fünfundachtzig Jahre — das ist soviel wie ein Jagdschein ...

Der verwandelte Felix

Die Liebe zu Katzen kann übers Grab hinausgehen, ob das noch recht ist, mag dahingestellt bleiben, aber jedenfalls, Tante Petronilla, von Bomben aus ihrem Heim vertrieben, aufs Land hinaus verjagt, hat ihren Kater Felix VII. mitgenommen, ja, den siebenten unumschränkten Herrscher der Wohnung und des Gartens. Und der ist nun im Exil gestorben, eingegangen, wie wir roheren Mitmenschen sagen würden; und Tante Petronilla war ebenso untröstlich wie fest entschlossen, auch Felix VII. im Erbbegräbnis beizusetzen, im Garten des von Eisensplittern arg mitgenommenen, völlig verstaubten Stadthauses. Und die Reise unverzüglich anzutreten, denn — wie sagte der alte Oberfthofzeremonienmeister? — Hoheit hielten sich nicht länger.
Zu einem richtigen Sarg, vor dessen Anschaffung Tante Petronilla keineswegs zurückgeschreckt wäre, reichte es im fünften Kriegsjahr leider nicht; aber eine schöne, starke, buntbedruckte Biskuitschachtel, Friedensblech, wurde wohlriechender Kostbarkeiten entledigt und Felix VII., wenn auch etwas gerollt, darin untergebracht. In Packpapier wohlverschnürt, trat er die letzte Reise an, um neben Felix dem Grausamen, Felix dem Gebissenen, Felix dem Roten und wie sie alle hießen, unter dem Tuffstein beim Springbrunnen für immer zu ruhen als Felix der Unvergeßliche.
Die Tante war von Afra, der alten Magd, begleitet, die beiden Greisinnen wollten nur über Mittag in der Stadt bleiben und am Abend wieder hinausfahren; denn wozu nahmen sie sonst Mühsale und Entbehrungen der Verbannung auf sich, wenn in der einzigen Nacht, die sie in der Stadt verbrachten, die Flieger kamen? Am liebsten, sagte übrigens Petronilla, wenn das Gespräch auf solche Dinge kam, am liebsten sei ihr eine kleine Sprengbombe.
Die Amerikaner aber kamen an diesem hellen Vormittag mit großen Sprengbomben und zwar in dem Augenblick, als der Zug in den Bahnhof fuhr. Alles griff in den übervollen Wagen nach seinem Gepäck, und Petronilla, weit entfernt, den Kopf zu verlieren, fragte Afra mehr als einmal, ob sie auch Felix den Unvergeßlichen habe, und erst als ihr das immer wieder zugesichert worden war, stieg sie getrost in den Bunker hinab und beklagte nur, daß der arme Felix das noch erleben mußte. Und während es ringsum krachte und heulte, berechnete sie ruhig, wie sie trotz der Verzögerung mit den Beisetzungsfeierlichkeiten noch zurechtkommen würde. Währenddessen fiel im Halbdunkel des Kellers ihr Blick auf das Paket und schien ihr kleiner zu sein, und sie brauchte es nur aufzuheben, um zu merken, daß es auch leichter, mit einem Wort, daß es nicht Felix der Unvergeßliche war, sondern daß Afra als eine Pflichtvergessene gehandelt hatte. Tante Petronilla setzte tatkräftig ihr Herz, das ihr stillzustehen drohte, wieder in Bewegung und spähte um sich, ob nicht etwa Mitreisende aus ihrem Abteil in der Nähe

wären. Vergebliche Mühe! Auch nach beendetem Alarm blieben alle Anstrengungen, Rückfragen beim Bahnhofsvorstand und im Fundbüro fruchtlos. Es werde sich doch, war der Tante letzte Hoffnung, in dem Paket selbst ein Anhaltspunkt finden, der die unheilvolle Verwechslung wiedergutmachen ließe. Aber die Umhüllung war ohne jedes Zeichen einer Anschrift; und in der Schachtel, der ein kräftiger Geruch entströmte, befand sich lediglich ein Zettel des Wortlauts: »Anbei 3 Kilo Kaffee, wie vereinbart, 1200 Mark.« Und Kaffeeduft war es ja auch, der den Tüten entstieg, so kräftig, daß er schon Leute herbeizulocken drohte, so daß Tante Petronilla hastig den Deckel schloß.

Viel ist nicht mehr zu erzählen. Sollte es unter unsern Lesern Unschuldslämmer geben, die noch nie was von Schwarzhandel gehört haben, so sei es ihnen mitgeteilt, daß dieser Kaffee sogar recht preiswert war, denn es war guter Kaffee, wie wir späterhin öfters feststellen konnten. Denn nachdem die Tante wochenlang gewartet und selbst eine Anzeige in die Zeitung gesetzt hatte, ohne daß sich, begreiflicherweise, der unfreiwillige Besitzer der sterblichen Hülle von Felix dem Unvergeßlichen gemeldet hatte, ließ sie sich erweichen, die kostbare Gabe Fortunas an ihre Nichten und Neffen abzugeben, zuerst wenig, dann aber mehr und mehr. Unglücklich allerdings ist sie geblieben, denn mit Recht hat sie annehmen müssen, daß die Beisetzung von Felix VII., dem Unvergeßlichen, unter besonders unwürdigen Formen vor sich gegangen sein dürfte. Denn, ob nun der Kaffee schon verkauft war oder nicht — stellen Sie sich, verehrte Leser, doch einmal selbst die ohnmächtige Wut und Enttäuschung vor, wenn Sie ein Paket öffnen, in dem Sie mit gutem Grunde Kaffee vermuten, und es liegt ein toter Kater drin, zu dem Sie keinerlei Beziehungen des Herzens hatten.

Der Mongole

Während der übelsten Nachkriegszeit, vielleicht im Nachwinter sechsundvierzig, als das Schicksal entweder mit der Breitseite stumpfer Verzweiflung oder der Schärfe durchdringender Gemeinheit auf uns eindrosch, läutete es am späten Nachmittag an der Tür unseres Einfamilienhauses. Auch das ist nur bedingt richtig, denn das Haus beherbergte noch fünf Untermieter und einen Kindergarten, aber zur Zeit war ich mit meiner Frau und dem kleinen Söhnchen allein, die Mieter waren beim Hamstern, der Kindergarten wegen Grippe geschlossen, was weiß ich.

Wenn damals jemand läutete, war es etwas Unangenehmes. Nicht gerade die Gestapo, das wollen wir dankbar anerkennen, aber die Eierfrau wars auch nicht, sondern ein Beamter oder ein Bettler, beide mehr zur Gewalt neigend als zur Höflichkeit. Diesmal war es ein Bettler. Ein großer, zaundürrer Mensch von dreißig Jahren etwa, in einer zu kurzen, verschlissenen schwarzen Montur, mit einem völlig

entfleischten, wachsblassen Gesicht und struppigen, tief in die Stirn gewachsenen, geschorenen Haaren. Es wäre eine der besten Masken gewesen, die der berühmte Karl Valentin sich je ersonnen — aber der Bursche war echt.

Ich erwartete nichts anderes, als daß er mich jetzt polnisch oder tatarisch anreden würde, aber als er seine halb eingelernte Bitte vortrug, sprach er das unverfälschteste Münchnerisch, das ich je gehört habe. Dabei tat er den Mund kaum auf, sondern zog nur mit einem starren Grinsen die linke Oberlippe in die Höhe, daß ich seine großen Pferdezähne sah. Er wollte natürlich Geld, er faselte was von einer Reise nach Amberg, wo, wie er gehört habe, seine Zieheltern lebten, die er seit Kriegsausbruch nicht mehr gesehen habe. Wenn ich eine Arbeit für ihn hätte, Holzmachen oder dergleichen, wäre es ihm an liebsten.

Er sprach völlig tonlos, spielte mit seinen riesigen Händen und hielt während der ganzen Rede einen traurig-stechenden Blick unentwegt auf mich gerichtet. Ich mußte ihn nun doch, obwohl ich ihn gern gleich wieder fortgeschickt hätte, denn mir war es unbehaglich, nein, ich mußte ihn doch fragen, so neugierig war ich, was er für ein Landsmann sei.

»Wissen S'«, sagte er, genauso schwermütig-teilnahmslos, »eigentlich bin i a Mongole. I woaß's aa net genau, i moanat, vom Baikalsee in der Näh'. Wissen S' scho, wie 's geht, meine Eltern san z'letzt anno achtadreißg auf der Wiesn g'wen und wie s' g'hört hamm, daß 's an Krieg gebn soll, san 's auf und davon — ohne mi' versteht si', i bin damals zwölf Jahre alt g'wen.« Und nach einer Weile finstern Schweigens: Aufg'wachsn bin i in Giesing. Und zu dene Leut möcht i, sie soll'n nach Amberg verzog'n sein. G'wiß woaß i's aa net.«

Der junge Mann — um zehn Jahre jünger, als ich ihn eingeschätzt hatte — war also ein Schaustellerkind, aus dem tiefsten Asien, von den Eltern in München ausgesetzt: Auch für das Jahr sechsundvierzig, wo man allerhand Neuigkeiten erfuhr, ein ungewöhnlicher Fall.

Noch erstaunlicher fast war es, daß er mit dem Holzhacken Ernst machen wollte; alle andern Schnorrer dachten nicht im Traum daran, wirklich zu arbeiten, sie begnügten sich mit dem guten Eindruck, den es immer macht, wenn wer so tut, als ob er was tun möchte. Ich sagte ihm, wir hätten wohl Holz, aber zähes, knorriges Zeug, über das sich noch niemand getraut hätte; ich sah dabei besorgt und ungläubig auf seine dürftige, ausgemergelte Gestalt, während ich ihn zu den mächtigen Fichtenscheitern führte. Er sah sie abschätzig an, verzog den Mund zu einem unsagbar traurig-verächtlichen Lächeln und sagte: »Morgen früh pack i's!«

Ich wußte nicht recht, ob ich ihn für einen Prahlhans halten sollte oder für eine Gestalt aus einem Märchen, wo sich einer vermißt, einen Berg Brot aufzuessen oder Eichbäume wie Gras zu rupfen. Er verlor nicht einen Augenblick seine trübsinnig-gleichgültige Haltung und, immer den undurchdringlichen Blick auf mich gerichtet, meinte er, genauso eintönig schleppend redend wie immer, ich sollte ihm ein möglichst großes und scharfes Beil hinter die Schuppentür stellen, er fange zeitig an und wolle uns nicht aufwecken.

Und er ging, ohne für den Augenblick Geld, Essen oder Zigaretten zu verlangen, ja, er war verschwunden, ehe es mir selber zum Bewußtsein kam, daß ich ihm wenigstens ein Stück Brot hätte anbieten müssen.

Am Abend stellte ich das Beil hinter die Tür und sagte zu meiner Frau, der Bursche komme ja doch nicht. Aber mitten in der Nacht, ich schlief noch, da rüttelte mich meine Frau auf und das hellichte Entsetzen stand in ihren Augen: ob wir wohl Wahnsinnige wären, rief sie, einem wildfremden Menschen, einem Strolch, einem Asiaten, noch die Axt bereitzulegen, daß er uns und die Kinder hinschlachten könnte beim Morgengrauen! Ich machte wirklich ein dummes Gesicht, an so was hatte ich nicht gedacht. Es kam mir jetzt selber so vor, als ob aus den stechenden Augen des mongolischen Ungeheuers die Mordlust gefunkelt hätte. Das furchtbare Geheimnis Asiens schaute mich mit einem eiskalten Blick an — ich mußte auch meiner Frau recht geben, die darauf hinwies, daß Nacht für Nacht ein anderes Anwesen ausgeplündert werde und die zuständige Polizeiwache dreiviertel Wegstunden entfernt sei.

Ich war schon fast entschlossen, die Axt zu holen und in den Keller zu tragen, doch siegte wieder einmal die Faulheit, die sich gern einreden ließ, ein Stück Eisen, um uns totzuschlagen, fände sich heutzutage an jeder Straßenecke. Immerhin sah ich alle Riegel und Schlösser nach und hielt zur Beruhigung den Eispickel griffbereit, die beste Hieb- und Stichwaffe, die's gibt. Es kam aber zu keinem nächtlichen blutigen Gemetzel, sondern wir schliefen, bis uns der Klang kunstgerechten Holzhackens weckte.

Als wir uns angezogen hatten und in den Garten traten, stand der Mongole in einem Wall frischgeschlagener Scheiter, hoch schwang er das Beil, die groben Klötze daran gepickt, als wären sie glattes Rundholz. Er hatte sein verwetztes schwarzes Jäckchen abgelegt, aus dem zerrissenen Hemd schauten die steckendürren Arme, er schwitzte nicht, er keuchte nicht, er sah mit dem abgründigen Trauerblick auf seine Arbeit und schlug zu, daß der Hackstock hüpfte.

Wir brachten ihm Kaffee und Marmeladebrot, wie wirs selber hatten, er löffelte und schlang alles gleichmütig in sich hinein, bei einer Zigarette suchte ich ihn zum Reden zu bringen, er war aber heute wortkarg, und auf die Frage, wo er die Nacht verbracht hätte, gab er, nur mit den Händen, eine vielsagende Auskunft.

Bis Mittag war er fertig, es schien die bare Zauberei aus dem Märchen zu sein, wir wären kaum erstaunt gewesen, wenn er zum Lohn ein Wurstütlein verlangt hätte oder sonst ein Wunderding, das wir besäßen, ohne es zu wissen. Er forderte jedoch nichts, er meinte, wir würden es schon recht machen. Das versuchten wir denn auch nach Kräften zu tun mit Speis und Trank und Tabak, wir gaben ihm ein reichliches Zehrgeld und zum Schluß holte ich noch eine alte Jägerjoppe und einen verblichenen Hut aus dem Kasten, die Lederhose, die dazu gehört hätte, war längst schon in Mehl verwandelt, aufgegessen, aber ein leidliches Hemd fand sich noch. Unser Heinzelmännchen — nein, der Vergleich paßt doch nicht so ganz auf den zaundürren, fahlhäutigen Burschen, aber bringen will ich ihn doch, denn wie im

Märchen betrug er sich: er streichelte liebevoll das Gewand, entledigte sich an Ort und Stelle seiner verblichenen Fetzen, im Garten, wo der letzte Schnee vom Dach schmolz und die erste Amsel das Singen übte, und schlüpfte in Hemd und Joppe.

»Bin ich kein Knabe, hübsch und fein, was brauch ich da länger Holzhacker sein!« Fast glitt etwas wie Behagen über sein verschlossenes Gesicht. Er nickte uns zu, lüpfte den neu erworbenen grünen Hut, er ging, die alte Montur in eine Zeitung gewickelt, sonst hatte er kein Gepäck. Er stapfte die Straße hinunter, die vorfrühlingsblasse, sträucherkahle, ein bißchen Sonne huschte über ihn, als er um die Ecke bog, der Münchner Mongole, oder der mongolische Münchner, nie mehr haben wir von ihm gehört. Und einem so fremden Einheimischen sind wir auch nicht wieder begegnet, so reich jene Jahre waren an wunderlichen Menschen.

Zufall

Ein Augusttag in der Stadt, obendrein im fünften Stock, unterm unbarmherzig angeglühten Blechdach: da kann einer vor dumpfer Hitze rasend werden, gar wenn er was schreiben soll, was bis zum Abend fertig sein muß.
In Hemd und Hose sitze ich da, ächzend, vor den Kopf geschlagen, schweißüberronnen. Der einzige gute Einfall, der mir kommt, ist, mich ganz auszuziehen und in die Badewanne zu steigen, am hellichten Nachmittag.
Meine Frau muß rasch einmal zum Einkaufen gehen, sie findet den Schlüssel nicht gleich, macht nichts, sie wird läuten, wie immer, einmal kurz, einmal lang. Und sonst wird eben niemand hereingelassen.
Splitternackt laufe ich in der heißen Wohnung herum, richtig, da klingelts schon, kurz-lang, wie vereinbart. Ich hüpfe rasch an die Tür, und schiebe den Riegel zurück, laufe in mein Zimmer zurück, ohne abzuwarten, bis meine Frau hereingetreten ist und frage, von meinem Platz aus, in den Flur hinaus, allerhand läppisch-belangloses Zeug, kriege keine Antwort und höre doch das Gewispel im Hausgang — schließlich werde ich zornig, schreie hinaus, was ist denn los?, reiße die Tür auf — und sehe zwei fremde Menschen ratlos zwischen dem Stiegenhaus und dem offnen Flur stehen, eine junge Dame und einen Mann.
Ich springe zurück, haue die Tür zu, stoße mich an der nackten großen Zehe, das

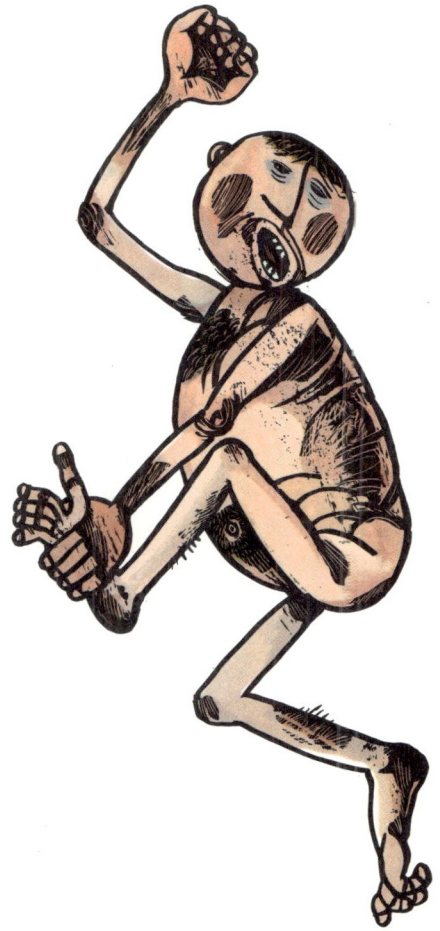

tut höllisch weh, aber wenn ich jetzt brülle oder auch nur winsle, halten mich meine unverhofften Besucher für völlig verrückt und holen den Rettungsdienst; ich führe also nur einen kurzen, stummen Schmerzenstanz auf, dann luge ich vorsichtig durch den Türspalt — das Fräulein ist verschwunden, nie habe ich erfahren, wer es gewesen ist, aber der Mann ist ausdauernder, denn er hat, wie ich jetzt zwischen Tür und Angel höre, die feste Absicht, mich zum Bezieher einer Zeitschrift zu machen. Zum Glück kommt jetzt wirklich meine Frau, die eine schätzenswerte Begabung hat, derlei Ansinnen rasch niederzukämpfen.

Wieso ich, fragt sie, in so verfänglichem Zustand, überhaupt aufgemacht hätte? Vermutlich ein Zufall, sage ich, es waren zwei, die sich an der Tür getroffen haben: Das Fräulein hat einmal kurz und der Mann gleich darauf lang geklingelt.

Glück muß man haben

Natürlich ist es eine Kühnheit, mittags in Zürich zu starten und abends sechs Uhr in München dringend und minutengenau verabredet zu sein. Aber — Glück muß man haben! Wir brausen also los, der Wagen läuft gut, die Straßen sind wunderbar. Mein Freund am Steuer rechnet aus, wann wir in München sein können, eine gnädige Schleusung durch die Zollschranken vorausgesetzt. Es hängt alles davon ab, ob wir in Konstanz die Fähre nach Meersburg noch erreichen.
Glück muß man haben — die Pässe sind in Ordnung, die Zigarren bleiben unentdeckt, der Wagen wird nicht beanstandet. Nur der Mann, der uns das hinterlegte Geld auszahlen soll, läßt sich ausgerechnet die Zeit, die wir nicht haben; doch soll man Zöllner nie durch verdächtige Eile reizen, und so stehen wir kostbare Minuten herum, bis ein anderer Beamter, der hört, daß wir noch auf die Fähre wollen, für uns ein gutes Wort einlegt.
Schon sind wir abgefertigt, in Gnaden entlassen, der Gepäckträger — vermutlich einer der bestverdienenden Männer des Abendlandes — ergreift unsere Siebensachen, legt sie im Rücksitz zurecht, die Sperrkette fällt, und wir fahren nach Konstanz hinein, so schnell wir können.
Die Bahnhofsuhr beweist uns, daß die Eile vermutlich keinen Sinn mehr hat. Es wäre wohl klüger, hier zu Mittag zu essen. Mein Freund sucht auch, bei unverminderter Fahrt, die Straßen nach einem Parkplatz ab; aber er findet keinen und wer weiß, vielleicht hat die Fähre ein paar Minuten Verspätung? Und schon sind wir, im letzten Augenblick, unter den Bahnschranken durch und über den Rhein; wir jagen die Landzunge hinaus, der Weg ist viel weiter, als wir ihn in Erinnerung hatten. Lassen wir's sein! Warum denn? Es ist schon gleich, fahren wir zu! Gehts noch, oder gehts nicht mehr?
Glück muß man haben! Die Fähre steht noch da, gerade wollen die Männer das Fallbrett hochwinden. Wir poltern über die Brücke, landen auf dem Verdeck — schon rauscht das Wasser um das schwerfällig fahrende Schiff. Glück muß man haben! Wir schauen uns strahlend an: das hätten wir geschafft!
Jetzt kommt noch ein Wagen angesaust, Leute springen heraus, fuchteln mit den Händen und schreien was herüber — zu spät, meine Lieben, es nützt euch nichts mehr! Im Anblick dieser Aufgeregten spüren wir erst, was für ein Glück wir gehabt haben ...
Gepäck und Mäntel liegen in malerischer Unordnung auf den Rücksitzen. Wir haben ja reichlich Zeit jetzt, alles für die große Fahrt zu verstauen. »Hast du? ...« »Ich nicht!« »Zum Teufel, dann ...« Und nach einem verzweifelten Suchen stellen wir fest, daß der Träger nur sechs von unsern sieben Sachen ergriffen hat und daß die Aktenmappe noch auf dem Zollamt in Kreuzteufelslingen liegen muß!
Glück muß man haben — wir haben Pech gehabt mit unserm Glück! Statt in

Meersburg zu Mittag zu essen, werden wir mit der Fähre gleich wieder umkehren, im vollen Braus durch Konstanz zum Zollamt fahren, wenn wir Glück haben, dort die Mappe unverzüglich ausgehändigt bekommen und dann zurück und die Fähre noch erwischen — wenn wir Glück haben.

Und das haben wir, wahrhaftig! Denn kurz vor Meersburg steige ich, aus Zufall nur, auf das Oberdeck, und da sehe ich den ungeheuren Andrang der Wagen und Omnibusse, die in Reihen schon warten und alle auf unsere Fähre möchten. Ich stürze also zu meinem Freund hinunter und sage: »Du, wenn wir erst von der Fähre heruntergehen und als die letzten ganz hinten anschließen müssen, kommen wir bestimmt nicht mehr mit. Wir müßten versuchen, gleich hier an Deck zu wenden und so, nach himmlischen Gesetzen, aus den Letzten die Ersten zu werden.«
Gesagt, getan. Wir verständigen uns mit dem Mann der Ordnung, daß er nicht im falschen Augenblick dienstlich wird, und benützen die kurze Zeitspanne, in der das Deck leer ist, zu einer geschickten Wendung. Schon strömen die neuen Fahrzeuge ein, riesige Elefanten machen sich breit, und natürlich habe ich recht gehabt, es bleiben viele Schimpfende zurück, und zu denen hätten auch wir gehört. Glück hat auf die Dauer nur der Tüchtige, denke ich voll Stolz, »das heiße ich corriger la fortune«, sagt mein Freund befriedigt. Wir holen die gewaltigen Schinkenbrote hervor, die uns die Gastfreundin in Zürich mühsam genug aufgedrängt hat. Jetzt sind wir froh um die Wegzehrung. In der Mitte des Sees begegnen wir der zweiten Fähre und winken wehmütig spöttisch hinüber: dort stünden wir, samt unserer Mappe, wenn wir dieses verdammte Glück nicht gehabt hätten!

Wir landen, wir preschen hinein nach Konstanz, hinaus nach Kreuzlingen! Es geht um die Minuten — Glück muß man haben. Schon verschwindet mein Freund in dem Fuchsbau des Zollamts. Gleich wird er wieder da sein, die Mappe in der Hand. Da ist er schon — mit leeren Händen. »Glück muß man haben!« ruft er, halb lachend, halb erbittert; und fährt los. »Die Mappe?« »Ist längst in Meersburg!« Er hat keine Zeit, viel zu erzählen, mit höllischer Geschwindigkeit schlängelt er sich durch die Kurven von Konstanz. Und hinaus zum Landeplatz und hinein in die Fähre, wieder im letzten Augenblick.

Und jetzt hat mein Freund Muße genug, alles zu berichten: Kaum sind wir weggewesen, hat der Zöllner die liegengebliebene Mappe entdeckt. Und, Glück muß man haben, der Fahrer eines dicht hinter uns abgefertigten Wagens, der auch noch gehofft hat, die Fähre zu erreichen, hat sich erboten, die vergessene mitzunehmen. Entweder, er holte uns noch an der Fähre ein oder er fuhr mit der nächsten — für diesen Fall rief der Zollbeamte in Meersburg am Landeplatz an, man sollte uns beim Verlassen der Fähre abfangen und uns sagen, daß die Mappe unterwegs sei. Es konnte ja gar nicht schiefgehen...

Ging aber doch. Man muß nur Glück haben!...

Kraepelin

Den Geheimrat Emil *Kraepelin*, den bedeutenden Psychiater, habe ich ganz gut gekannt, ohne mich freilich, nach so vielen Jahren, eines tieferen Gesprächs entsinnen zu können. Aber ein befreundeter Kommerzienrat hat mir ein Erlebnis mit ihm erzählt, das des Aufschreibens wert ist.
Kraepelin war, mitten in der Bierstadt München, ein unerbittlicher Gegner des Alkohols, das muß man wissen, um die Geschichte recht begreifen zu können. Der Kommerzienrat wurde von seiner Familie so lange mit dem Vorwurf geneckt oder gar ernsthaft bedroht, er spinne, bis es ihm zu dumm wurde. Wozu kannte er den berühmten Mann, der es ihm schwarz auf weiß geben sollte, daß er kein Narr sei.
Er ging also hin — und die erste Frage des Geheimrats war, was er denn so ungefähr am Tage trinke. Treuherzig und nichts Böses ahnend erzählte der brave Mann von Frühschoppen, Dämmerschoppen, Abendtrunk; und auf die list-wohlwollende Erkundigung, ob das die alltägliche Regel sei, gab er, ohne sich rühmen, aber auch ohne bereuen zu wollen, die schlichte Auskunft, daß es natürlich Ausnahmen gebe — einen Rausch freilich, da brauche sich der Herr Geheimrat nichts denken, habe er seit vielen Jahren nicht mehr gehabt.
Der Leib- und Seelenforscher hatte sich aber doch was gedacht und er sprach es auch sogleich, bei rascher Verfinsterung der vermeintlich so harmlosen Unterhaltung ohne Umschweife aus: dann sei also der Patient ein Potator, ein schwerer Alkoholiker, dessen Geisteszustand allerdings einer eingehenden Prüfung unterworfen werden müsse.
Wenn man ihm so komme, brauste der Kommerzienrat auf, dann wolle er sich doch lieber empfehlen — und er erhob sich, um rasch die Tür und den Weg ins Freie zu gewinnen. Er hatte jedoch nicht damit gerechnet, daß er sich in den Räumen einer, milde gesagt, Nervenklinik befand, aus denen so einfach nicht zu entfliehen war. Der Arzt verstand keinen Spaß, am wenigsten den, auf den sich der Besucher hinausreden wollte. Er bestand darauf, der Kommerzienrat habe sich seinem Rat und somit auch seiner Behandlung anvertraut; der Besucher, zu seinem Schaden, verlor die Beherrschung und wurde grob; der Geheimrat sah sich genötigt, die Berufsehre zu verteidigen. Sie steigerten sich gegenseitig in Zorn, wobei der Patient natürlich den kürzeren zog: denn, je mehr er sich aufregte, desto offenkundiger wurde es, daß er seelisch nicht im Gleichgewicht war.
Um es kurz zu machen: mit genauer Not entrann der Mann, der sich doch nur einen Scherz ausgedacht hatte, aus der Höhle des Löwen; und da er, unvorsichtig genug, vor den Seinen damit geprahlt hatte, er werde es schriftlich mit nach Hause bringen, daß er nicht närrisch sei, jetzt aber, ohne dieses Zeugnis und sehr unwirsch heimkam, hatte er lange noch den gesteigerten Spott der Familie zu ertragen; und auch am Stammtisch mußte er sich weidlich hänseln lassen — ein Glück

nur, daß die Freunde die Frage, ob mäßiger Alkoholgenuß dem Geiste schaden könne, einhellig verneinten.

Noch ein paar Kraepelin-Anekdoten als Zuwaage: Der Professor hatte seinen Studenten einen Achtzigjährigen vorgestellt, »kerngesund, nie einen Tropfen Alkohol getrunken!« Einen Bruder hätte er noch, sagte der Mann, der sei schon siebenundachtzig. Der begeisterte Geheimrat wollte ihn so bald wie möglich sehen; aber der Mann winkte ab: mit dem sei nichts zu machen, der sei den ganzen Tag besoffen.

Oskar von Miller hatte den Geheimrat einmal zu Gast geladen; er wußte wohl, wie abgeneigt der dem Alkohol war, aber er holte die beste Flasche aus seinem Keller, füllte die Gläser und sprach: »Verehrter Freund, Ihre Einstellung ist mir bekannt und ich ehre sie; aber Sie werdens mir nicht verweigern, wenn ich Sie bitte, mit diesem edlen Tropfen auf unser beider Wohl mit mir anzustoßen!« Ungerührt ergriff Kraepelin das Glas: »Meinen Todfeind vernichte ich, wo ich ihn treffe!« — und schüttete das kostbare Naß in die nächstbeste Blumenschale.

Der Herr Geheimrat wollte eine neue Köchin in Dienst stellen und besprach mit ihr alle Einzelheiten. »Und das sage ich Ihnen«, rief er drohend, »kein Tropfen Alkohol kommt mir ins Haus!« »Da können Sie beruhigt sein«, lächelte die Frau verständnisinnig, »ich war schon einmal drei Jahre bei einer Herrschaft, die eine Entziehungskur gemacht hat!«

Eine Verwechslung

Der dicke Professor Gröber hat viel zu leiden durch sein schlechtes Personengedächtnis. Auf dem Oktoberfest in München sieht er in einer Bude einen Mann, der ein ganzes Aquarium voller Goldfische und Fröschlein verschluckt und unverzüglich das Wasser samt lebendigem Getier wieder zum Vorschein bringt. Der Professor ist begeistert.

Bald darauf trifft er den eigenartigen Künstler in einem der großen Wirtszelte wieder, wo sich der Mann sehr viel Bier einverleibt, so daß der Verdacht nicht unbegründet ist, er werde es später wieder von sich geben und in Flaschen füllen. Es ergibt sich ein angeregtes Gespräch zwischen dem Artisten und dem Kunsthistoriker, die sich gewissermaßen als die äußersten Gegensätze innerhalb eines so weit gespannten Berufes verulken. Die Bekanntschaft ist geschlossen und da beide, der Professor mit zwei Zentnern und der Hexenmeister mit dem Satthals einprägsame Figuren sind, werden sie einander wohl so schnell nicht wieder vergessen.

Im Lauf des Winters sitzt der Professor in seiner Stammkneipe am Viktualienmarkt, wo noch nach altmünchner Sitte sich Akademiker und Gemüshändler ein Stelldichein geben. Ein Herr tritt ein, suchenden Blicks; bei dem Professor ist noch ein Stuhl frei, der Herr setzt sich hin, nun, Herr scheint ein bißchen viel gesagt, ein Mann, das ist fast wieder zu wenig: der Professor erkennt seinen Wasserkünstler vom Oktoberfest wieder, der auch seinerseits den Zweizentnermann recht vertraulich gegrüßt hat. Sie kommen ins Gespräch, mit dem Wetter gehts an und der Professor meint, der Winter sei wohl eine stille Zeit; der andere pflichtet ihm bei, vor März oder April rühre sich bei ihm nicht viel. Ja, ja, meint wieder der Professor, die ganze Natur liege in Erstarrung und auch sonst sei die Jahreszeit wohl nicht günstig, die Leute hätten anderes im Kopf, den Fasching und das Starkbier und neugierig sei er, ob man heuer an Josephi schon im Garten sitzen könne. Der Mann lächelt ein wenig spaßig zu dem kindlichen Gespräch, aber höflich stimmt er zu; natürlich, sagt er, ihm wäre es auch erwünscht, wenn bald der Frühling käme und ein schöner obendrein. Der Professor, durch die durchaus treffenden Antworten auf seine tastenden Fragen in Sicherheit gewiegt, erkundigt sich jetzt frisch drauflos: »Wissen Sie, wo Sie die Goldfische hernehmen, kann ich mir ja denken; aber woher kriegen Sie immer Ihre Frösche?«

Die Goldfische läßt sich der Mann noch gefallen, aber bei den Fröschen bekommt er einen roten Kopf: »Mir scheint«, faucht er zornig, »Sie wissen nicht, wer ich bin!?« »Doch!« sagt der Professor ganz gemütlich, »Sie sind der Froschschlucker von der Oktoberwiese!«

»Was erlauben Sie sich!? Ich bin der Gartenarchitekt Natzinger!« schreit der Mann, so laut, daß die ganze Wirtsstube auffährt, rumpelt auf, greift nach Hut und Mantel und stürmt hinaus. »Oha, Gartenarchitekt!« denkt der Professor ganz erschüttert, »drum hat immer alles gestimmt, was ich ihn gefragt habe!«

In der Fremde

Es ist ein beklemmendes Gefühl, im fremden Land durch die Straßen zu gehen, unkundig der Sprache, soweit es sich nicht um die paar Brocken handelt, die man auf dem Pennal gelernt hat. Man könnte mit ihrer Hilfe leichter etwa Mitglied einer Akademie werden, als daß man die gewöhnlichsten Dinge des alltäglichen Lebens ausdrückt. Und immer hat man Angst, es stieße einem einmal etwas Außergewöhnliches zu.

So saß ich als junger Mann zum erstenmal in Paris, bei einem Glas schwarzen Kaffees, und bemühte mich, im »Figaro« einiges zu entziffern. Dazwischen überlegte ich, was doch alles, aus irgendeinem dummen Zufall, sich ereignen könnte

und wie man sich, in Ermangelung des nötigen Sprachschatzes, aus der Schlinge zöge.

Also beispielsweise: man wird angerempelt; ein Schlepper wird aufdringlich; ein Unbekannter verwechselt einen; man kann eine höfliche Frage nicht verstehen, geschweige denn, beantworten — wie stünde man da?

Oder, ganz einfach: was täte ich, wenn ich, mit einer ungeschickten Bewegung, mit der Zeitung etwa, das Glas umstürzte, der Kaffee schwappte bis zu jener Dame am Nebentisch hinüber, die Scherben klirrten, der Ober käme angerannt — ja, was würde ich da sagen?

Ich formte krampfhaft einige Sätze, ich suchte nach verbindlichen Redensarten, ich holte heimlich mein Taschenwörterbuch hervor und klaubte die Wörter zusammen: — »Pardon«, wußte ich schon, auch »Mißgeschick«, aber »für den Schaden aufkommen« oder »Glasscherben« prägte ich mir ein, bis ich eine runde, eine weltmännische Entschuldigung beisammen hatte.

Eigentlich ist das Ganze zum Lachen, noch nie hab ich ein Geschirr zerschlagen, aber, man sagt nur, zwischen Lipp' und Kelches Rand — vorkommen kanns schon. Immerhin darf ich jetzt beruhigt sein, tadellos wäre ich meiner Aufgabe gewachsen.

Mit stolzem Siegerlächeln will ich die Zeitung hinlegen, da schwankt das Glas, noch könnte ich es halten, aber schon stürzt es, schon liegts in hundert Scherben auf dem Boden. Schreckversteint starre ich auf das Unglück. Und schon kommt der Ober geschossen, mit vorwurfsvoll fragendem Blick. Jedes Wort bleibt mir in der Kehle stecken, nicht einmal »malheur« oder »excusez!« steht mir zu Diensten.

Ich vermag nur noch einen größeren, einen viel zu großen Schein aus der Tasche zu ziehen und mit betretnem Lächeln auf den Tisch zu legen. Der Ober steckt höflich das Geld ein und nun spricht er mühelos all die Floskeln, die auch ich gewußt hätte: ein kleines Unglück, nicht der Rede wert, alles in Ordnung ...

In eiserner Stummheit verlasse ich das Kaffeehaus. Nur der Dame, unter deren Füßen eben die Scherben weggewischt werden, werfe ich noch einen entschuldigungsflehenden Blick zu.

Ich stehe auf der Straße, ich atme auf. Ich bin noch einmal davongekommen. Aber da steht schon, mit holder Verheißung, die Dame vor mir: Sie hat, erstens, meinen Blick mißdeutet und, zweitens, sie ist gar keine Dame.

Unter Brüdern

Flunkereien

»Oh weh, oh weh!« sagt der Vater beim Frühstück, er scheint ehrlich erschrocken: »es steht sogar schon in der Zeitung, daß der Thomas so ungezogen ist. — Hör zu, Mammi!«
Auch die Mutter ist nun sichtlich betroffen und gar der Thomas rutscht unbehaglich auf seinem Stuhl herum, wie jetzt der Vater ohne Stocken aus dem Morgenblatt vorliest, daß der fünfjährige Sohn Thomas des bekannten Schriftstellers Doktor Eugen Roth in der Fuststraße sich zu einem Lausbuben zu entwickeln scheine, der bereits der Schrecken der gesamten Nachbarschaft zu werden drohe. Dem in der Gegend patrouillierenden Schutzmann werde geraten, ein wachsames Auge auf den Burschen zu haben.
Thomas ist von dieser Nachricht offenbar tief beeindruckt, aber sein Wissensdrang ist noch stärker als seine Angst. »Papi, was heißt das: patrulieren?« Die Mammi lacht! Der Vater aber bleibt ernst: »Patrouillieren«, sagt er sachlich, »kommt aus dem Französischen und heißt soviel wie beobachtend durch das Gelände marschieren — Du hast ja wohl selbst schon den Schutzmann vorn an der Ecke stehen sehen; aber —« so fährt der Vater drohend fort und wirft einen strengen Blick auf die Mutter, »wenn auch die Mammi lacht, es ist nichts zum Lachen,

wenn man sehen muß, daß alle Welt schon weiß, was für ein Bösewicht du bist – und dabei versprichst du immer, daß du ein liebes Kind sein willst!«

Thomas lächelt nicht; würdevoll und bescheiden bittet er, einen Blick in die Zeitung tun zu dürfen. »Du kannst ja noch gar nicht lesen!« will der Vater abwehren, aber schon hat Thomas das Blatt ergriffen und läßt seine Augen, ohne auch nur eine Miene zu verziehen, über die Seite schweifen. Und — »Halt!« ruft er plötzlich: »da steht ja noch was!« Und er liest den staunenden Eltern ernsthaft und fließend vor: »Thomas könnte vermutlich ein liebes Kind werden, wenn er nicht immer gehaut würde.« Legt die Zeitung hin und frühstückt weiter, als ob nichts gewesen wäre.

Technik

Alle Pädagogen und Seelenschützer sind sich darüber einig, daß man ein Kind nicht mit solchen Sprüchen wie: »Das verstehst du nicht!« abspeisen darf. Aber nirgends steht geschrieben, was ein armer, alter Vater mit leidlicher humanistischer Bildung tun soll, wenn der technische Herr Sohn, sieben oder acht Jahre alt, mit so schnödem Wort zu verstehen gibt, daß er jeden Versuch für hoffnungslos hält, dem rückständigen Greis die Eingeweide eines Radios zu erklären. Immerhin traut mir dieser Sohn auf einigen Randgebieten noch ein bestimmtes Wissen zu. »Päppingen«, fragt er, »bei wieviel Grad schmelzt Aluminium?« »Es heißt nicht ›schmelzt‹, Thomas, sondern ›schmilzt‹!«
»Ja, gewiß; danke! aber wir treiben jetzt nicht Wortkunde, wir reden über Leichtmetall!«
Wir haben den Thomas auf einen Autobummel ins Salzkammergut mitgenommen, obwohl es mühsam ist und kostspielig, denn auch ein Kind wird spielend mit seiner Wirtshauskost fertig und das Bett wird dadurch nicht billiger, daß der kleine Kerl es nicht ganz ausfüllt.
Aber — erstens ist es nicht ratsam, die beiden feindlichen Brüder Stefan und Thomas daheim auf einander oder gar gemeinsam auf die hilflose Magd loszulassen, —

und zweitens soll ja der Knabe allmählich die Schönheit der Heimat kennenlernen: ein voreiliger Plan, ein völliger Trugschluß, wie sichs allsobald herausstellte, denn ein Bub von acht Jahren bringt weder für liebliche Landschaften, noch für alte Bauernhäuser große Gefühle auf. Es war dumm von uns Eltern, daß wir uns darüber ärgerten.

Wir fuhren mit der Gondelbahn auf einen Aussichtsberg — Thomas sah nur die Technik und schwelgte geradezu in Schilderungen der mutmaßlichen Folgen eines Seilrisses oder Bolzenbruches. Wir überquerten bei klarstem Sommerwetter den Wolfgangsee; aber Thomas beschwor in unerschöpflicher Phantasie die schwersten Gewitter herauf, deren wilde, starkstromgeladenen Blitze in das Schiff schlagen könnten. Und nun fängt es wirklich zu hageln an, mitten im glühenden, blühenden August: Es hagelt Fragen, die Thomas pausenlos auf uns niederprasseln läßt. Wieviel Volt so ein Blitz hätte, falls er käme, und ob der Schiffsmast durch einen Blitzableiter gesichert sei, oder vielmehr wäre, wenn er von einem ganz starken Blitz getroffen würde und ob wir in diesem Fall ungefährdet auf dem Verdeck stehen bleiben dürften und wie wir einem Kugelblitz ausweichen müßten, vorausgesetzt, es käme einer über das Wasser gelaufen.

Und nun stehen wir im herrlichen Abendlicht, in den Anblick des mächtigen und wilden Dachsteins versunken. Das einzige, was uns stört, ist eine Überlandleitung, quer über das grüne Tal gespannt. Aber gerade sie ist wiederum das einzige, das unsern Thomas mit einer nichtswürdigen Ausschließlichkeit beschäftigt. Er zupft mich am Ärmel, er tritt von einem Fuß auf den andern, er deutet mit beiden Zeigefingern: »Papi!?« »Laß mich in Ruh!« sag ich ahnungsvoll und ärgerlich, aber er kann sich nicht halten: »Papi, wie viel Volt sind in der Starkstromleitung?«

Mir reißt die Geduld. »Thomas!« rufe ich streng, »wir stehen hier an einer Stelle, die zu den schönsten zählt, die es auf der ganzen Welt gibt! Wir haben das unwahrscheinliche Glück, einen märchenhaft schönen Sommerabend vom lieben Gott geschenkt zu kriegen — es sind schon Leute bis von Amerika und Australien eigens hierhergefahren, für einen Haufen Geld — und dann hats geregnet und sie haben nichts gesehen als die blöden Stangen und Drähte da, die sie daheim viel billiger hätten anschauen können. Und du!? du glotzt diese scheußlichen Spinnweben an, die da irgendwelche Idioten über die schöne Erde gezogen haben, und willst wissen — weiß der Teufel, was du alles wissen willst!«

Thomas schweigt, eingeschüchtert, aber natürlich nicht überzeugt, und ich schweige auch, in dem unbehaglichen Gefühl, es grundfalsch gemacht zu haben. Wenn der junge Verfechter der Technik jetzt mit ernsthaften Gründen kommt — und ich weiß, daß er dessen durchaus fähig ist —, dann habe ich mit meinem Geschimpfe einen schweren Stand. Aber, vornehm und wohlerzogen wie er ist, hält er sich zurück — freilich, er rebelliert inwendig. Und auch mir ist eine Wolke vor das schöne Bild des Berges gezogen, wir steigen in den Wagen und fahren nach Ischl.

Dort gibts manche Müh, bis wir, oft abgewiesen, endlich im Goldenen Kreuz Quartier haben, sündteuer, mit einem eigenen Zimmer für den Herrn Sohn, der — aber zum Kochen laß ich den Ärger nicht mehr kommen. Gemütlich und entspannt sitzen wir beim Abendessen, Thomas verzehrt ein großes Schnitzel mit gesegnetem Appetit, ich zünde mir eine Virginier an, trinke meinen Tiroler Roten und freue mich des geglückten Tages, der braven Fahrerin und des lieben Kindes.
Der Thomas rückt auf seinem Stuhl hin und her. »Papi!?« sagt er schmelzend und ich ahne schon, daß er in so viel Scharm irgendwas eingewickelt hat. »Papi, jetzt, wo weit und breit keine Landschaft ist, die ich anschauen muß — da kannst du mir doch sagen, wie viel Volt so eine Starkstromleitung hat?«

Das Affenhaus

Kein echtes Affenhaus im Zoo ist gemeint, der freundliche Leser muß nicht fürchten, mit den urkomischen Streichen der beim Publikum so beliebten Quadrumanen unterhalten zu werden. Freilich, ganz kommen wir um die Affen nicht herum, aber sie sind winzig klein und nur aus Plüsch, ungemein drollig und rührend, gewiß — aber das spielt weiter keine Rolle.
Die ersten Affen brachte das Christkind; sie saßen, aller Naturwissenschaft zum Hohn, auf einem Tannenbaum. Eigentlich hätte nur der zweijährige Stefan einen kriegen sollen, zum Ausgleich gegen den alten, vielumkämpften Bären des sechsjährigen Thomas. Aber dann hatten wir, nach zehn Jahren Ersatzschund, noch ein so herziges Äffchen im Spielzeugladen gesehen, daß wir's auf alle Fälle mitnahmen. Es hat ja auch nur zwei Mark gekostet. Und als ich, wie immer knapp vor Ladenschluß, am Heiligen Abend noch einmal allein durch die Stadt raste, um die herkömmlichen Fehlkäufe zu machen, erwarb ich noch einen Bruder zu dem kleinen Affen, den ich in meiner tiefsten Hosentasche verbarg, denn ich dachte mit diesem Doppelgänger allerhand Zauberei und Schabernack zu treiben. Um es gleich einzugestehen: das ist mir mißlungen, ist schmählich an der unschuldigen Besitzgier von Thomas gescheitert.
Aber genug vorerst von den Affen, wir wollen ja vom Affenhaus erzählen. Infolge einer bei meiner Frau von Zeit zu Zeit auftretenden Großspurigkeit hatte ich mich als Hausherr (welch vermessenes Wort!) entschließen müssen, in das Mädchenzimmer ein neues Waschbecken legen zu lassen. Es war ein Übermut, der uns teuer zu stehen kam: nicht drei Tage, sondern, mit willkürlichen Unterbrechungen, drei Wochen waren die Handwerker im Haus, und der Voranschlag stand in keinem Verhältnis zu dem tatsächlichen späteren Anschlag auf meinen Geldbeutel. Doch dies nur nebenbei.
Jedenfalls blieb uns nun ein abenteuerlich gebauter Waschtisch übrig, ein Gebild aus Menschenhand, Eichenholz und bunten Kacheln, das man unschwer als Modell zu einer römischen Villa hätte bezeichnen können. Zuerst wollten wir das zum Glück nicht allzu große Ungeheuer nachts auf einen Leiterwagen verladen und in der Gegend heimlich aussetzen. Dann aber siegte, wie so oft, die kleinliche Sparsamkeit, und meine Frau machte sich daran, das gute Eichenholz für die Heizung zu zersägen.
Bei diesem Zerstörungswerk wurde sie jedoch von Thomas überrascht, der sofort um Gnade für das prächtige Möbel bat und, als das nicht gleich half, die Demontage durch offenen Aufruhr zu verhindern suchte. Schon waren die Säulen gefallen, und die Schüssel war ausgebaut, aber der Rumpf, ein links einstöckiger und rechts zweistöckiger Kasten, wurde von Thomas für das schlechthin großartigste Affenhaus erklärt.

Das Kind überzeugte die Mutter, die Mutter befahl dem Vater, das Gehäuse an einen geeigneten Platz zu tragen. Dieser schleppte den schweren Klotz vom Keller bis zum Dach, aber so oft er ihn irgendwo ab- oder gar endgültig aufstellen wollte, hieß es: »Hier? Ausgeschlossen!« Endlich war im Treppenhaus, dicht vor der Tür zu Vaters Schriftstellereigeschäft, der einzig mögliche, das heißt, einzig dem Vater unmöglich erscheinende Standort gefunden, und Thomas konnte mit viel Radau an die Inneneinrichtung des Hauses gehen.

So viele Zigarren, wie jetzt Kistchen benötigt wurden, hätte kaum Churchill rauchen können; es galt, Betten und Schränke herzustellen, damit die Affen, die Bären und zahlreiche andere Tiere entsprechenden Hausrat vorfänden.

Wir haben, seit die Zwangsmieter fort sind, ein geräumiges Haus, darin jeder sein gerechtes Teil hat. Aber es gibt nur einen Raum, in dem sich Thomas und Stefan wohl fühlen, das ist mein Arbeitszimmer; der liebste Platz, den sie auf Erden haben, das ist die Fensterbank — noch nicht am Elterngrab, wohl aber am Grabe meiner Schriftstellerei.

Meine Ruh ist hin, mein Herz ist schwer, ich finde sie nimmer und nimmermehr. Mein Arbeitsgeist geht verstört wie ein Gespenst umher; alles Ungemach bringen die Burschen in mein Gemach, — herein, ohne anzuklopfen. Und auf meine erbitterte Frage, ob denn sonst weit und breit keine Stätte sei, an der sie sich aufhalten könnten, beantworten sie mit einem unverfroren heiteren »Nein!«

»Was meint ihr, daß mein Vater getan hätte, wenn ich ihn so mir nichts dir nichts überfallen hätte? Er hätte mich ungespitzt in den Erdboden geschlagen!«

»Jetzt sind aber auch andere Zeiten!« kräht Thomas frech, und Stefan ist begeistert von dem kräftigen Wort, das ich da eben gebraucht habe. Besonders der Thomas ist hartnäckig wie ein Witzblatt-Geschäftsreisender. Ich kann ihn belehren, hinauswerfen, mit Prügeln bedrohen: er ist lächelnd wieder da, mit neuen Gründen gegen meine Entrüstung gerüstet, meine Waffen entwaffnend und mir sogar das Federmesser abschmeichelnd, das er zur Herstellung eines Fensters oder einer Tür für die Affenwohnung braucht.

Und da ich nicht zusehen kann, wie er mit dem scharfen Messer herumhantiert, muß ich ihm wohl oder übel helfen; und da ich auch nicht viel geschickter bin, gehen wir gemeinsam zur Mutter, die kann alles; sie ist Buchbindermeisterin. Aber sie hat auch keine Zeit und jagt uns zum Teufel. Um Mitternacht freilich höre ich es dann in der Werkstatt rumpeln, da steht sie und bastelt, ein immer zuverlässiges Heinzelmännchen.

Nicht in jedem Fall geht Thomas geradewegs auf sein Ziel los, wenn er etwas will. Neulich bin ich, wir waren allein, mit ihm ins Wirtshaus zum Essen gegangen, und da fühlt er sich ganz wie ein Erwachsener. »Die Affen«, sagt er wegwerfend, »bilden sich ein, sie bekommen elektrisches Licht in ihr Affenhaus. Aber ich denke nicht daran, da könnte jeder kommen. Die sollen schlafen, wenn's finster ist, sonst verhau ich ihnen den Po, ich hab's satt!« Er selbst ist ungeheuer streng und mit den Strafen, die wir ihm — leider — meist nur androhen, rasch bei der Hand.

Er hat nicht falsch gerechnet; ich nehme für die Affen Partei und meine, es müßte doch sehr angenehm sein, wenn man das Affenhaus beleuchten könnte. Nun vertraut er mir an, daß er da vorn bei der Brücke in einem Laden ganz kleine Lämp-

chen gesehen habe — aber die Affen sollten sich nur ja nicht träumen lassen, daß sie Licht bekämen, wo doch heute alles so unverschämt teuer sei — und er ergeht sich des langen und breiten in Sprüchen, die er den Großen trefflich abgelauscht hat. Endgültiges Urteil: die Affen kriegen nichts!
Infolgedessen erwerben wir an einem der nächsten Tage eine Batterie, zwei Lämpchen, ein paar Meter Leitungsdraht und einen Knipser. »Wenn du besonders artig bist«, heißt es vor dem Mittagessen, »und auch bei den Kartoffeln keine Geschichten machst, dann kriegst du heute abend etwas für dein Affenhaus — rate, was!« Thomas ist kein Spielverderber; er rät höflich zuerst zwei ganz verrückte Sachen, ehe er sagt: »Ein Licht!«
»Aber nur, wenn du ganz brav bist! Heute abend!« — »Bitte, gleich!« — »Nein, heute abend — oder überhaupt nicht!« Er verschiebt die Unterlippe ganz nach vorn: »Ich brauche kein Licht, ich mag euch überhaupt nicht mehr!« — »Gut, dann nicht!« Die Form muß gewahrt werden, der Bösewicht wird am Abend ins Bett geschickt, mit der Festbeleuchtung ist es nichts. Vielleicht morgen früh! heißen wir ihn hoffen. Dann nach einigem Gemaule, hören wir ihn im Finstern beten: »Lieber Gott, laß meine Mammi gesund sein, denn sie will mir ein Licht ins Affenhaus schrauben!« Der Vater ist offenbar nicht mehr so wichtig, bezahlt ist die Sache schon.
Die Mutter macht sich, auf den Knien, an die Arbeit. »Laß es bis morgen«, sage ich, »bis es Tag ist!« Ich stehe unbehilflich-helfenwollend dabei. Wer meine Frau kennt, weiß: Wenn sie sich um drei Uhr früh entschlossen hätte, umzuziehen, wären wir um acht Uhr abends in einer anderen Wohnung (Behördengänge inbegriffen)! Jedenfalls: eine Stunde später knipst sie den Schalter an, und im Erdgeschoß und ersten Stock des Affenhauses brennt das Licht: Welch ein großer Augenblick!
Thomas hat natürlich nicht geschlafen, sondern mäuschenstill gelauert: jetzt ist er, weißes Nachthemdgespenst, dem Bett entstiegen, starrt ungläubig-verzückt in die zwei glimmenden Lichter, dann tanzt und schreit er wie ein Narr. Aus — an, aus — an, er drückt auf den schwarzen Knopf, bis wir ihn ins Bett zurückstampern.
Ein paar Tage ist Thomas glücklich — aber dann ergreift ihn der Fluch allen technischen Fortschritts: er möchte es noch besser, er braucht unbedingt eine elektrische Hausglocke. »Weil der Bär und der Wurstel«, sagt er, »einfach die Tür aufreißen, und vielleicht mögen die Affen gar nicht, daß sie auf Besuch kommen!« Wir schlagen vor, das Glöckchen des verspeisten Osterlamms mit einem Klingelzug im Affenhaus anzubringen. Aber da erkannten wir bald den klaffenden Zwiespalt der Geschlechter und daß es nicht gut ist, wenn der Vater um fünfzig Jahre älter ist als der Sohn und noch im neunzehnten Jahrhundert verhaftet ist, während dieser schon dem Jahr Zweitausend entgegeneilt.
Hochmut kommt vor dem Fall. Eines Morgens liege ich noch im Bett, da höre ich verdächtigen Lärm und bald darauf schreckliches Wehklagen: unsere blonde Bestie, der zweijährige Stefan, hat das Affenhaus überfallen, ausgeräumt und bei

seiner gewaltsamen Erkundung natürlich auch die Lichtanlage zerstört. Beide Arme voller Affen und Einrichtungsgegenstände, flüchtet er über die Treppe, zu spät jagt ihm Thomas die Beute ab.

Es ist fraglich, ob sich das Affenhaus noch einmal zu seinem alten Glanz erheben wird. Es fehlt zwar nicht an Wiedergutmachungsplänen, aber der Vater hat nichts dagegen, daß ihre Verwirklichung hinausgezögert wird.

Schneerausch

Ein alter Mann kann mit jungem Schnee nicht mehr viel anfangen; sogar wenn er sich kindisch freut, es bleibt eine platonische Liebe, eine Erinnerung an schönere Zeiten, Schneeballschlachten, Schneeburgen und Schneemänner, an Rodelbahnen, an Schiabfahrten, von denen die frühesten ein halbes Jahrhundert und länger zurückliegen. Schnee — was für ein vieldeutiges Wort: es kann der Schnee sein, der näßlich über die Straßen der Großstadt wirbelt und am Boden zerschmilzt, der Pulverschnee, in Eiskristallen blitzend im Winterwald, der Schnee, der zu Lawinen geballt ins Tal stürzt, der Schnee im Sturm, gegen den der einsame Wanderer kämpft, — nun, heute vormittag ist es der fallende, der frischgefallene Schnee, flaumenweich, da und dort schon von den Wegen der Vorstadt geschaufelt und zu Bergen getürmt, so recht der lockere Schnee für lockere Buben, die es gar nicht mehr erwarten können, hinauszustürmen in das rieselnde Weiß.

»Du hast jetzt all die Tage her genug geschrieben«, sagt die Mammi zu mir, »du könntest mit dem Stefan ein wenig in den Winter hinausgehen; es täte euch beiden gut, wenn ihr an die frische Luft kämt.«

Der Thomas sieht und hört unsere Vorbereitungen zum Aufbruch. Hätten wir ihn nur gefragt, ob er auch mitwill! Aus lauter Widerspruchsgeist wäre er daheim geblieben. So aber heulte er uns so lange was vor, bis ich weich werde. »Sag: ›meinetwegen‹, Papi!« Also sage ich »meinetwegen!«

Die Mutter warnt. »Du wirst mit den zwei Buben nicht fertig!« sagt sie kummervoll. Das geht gegen meine Ehre. »Leicht!« sage ich und nehme den beiden das heilige Versprechen ab, aufs Wort zu folgen und mir nicht von der Hand zu gehen.

Des freut sich das entmenschte Paar und zum Meineid finster entschlossen, leisten sie den Schwur, ganz brav sein zu wollen. In voller Einigkeit treten wir unsere Polarexpedition an — aber das dauert nur so lang, als wir noch in Sichtweite der an der Gartentür nachblickenden Mutter sind.

Dann ist mit einem Wupps der winzige Stefan in einem der hohen, weichen Schneehaufen verschwunden — nur seine hohe Pelzmütze schaut noch heraus. Ich schimpfe — er aber, den Mund voller Schnee, behauptet listig, er sei nur hingefallen. Merkwürdig, daß er bei dem überdeutlich gezeigten Versuch, sich aus der weißen Flut herauszuarbeiten, immer tiefer hineingerät. Was bleibt dem braven Thomas übrig, als dem Brüderchen beizuspringen — mitten in den Zauberberg hinein. Zwei Zirkusclowns, die einem vor Lachen berstenden Publikum ihre Scheinbemühungen vorführen, sich aus einer tragikomischen Lage zu befreien, könnten sich nicht täppischer anstellen als Thomas und Stefan. Ich merke die Absicht und werde verstimmt. »Wenn ihr euch jetzt schon durch und durch naß macht, wird es nicht viel werden mit unserm Spaziergang! Marsch jetzt, heraus — oder soll ich nachhelfen?!«

Die zwei Bösewichter gehen zum offenen Aufruhr über. Blitzschnell sind sie aus dem Haufen heraus, aber nur, um sich, rot vor Vergnügen und weiß von Schneepuder, in den nächsten, größeren zu stürzen. Sie waten hinein, sie baden im wunderbaren Element, sie balgen sich, sie spritzen sich an; bis ich komme, ist mindestens einer entwischt. Und bis ich den, der mir in die Hände gefallen ist, zur Rede und auf die Füße gestellt habe, ist der andre schon weit. Laß ich nun den Stefan, abgeklopft und einigermaßen zurechtgerückt, stehen, mit Donnerwetter moralisch auf seinem Platz festgenagelt — und eile dem Thomas nach, um ihn aus den wilden Wogen zu zerren, entläuft der Stefan mit hellem Jubel in die andere Richtung. Wohin der graue, erschrockene Vater schaue, sieht er eins der Kinder im Schnee verschwinden. Ihr strategischer Plan ist, den alten Mann in der Weite des Geländes zu ermüden.

Eine dicke Frau geht vorüber, sie hat Verständnis für mich: »Tut's den Großvater net so ärgern!« ruft sie den beiden Missetätern zu, die sich soeben vereinigt haben, um aus der Schneewüstenei heraus einen Kosakenangriff auf mich zu machen.
»Nix Großvater!« sag ich zu der Frau, »ich bin der Vater!« »Ja, nachher!« meint sie, — ja dann! Alles Mitleid ist aus ihrer Stimme verschwunden, Schadenfreude liegt darin: wenn ich grad noch jung genug war, darf ich jetzt nicht zu alt sein!
Ja, meine liebe Gattin hatte schon recht gehabt, mich zu warnen — diesem Zweifrontenkrieg war ich nicht gewachsen. In offener Feldschlacht siegte ich: als die beiden gegen mich anstürmten, Schnee werfend, hatte ich sie mit raschen Griffen ins Genick überwunden — aber es war ein Pyrrhussieg; alle drei wälzten wir uns nun im Schnee, in diesem wunderlichen Element, das halb Luft zu sein schien, aber doch überwiegend Wasser war, wie auch ich feststellen mußte, naß und kalt bis tief in den Halskragen und in die Ärmel hinein.

Ich sah, die Expedition mußte abgebrochen werden; meine heimliche Hoffnung, bis zum Zigarrenladen vorzustoßen und ein paar Virginier zu kaufen, war vereitelt. Ich blies teils zum Rückzug, teils mir und den Buben den Schneestaub fort; wir klopften ihn aus den Kleidern, bohrten ihn aus den Stiefeln — man glaubt gar nicht, wo frischer Schnee überall hinkommt.

Die Buben waren noch immer außer Rand und Band, jeden Augenblick konnte der Wahnsinn wieder ausbrechen. Ich durfte heilfroh sein, wenn ich die Kerle leidlich heimbrachte. Gottlob, es zeigten sich erste Spuren der Erschöpfung, den Thomas fror es, wie vorausgesagt, jämmerlich an den Füßen. »Stefan, wo hast du denn deine Handschuhe?!« Die guten, von der Mammi neugestrickten, mit einer Wollschnur gesicherten Fäustlinge — weg waren sie. »Kinder, ohne Handschuh dürfen wir uns gar nicht nach Haus trauen!« rief ich. Der Stefan fing bitterlich zu weinen an, natürlich nützte kein hochnotpeinliches Verhör, er hatte keine Ahnung, wo sie ihm abhanden gekommen waren.

Dem Schneerausch folgte der Katzenjammer. Den frierenden Thomas ließen wir als Vortrab losziehen, die Gefahr, daß er noch einmal rückfällig würde, schien mir gebannt. Mit dem Stefan machte ich mich auf die Suche nach den Fäustlingen. Wir durchstöberten alle Lagerplätze und Schlachtfelder — vergebens; mit hängenden Köpfen, eine geschlagene Truppe, traten wir den Rückmarsch an durch den tiefen, weißen, flirrenden Schnee.

»Die Handschuhe«, sagte tiefsinnig der vor Kälte und Traurigkeit ganz zusammengeschnurrte, kleinwinzige Stefan —, »die Handschuhe wissen genau, wo sie sind!«

Theologie

Der Thomas war ein frommes Kind, und wir hatten viel Mühe mit ihm. Denn nicht nur, daß er es selbst genau nahm, er war auch unglücklich, daß seine Mutter nicht den rechten Glauben hatte. Später wurden auch Herr Doktor katechisiert und ich erwehrte mich nur mühsam der Gretchenfrage, wie ichs mit der Religion hätte. Denn immer wieder kam er, mit mir ein Wort unter Männern zu reden.
In sein Heft machte er wunderschöne Zeichnungen mit Farbstiften, ein rotes Herz etwa, in das er viele kleine Tupfen malte. Und darunter schrieb er mit ungelenken Riesenbuchstaben: »Herz, mit leichten Sünden befleckt!«
»Frühling, Sommer, Herbst und Winter
Sind des lieben Gottes Kinder« —
Im Lesebuch der ersten Klasse stehts, der Thomas muß es auswendig lernen. Er schaut versonnen vor sich hin; und sagt, ohne Arg, wie wenn ihm eine Erleuchtung gekommen wäre: »Dann sinds also, mit dem lieben *Jesuskind*, fünf!«
Er hat die Geschichte von Adam und Eva gehört und sie beschäftigt sein Innenleben gewaltig; er ist empört darüber, wie leichtsinnig unsere Stammutter das Paradies verscherzt hat. Ein altes Fräulein ist bei uns zu Besuch, ein harmloses Wesen, das vermutlich noch nie vom Baum der Erkenntnis gegessen hat. Aber Thomas entlädt seinen ganzen Manneszorn ausgerechnet auf diese Unschuldige: »Du bist auch dran schuld! Hättet ihr nicht in den Apfel gebissen, ginge es uns heute allen viel besser!«
Wer an Gott glaubt, der glaubt auch an den Teufel. Zitternd wirft sich der Thomas der Mammi in die Arme. »Wo warst du?« »Im Keller!« »Was ist denn los?« »Der Teufel hat Brr! Brr! gemacht!« Und, in einem Strom von Tränen: »Ich habe auch vom Kompottsaft genascht!«
Der Herr Kaplan ist ein großer Eiferer im Herrn und oft haben wir Mühe, daheim das seelische Gleichgewicht wiederherzustellen. »Der kleine Großpapa« — im Gegensatz zum großen, meinem Vater, der Vater meiner Frau — »der muß in die Hölle, weil er sich verbrennen hat lassen. Und er hat mir doch den schönen Schubkarren gemacht!«

*

Der Stefan ist da leichter zum haben; auch wenn er schon früh schwierige theologische Fragen stellt: »Eigentlich tut alles, was wir tun, der liebe Gott, weil er uns so gemacht hat.«
Ich will meine Buben nicht mit fremden Federn schmücken, sonst könnte ich die Geschichte von einem Kirchenbesuch am Samstag nachmittag erzählen: »Es war sehr traurig; der liebe Gott war nicht zu Hause, und seine Mutter hat den Boden aufgewischt!«
Auch der vierjährige Stefan ist ein eifriger Kirchgänger, nicht so sehr aus Fröm-

migkeit, sondern der Unterhaltung wegen. Der Priester bewegt sich bunt am Altar, die Orgel tönt und Glöckchen erklingen. Er scheint es für eine Art mechanischen Spiels zu halten. Heute, am Werktag, wo es wirklich kirchenstill ist im Gotteshaus, zupft er mich gelangweilt am Ärmel: »Komm, die Kirche geht heute nicht!«

Und später, als er zum Beichten gehen soll, tut ers mit einer heiteren Zuversicht. »Weißt du«, erklärt er mir, »ich bin froh, wenn ich gebeichtet habe; da bin ich alle Sünden los. Ich brauche nur zu sagen, was ich getan habe, dann ist es so, wie wenn ichs gar nicht getan hätte.« Und dann spielt er seinen höchsten Trumpf aus: »Und der Herr Kaplan darf es nicht weitersagen, nicht einmal dir!«

Unter Brüdern

Vermutlich haben Kain und Abel, als sie noch klein waren, oft ganz nett miteinander gespielt. Sie werden es begrüßt haben, daß ihren Eltern das Paradies verschlossen war, weil dadurch die faden Sonntagsspaziergänge ausfielen.
Feindliche Brüder sind ein finsteres Kapitel, von den Dioskuren bis zum Bruderzwist in Habsburg, von Fafner und Fasolt, Baldur und Hödur bis zu den Brautwerbern von Messina — jeder Fall liegt anders. Daß der Romulus den Remus erschlug, davon redet kein Mensch mehr; und sogar die Wölfin, von der die Buben doch wohl ihr wildes Blut hatten, steht ehern und ehrenvoll auf dem Kapitol.
Den Thomas und Stefan aber hat die Mutter mit der Milch ihrer frommen Denkungsart gesäugt und mit Alete großgezogen; da ist eigentlich nichts zu fürchten, wir können uns mehr an die freundlichen Brüder Grimm oder Humboldt halten. Zudem sind sie vier Jahre auseinander, das vermindert die Spannungen.
Eintracht und Zwietracht halten sich die Waage; anfangs freilich war Thomas nicht sehr begeistert; »das waren noch Zeiten«, meinte er, »als wir noch kein Brüderchen hatten! Ich habe gedacht, ich hätte was zum spielen, aber nichts habe ich, als Kummer und Sorge — wenn wir Hühner gekriegt hätten, gäbs wenigstens Eier!« Und später wachte er sorgsam darüber, daß Stefan, der »immer nicht« gehaut wurde, auch sein Teil bekäme. »Mich habt ihr ganz gut erzogen, aber zu milde; das Brüderchen müßt ihr strenger erziehen. Wenn ich in der Schule bin, dürft ihr den Stefan am liebsten haben, sonst mich — und am Sonntag alle zwei gleich!«
Ströme von Liebe verteilen wir durch ein großartiges Kanalsystem auf die beiden Knaben, aber wir können nicht hindern, daß sich bald der Thomas »an den Rand der Familie gedrängt« fühlt, bald der Stefan finster erklärt: »Gut! ich weiß schon, ihr mögt mich nicht, weil ich die Zweitgeburt bin!«
Aber derselbe Thomas verkauft seine so betonte Erstgeburt um ein Linsengericht, er schenkt dem Kleinen seine sorgfältig geschonten Spielsachen und weint dann freilich bitterlich, wenn sie innert acht Tagen zerfetzt sind. In jüngster Zeit sind sie sich allerdings im Ausschlachten alter Radios einig; Stefan, als skrupelloser und unwiderstehlicher Unterhändler wird zu allen Leuten geschickt, die noch solch einen verbrauchten Kasten besitzen — und dann ist wochenlang unsre ganze Behausung übersät von den Trümmern ausgedienter Volksempfänger, bis die Mammi draußen vor der Tür den großen Scheiterhaufen entzündet — das ist ja der Vorteil der Ölheizung, daß man nichts mehr in den Ofen werfen kann.
Am einigsten sind sie, wenn es gegen den Erbfeind, die Eltern, geht. Da erfahren wir oft zufällig, was wir unter Brüdern wert sind. »Du, die fahren heute noch mal fort, sonst stünde das Auto nicht heraußen!« mutmaßt der Stefan und Thomas rät, aufzupassen, wenn wir miteinander reden: »dann wissen wir alles!« »Kaum ist die Mammi erträglich, fängt der Papi an, unleidlich zu werden.«

Gelegentlich — es ist schon wieder lang her — rotteten sie sich auch zum offenen Aufruhr zusammen; das begann mit dem Absingen eines streng verbotenen, dem Heckerlied vergleichbaren Textes »Stinkulo und Stankulo ...«, Wort und Weise von Thomas Roth. Doch vermochten die rasch zusammengezogenen Regierungstruppen bisher immer noch, die Revolte im Keim zu ersticken.
Jeder Mensch hat eine Sehnsucht. Thomas kann, wie Palmström, nicht ohne Post leben. Er beschwört das kaum die ersten Buchstaben malende Brüderchen, ihm zu schreiben. Und wirklich setzt sich Stefan heimlich an die Schreibmaschine und tippt den ersten jener berühmten »Briefe, die ihn nicht erreichten«. Der Wisch fährt im Haus herum und ist, zwischen zahllosen Fehlanschlägen, etwa folgendermaßen zu entziffern: »Lieber Thomas ich erzähle dir einne Geschichte das Russessen. es war einmal ein armer mann ...« in einem schrecklichen Buchstabenwirrwarr erstickt der frühe Eifer.
In den ersten Weihnachtsferien aber — Thomas kommt aus der Klosterschule nach München, Stefan fährt an Neujahr in sein geliebtes Kinderheim auf dem Ingerlhof — bereitet Thomas alles für den erhofften brüderlichen Briefwechsel vor: er nimmt meine kostbarsten Umschläge (ein halbes Dutzend für die acht Tage der Trennung!), bemalt sie mit seiner sehr vorübergehenden Münchner Anschrift, frankiert sie ausgiebig und legt sie dem Stefan ans Herz und in den Koffer. Leider hat die Deutsche Bundespost wegen Nichtabsendung das gute Geschäft nicht machen können.
Ich habe mir zwar geschworen, keine rührenden Geschichten zu erzählen, aber eine sei doch erlaubt. Der Thomas ist wieder einmal besonders frech gewesen und obwohl ich aus der gelehrten Literatur weiß, daß Frechheit keine Charaktereigenschaft ist, sondern eine nach Zeit und Umständen begrenzte Art des kindlichen Verhaltens, bin ich böse mit ihm; ich verschließe mich der Einsicht, daß ein freches

Kind nur ein leidendes Kind sei, ich fühle mich als leidender und beleidigter Vater; der kleine Stefan aber setzte sich für das Brüderchen ein: ich solle wieder gut mit ihm sein. »Gern«, sagte ich, »aber da muß erst der Thomas...« — »Ich weiß schon«, flötet Stefan mit seiner süßesten Schmeichelstimme, »aber, gib ihm, bitte, Gelegenheit dazu!«
Was freilich nicht hindert, daß zehn Minuten später zwei erbitterte Boxer vom Ringrichter getrennt und in die Ecken verwiesen werden müssen.

Erzählungen

Der Bericht des Nachbarn

Den Mörder habe ich gut gekannt. Den Kopf, den sie ihm nachher abgeschlagen haben, den hab ich oft zwischen den Händen gehalten, vor dreißig Jahren, wie es noch ein rundes Kinderköpferl war mit einem schier weißen, seidenweichen Wirbel drauf und zwei kugelblanken, wasserhellen Augen drin. Später ists dann ein rechter Bubenschädel geworden, ein rotbackiger, immer vergnügt und breit vor Lachen.
Mehr als einmal ist ein Loch in den Schädel geschlagen gewesen und einmal sogar eins, das der Bader hat zunähen müssen. In der Holzlege haben die Lauser gespielt, wie halt Kinder spielen. Es ist seinerzeit der Raubmörder Kneissl gefangen worden und weil ein romantischer Lump noch immer was gegolten hat im Volk, haben die Großen wie die Kleinen von nichts anderem erzählt und der Knecht hat auch nichts besseres gewußt, als daß er den Buben gezeigt hat, wie jetzt der Kneissl um einen Kopf kürzer gemacht wird und hat mit dem Beil einen Fichtenast abgehackt, daß die Schneide im Holzstock geblieben ist.
Die Kinder müssen alles nachmachen, der Toni ist als Raubmörder ausgezählt worden und der Fuchsbauernkaspar hat den Scharfrichter spielen sollen. Es hat aber keinem seine Rolle recht gepaßt und da haben sie ausgemacht, daß sie hernach tauschen und es noch einmal tun; aber so weit ist es nicht mehr gekommen, damals. Der Toni nämlich legt den Kopf auf den Holzstock, der Kaspar, noch keine sechs Jahre alt, hebt das Hackl auf, aber da ist es ihm zu schwer und schon fährt die scharfe Axt dem Toni ins Genick und das Blut läuft ihm in Strömen den Hals hinunter.
Es ist natürlich nicht so arg gewesen, wie es zuerst hergeschienen hat; aber die Spitznamen sind den zwei Burschen geblieben. Wo sie sich haben sehen lassen, sind sie damit gefoppt worden: »Da kommt der Kneissl und sein Henker!«
Was aber den Toni anlangt, so ist er ein braver und fleißiger Mensch geworden, er hat auch den großen Krieg mitgemacht, vier Jahre lang und ist wieder gut in die Heimat zurückgekommen, wo er dem Vater geholfen hat als Wegmacher und in der kleinen Häuslwirtschaft.
Der Vater ist dann lang krank gewesen, die Mutter war schon unter der Erde. Der Doktor und die Medizinen haben den Vater auch nicht gehalten, aber das Häusl haben sie hart angepackt und wie jetzt die Millionenzeit gekommen ist, hat sie das ganze Sach mitgerissen und die tüchtigsten Hände haben es nimmer halten können.
Der Toni hat dann, wie der Vater eingegraben und das Gütl vergantet war, aus der Gegend fort wollen, so hart es ihn auch angekommen ist. Aber in der letzten Stund noch ist er dem Fuchsbauernkaspar, seinem Spielkameraden, in die Hände gelaufen.

Der hat sein absonderliches Schicksal hinter sich gehabt. Er ist nämlich noch keine vier Wochen wieder daheim gewesen. Aus Sibirien ist er gekommen, aus russischer Gefangenschaft, im Frühjahr zweiundzwanzig.

Seitdem ist er schier Tag und Nacht beim oberen Wirt gesessen und hat erzählt. Es ist zuerst ein mordialisches Geriß um ihn gewesen, weil er so viel zum Reden gewußt hat von den Kosaken und wie ihn die vom Pferd heruntergestochen haben, denn er hat bei den schweren Reitern gedient, und wie sie ihn immer weiter hinein verschleppt haben ins tiefste Rußland. Und wie sie Gras gefressen haben vor Hunger und wie die Seuche ausgebrochen ist im Lager, daß sie hingestorben sind wie die Fliegen. Und er, der Kaspar, war auch schon für tot auf einen Karren geworfen worden, aber ein Kamerad, der Leitner Peter von Aufhausen, hat gesehen, wie sich mitten in dem Totenhaufen an einer Hand plötzlich die Finger gerührt haben. Und er hat die Hand gepackt und nicht mehr ausgelassen, bis der Karren in die Leichengrube abgeladen worden ist. Und hat so den Kaspar noch einmal ins Leben zurückgeführt. Aber den Leitner Peter haben sie drei Tage später hinausgefahren und dem ist nicht mehr zu helfen gewesen.

Den Kaspar hat es nach der Zeit noch weit verschlagen, die Bolschewiken sind gekommen und dann wieder die Weißen und noch einmal die Roten, und es sind die meisten Kriegsgefangenen damals elend zugrund gegangen. Der Kaspar ist wohl herausgekommen, über China, aber spät erst und an seiner Gesundheit und Kraft hat er bösen Schaden gelitten; das muß man ihm freilich zugut halten.

Er hat also erzählt und getrunken und wieder erzählt und immer ruhmrediger ist er geworden. Aber was die vernünftigeren Männer waren, die haben sich die Geschichten nur einmal angehört oder vielleicht zweimal und sind dann ausgeblieben; oder sie haben dem Kaspar rundheraus gesagt, er soll froh sein, daß er wieder daheim ist und soll lieber auf den Hof schauen, als andre von der Arbeit abhalten.

Der Fuchsbauernhof ist nämlich, bevor sie ihn damals zertrümmert haben, der größte Besitz weitum gewesen und der schönste jedenfalls. Von der Bank bei der Tür aus hat eins die ganzen Berge frei über den See hin betrachten können und einen so prächtigen alten Schlag Nußbäume findet eins nicht leicht wieder, wie der hinterm Hof war, den ganzen Hügel hinunter. Es hat uns bitter weh getan, wie sie den ganzen Bestand geschlagen haben; es ist gewesen, als ob alles hin sein müßte, und wir haben uns ja nicht wehren können, damals, wo jeder Bauer froh war, wenn sie ihn nicht selber gelegt haben. Die alte Axt hat freilich nicht mehr mitgeschwungen, mit der damals der Kaspar dem Toni ins Genick getroffen hat, der Scharfrichter dem Kneissl. Die liegt auf dem Gericht in Traunstein, wahrscheinlich heut noch.

Seit dem Krieg ist der Hof verwahrlost gewesen. Mit seinen Kindern hat der Bauer kein Glück gehabt. Der Älteste, der Gregor, ist gleich im Oktober vierzehn bei Ypern gefallen. Der wäre der Rechte gewesen für das Anwesen. Die Tochter, die Walburga, hat sich vor der Zeit auszahlen lassen, noch als blutjunges Ding hat sie sich an einen Schönschwätzer aus der Stadt gehängt, der Lump hat das Geld verputzt und hat sie sitzenlassen, in Hamburg oder wo; und heim hat sie sich nicht mehr getraut.

Wie jetzt auch noch der Kaspar vermißt war und in Rußland verschollen, da war kein guter Geist mehr über dem Hof. Der Alte hat die Zügel schleifen lassen, er hat keinen Sinn mehr gesehen, um den er sich plagen sollte. Die Frau ist ganz verhärmt gewesen und aus der Kirche fast gar nicht herausgekommen. Und die Dienstboten haben Schindluder getrieben mit den geschlagenen alten Leuten und schließlich hat der Bauer sie fortgejagt, weil ihm der leere Stall und das Unkraut auf dem Acker lieber waren als die Lotterwirtschaft der Knechte und Mägde im Hause.
Der gute Geist ist auch mit dem Kaspar nicht zurückgekommen; denn der hat keine Kraft mehr mitgebracht zum Wiederanfangen. Und wenn ihn einer drum angeredet hat, dann hat er bloß gesagt, hab ich acht Jahre warten müssen, kann ich ein neuntes auch noch warten und ich habe mitgemacht genug und geleistet für die Heimat.
So hell ist er aber doch gewesen, daß er gespannt hat, wie Warten zehrt und daß, wer nicht sät, auch nicht ernten kann. Wie er also damals seinen Gespielen wieder

getroffen hat, in einer Zeit, wo kein Ackerknecht zum Auftreiben war und ein so guter wie der Toni schon gar nicht, da hat er ihn nicht laufenlassen.

So gern der Toni in der Heimat geblieben ist, grad beim Fuchsbauern wär er lieber nicht eingestanden. Aber der Kaspar hat ihm ein Gelöbnis ums andre gemacht und die Alten gar haben gebettelt, daß er dableiben soll. Und wirklich ist dann auch der Kaspar den Sommer über besser zum haben gewesen, der Bauer selber hat wieder Freude gehabt und der Toni hat angeschoben, für drei. Und vielleicht wär noch alles gut geworden, wenn den Bauern nicht am Leonharditag ein Roß geschlagen hätte. Und er ist noch bis gegen Weihnachten herumgelegen und dann ist er gestorben.

Jetzt ist der Kaspar Herr auf dem Hof gewesen. Er hat seine guten Vorsätze schnell vergessen, hat das Wirtshaussitzen wieder angefangen und das Aufdrehen und die Leut rebellisch machen mit Rußland und den Bolschewiken. Aber zuletzt haben ihm nur mehr die Hallodri zugehorcht; und gegen einen Schnaps haben es ihm die jeder Zeit bestätigt, daß er sich den Dank des Vaterlandes verdient hätte und was er sonst gern gehört hat.

Um seinen Hof hat er sich wenig geschert. Hier und da ist er für ein paar Tage oder Wochen bei der Arbeit gewesen, dann hat er sie grad so jäh wieder liegenlassen; auf ihn zählen hat man nicht können. Der Toni war es gar nicht einmal unzufrieden. Wenn der Bauer sein Biergeld gekriegt hat, ist ihm sonst alles recht gewesen und angeschafft hat bloß der Toni. Im Rausch hat der Kaspar zwar manchmal große Sprüch gerissen, wer denn hier der Herr sei und wer der Knecht. Aber es hat niemand aufgepaßt, der Toni nicht, die alte Mutter nicht und das Gesinde nicht.

Der Toni ist der wahre Bauer gewesen und ist mit dem Hof mehr und mehr verwachsen von einem Jahr ins andre. Jede Ackerbreite hat er gekannt und jeden Boden, jede Kuh und jede Henne, jeden Baum im Wald und jedes Stück Holz und Eisen im Schuppen. Das Beil von damals ist auch noch darunter gewesen; er ist einmal eigens zu mir herübergekommen, wie er es gefunden hat. Ich hab noch Spaß gemacht seinerzeit, und weil ich einmal als Bub in einem Indianerbüchl so was gelesen habe, hab ich gemeint, er sollt es eingraben, tief in die Erden, damit kein Streit daraus werden könnt und kein Unfrieden. Aber im Ernst haben wir uns alle zwei nicht viel dabei gedacht.

Nicht lang drauf ist, gegen alles Vermuten, die Walburga wieder aus der Fremde gekommen. Sie ist zuerst bei mir eingekehrt, ich hätte sie nicht mehr gekannt, aber sie ist noch ein schönes und festes Frauenzimmer gewesen, wenn sie auch viel mitgemacht hat draußen. Und sie hat mich nach allem gefragt und ich hab ihr die Wahrheit gesagt über den Kaspar und den Toni. Und dem Toni hab ich Botschaft gegeben, daß er herüberkommen soll und dann haben die zwei sich gesehen, seit ihrer Jugend wieder zum erstenmal; und er ist so gut zu ihr gewesen und hat ihr Mut gemacht zum Dableiben, dem Bruder würde es schon recht sein, dem Bauern; und der alten Mutter gar.

Der Bruder, der Kaspar, hat gesagt, wenn sie kein Geld will, arbeiten und essen kann sie gern und lachen müßt er, wenn der Gregor gar nicht gefallen wär und auch wieder heimkäme; und er ist gar nicht unwirsch gewesen zu seiner Schwester, damals, im Anfang, weil er endlich wieder ein Paar Ohren gehabt hat, denen er die alten Geschichten aus Rußland neu hat erzählen können.

Die Walburga hat das Bäuerische nicht vergessen gehabt und doch allerhand Städtisches dazugelernt. Es ist gewiß nicht wahr gewesen, daß sie draußen ein schlechter Mensch geworden war, aber die Leute im Dorf haben allerhand wissen wollen und haben es ihr nicht leicht gemacht. Sie aber hat es still ausgehalten und es ist ihr Hilfe genug gewesen, daß die Mutter auf ihrer Seite gestanden ist und der Toni auch. Sie hat eine glückliche Hand gehabt und es sind nicht bloß die Nelkenstöcke im Fenster gewesen, die neu geblüht haben, seit sie wieder da war.

Es hat damals so hergeschaut, als müßte alles gut hinausgehen. Der Kaspar ist zufrieden gewesen, wenn er zum Schein hat anschaffen dürfen und wenn er sein Geld gekriegt hat und es ist ja die papierene Zeit gewesen, in der es gleich war, ob einer heut die Fetzen versäuft oder ob er sie morgen wegwirft.

Aber dann ist über Nacht die neue Mark gekommen und die Pfennigwirtschaft hat angefangen. Ein blanker Taler ist wieder rar gewesen und ein Bauer hat fest dahinter sein müssen, sonst haben sie ihm schnell Schulden angehängt und dann noch schneller den Hof zertrümmert.

Jetzt ist der Unfrieden angegangen. Der Kaspar ist tückisch geworden und hat den Herren herausgehängt hinten und vorn. Er hat das Geld vertan, das für das Saatgut gehört hätte und ist mit den Rössern in die Stadt gefahren, wenn sie auf dem Acker am notwendigsten gebraucht worden wären. Die Schwester hat er einen Fetzen geheißen und den Toni hat er beschimpft und er wüßte schon, wo sie hinauswollten, aber da hätten sie die Rechnung ohne ihn gemacht.

Zwischen den beiden ist gewiß die Liebe schon hin und her gegangen vom ersten Tag an, wo der Toni die Walburga an der Hand wieder in ihre Heimat geführt hat. Aber leicht haben sie es dieser Liebe nicht gemacht, denn es sind saubere und harte Menschen gewesen und sie haben sich schier feindselig voneinander gesprengt, wenn es sie allzuwild zusammengetrieben hat. Tief drinnen ist freilich wohl eine Süßigkeit gewesen, von der die schwachen Menschen nichts wissen, die gleich beim ersten Schub übereinanderfallen wie die Kegel.

Der Kaspar hat es immer schlechter getrieben, aber die zwei haben es ausgehalten, weil sie dableiben haben müssen, auf dem Grund und Boden, aus dem sie sich nicht haben reißen können. Die alte Mutter ist drüber gestorben, in Kummer und Verzweiflung. Und auf dem Sterbebett hat sie gesagt: »Was einem der liebe Gott nimmt, soll man ihm lassen, sonst bringt's einem der Teufel wieder!« Und es ist wirklich eine höllische Zeit geworden auf dem Fuchsbauernhof. Und dann ist das Verhängnis gekommen, Schlag auf Schlag.

Der Bauer hat dem Toni gekündigt. Das hat er schon oft getan gehabt, aber es ist immer ein leeres Gerede gewesen, von dem er am andern Tag nichts hat wissen wollen. Aber diesmal sind sie hart aneinandergefahren, und der Toni hat gesagt, jawohl, er geht; und hat in der ersten Wut den Koffer gepackt. Und der Kaspar hat eingespannt und ist über Land gefahren. Das ist im Jahr sechsundzwanzig gewesen, an einem Sonntag, mitten in der Erntezeit.

Der Toni hat wirklich fortgehen wollen, ohne Abschied, arm, wie er gekommen war vor fünfthalb Jahren auf die fremde Erde, die seine Heimat geworden ist.

Aber den Ackergrund hat er noch einmal anschauen wollen und das ganze Gehöft, das sauber und stattlich dagestanden ist, aus seiner Hände Arbeit und nur für einen, der es versaufen würde und verlumpen, noch vor dem Herbst.

Und wie er droben gestanden ist auf der Höhe und hat über den See hinübergeschaut auf die Berge, und es hat ihn schon bitter gereut, daß er dem Zorn nachgegeben hat, da ist auf einmal die Walburga neben ihm gestanden und in der Stunde sind sie ineinander aufgebrochen und haben sich nicht mehr gehalten, nein, sie haben sich losgelassen in ihrer Liebe und in ihr Schicksal. Und haben sich geschworen, daß sie den Hof halten wollen, bis zur letzten Kraft.

Und die Nacht drauf ist so schön gewesen im vollen Mond und so warm und hell vor Sommer, und da hab ich sie gehen sehen, über die Wiesen hinauf und sie sind in ihr großes Glück und in ihr großes Unglück gegangen.

Der Toni hat am Montag früh die Arbeit wieder angefangen und der Bauer hat getan, als ob nichts geschehen wäre. Er ist auch die nächste Zeit recht kleinlaut gewesen und die Ernte ist schier im Frieden hereingebracht worden. Auch der Toni war damals froh und voller Zuversicht.

Aber die Walburga hat das Unerlaubte zuerst spüren müssen. Sie hat es lang nicht glauben wollen und hat sich dann keinen Rat gewußt; wie das Kind in ihrem Schoß schon gelebt hat, da hat es der Toni noch immer nicht gemerkt in seiner

Schwerfälligkeit und gradheraus hat es ihm die Walburga nicht sagen wollen, weil sie noch und noch einen Ausweg sich erhofft hat.
Aber der Bauer, ihr Bruder, der Kaspar, der hat es gemerkt; der Teufel in ihm muß das gespürt haben, daß er jetzt die zwei Menschen ganz in die Hand bekäme, wie ers wollte. Er hat es ihr auf den Kopf zugesagt und wie sie sich hat herausringen wollen, ist er ganz falsch und freundlich geworden und hat an sie hingeredet, aber schon so vorsichtig, daß sie es zuerst lang nicht begriffen hat. Er hat aber nur wollen, daß sie von sich aus ihn um Hilfe angeht, das Kind wegzubringen, dann hätte er ein Messer in der Hand gehabt gegen sie. Aber wie sie gemerkt hat, auf was er hinauswill, hat sie ihn stehen lassen, ohne ein Wort.
Die Vernunft hätte noch zehn Wege für einen aus solchem Wirrsal gewußt, denn es ist noch nichts verspielt gewesen. Die Walburga hätte sich dem Toni entdecken müssen und vielleicht wäre es besser gewesen, sie wären dann miteinander fortgegangen, lieber in die Fremde und in die Not, als in die Schande und in den Tod. Die Frau als Kaspars Schwester hätte einen Antrag auf Entmündigung ihres verlotterten Bruders stellen können. Hernach, wie ich dem Toni das geraten habe, ist es schon zu spät gewesen, aber wir habens alle zwei nicht gewußt, ich nicht und der Toni nicht.
Die Vernunft löst die Menschen leicht voneinander, aber das Schicksal bindet sie mit Ketten zusammen. Wenn es nur sehende Menschen gäbe, Fenster gibt es genug, aus denen sie noch nicht herausgeschaut haben und Wege, die aus dem Finstern führen. Aber es muß schon so gewesen sein, daß die kindliche Komödie vom Mörder Kneissl und vom Scharfrichter zu Ende hat gespielt werden sollen und niemand weiß, um wessen Schuld willen.
Der Bauer ist, gegen seine Gewohnheit, auf die Abfuhr hin nicht herb geworden gegen seine Schwester, er hat gesehen, wie sie im Netz gezappelt hat und wie ihr die Frist kürzer geworden ist von Tag zu Tag. Es ist schon gegen den Advent hingegangen. Da hat er sie drum angeredet und hat gesagt, das werde sie doch selber nicht glauben, daß er sie als schwanger auf dem Hofe herumlaufen lasse und mit einem ledigen Kind. Und wie sie ganz verzagt gewesen ist, hat er gefragt, warum sie den Toni nicht heiratet. Und da hat sie's ihm gestanden, ausgerechnet ihm, dem sie's zuletzt hätte sagen dürfen, was wir alle erst erfahren haben, wie es zu spät war, viel zu spät; daß sie nach dem Gesetz noch verheiratet ist mit jenem Menschen, dem sie damals nachgelaufen ist in die Fremde und der jetzt wer weiß wohin verschollen ist. Und zuerst hätte es ihr nicht geeilt und jetzt wäre es ja doch wohl zu spät, denn bis bloß die Nachforschungen erledigt wären, wäre das Kind schon lang da.
Der Bauer hat keinen Funken von Anstand und Menschlichkeit mehr gehabt, so verrottet ist er schon gewesen. Er hat nur gesehen, daß ihm das Schicksal jetzt das Messer, das er braucht, in die Hand gespielt hat, ein Messer, mit dem er zustechen kann, wann er mag. Keinen Muckser dürfen die zwei mehr tun, wenn er mit dem droht, was er jetzt weiß.

Er hat recht geringschätzig gelacht und hat gesagt, wo kein Kläger ist, da ist auch kein Richter und wenn du den Mund halten kannst, hat es niemand gehört als dein Bruder. Und der Teufel müßte die Hand im Spiel haben, wenn das jemals aufkommen soll. Und die Walburga hat es nicht gemerkt, daß grad der Teufel schon in ihrem eignen Bruder steckt und ist dumm geworden und hat sich überreden lassen. Der Bauer ist dann gleich zum Toni gegangen und hat ihm die Augen geöffnet über den Zustand der Walburga und der gute Kerl ist ganz glücklich gewesen, daß der Bauer der Heirat nichts in den Weg legt.

Das alles ist erst hernach in der Verhandlung in Traunstein zur Sprache gekommen vor dem Schwurgericht; ich bin seinerzeit Bürgermeister gewesen und habe die zwei ohne Arg ausgehängt. Die Walburga ist als ledig fort und ist allein zurückgekommen und die andern Papiere sind alle in Ordnung gewesen. Der Pfarrer hat sie, wie es Brauch ist, dreimal von der Kanzel aufgeboten und um Weihnachten haben sie in aller Stille geheiratet.

Es hat jeder Rechtschaffene dem fleißigen und braven Paare das Beste gewunschen und gehofft, daß es jetzt Friede wird auf dem Fuchsbauernhof. Wir haben uns halt gedacht, daß der Bauer seine Pfründe dort hat und daß er lebt von der Arbeit der andern, bis er sich über kurz oder lang den Tod hergetrunken hat. Und dann hätten die zwei den Hof kriegen müssen.

Es ist aber anders gekommen, schon im Januar. Der Postbote hat eines Tags ein paar Zahlungsbefehle gebracht und es hat sich herausgestellt, daß der Bauer Schulden gemacht hat, in der Stadt, schon seit Jahr und Tag. Viel ist es nicht gewesen, aber wo keine Mark im Haus ist, da ist jeder Pfennig zu viel.

Der Bauer hat mit seiner Schwester geredet, die ist blaß geworden wie der Tod und hat geweint und der Toni hat sich nicht erklären können, warum. Der Bauer aber hat eingespannt und ist in die Stadt gefahren, seine Schulden zu bezahlen.

Zwei Wochen später hat er angefangen, ganz unverschämt vom Toni Geld zu verlangen. Der hat sich gewehrt, weil es der Hof nicht verträgt; er hat zu seiner Ehefrau gesagt, sie müßte jetzt gleich zudrehen bei ihrem Bruder, sonst verträpfle das ganze Gut oder fange gar zu rinnen an. Aber die Frau hat gemeint, man solle die paar Mark hergeben um des lieben Friedens willen; und lang mache es der Kaspar ja doch nimmer. Aber der brauchte es nicht mehr lang zu machen, denn er hat gleich drauf, allem Nachgeben zum Trotz, zum härtesten Schlag ausgeholt: An Lichtmeß nämlich hat der Kaspar erklärt, daß er jetzt den Hof verkaufen will und in die Stadt ziehen; er hat es satt, als der Bauer und Herr bei der Lumpenverwandtschaft um jeden Pfennig betteln zu müssen.

Damals ist der Toni in seiner höchsten Not zu mir gekommen. Jetzt im Winter, wo die Frau das Kind erwartete, hat er ja nicht fortkönnen und zum Aushalten ist es nicht mehr gewesen. Wenn der Hof nicht zum Halten war für den Erben, dann hatte es keinen Sinn mehr, in der Hölle dieses Teufels zu leben.

Wir haben uns im Gemeinderat zusammengesetzt und sind entschlossen gewesen, dem ärgerlichen Treiben des Trunkenbolds ein Ende zu machen. Wir sind uns

einig gewesen, daß die Walburga gegen den Bruder Entmündigungsklage anstrengen muß. Der Toni hat sich gewehrt dagegen, er hat nicht haben wollen, daß es heißt, er hätte sich in den Hof gesetzt und den Bauern hinausgedrückt. Endlich haben wir ihn soweit gehabt, daß ers wenigstens mit der Frau hat besprechen wollen. Er ist aber noch den selben Abend ganz verstört wieder zu mir herüber gekommen und hat gesagt, die Frau hätte ihn kniefällig gebettelt, nichts Gerichtsmäßiges gegen den Bruder zu unternehmen. Wir sind wie vor den Kopf geschlagen gewesen, aber der Toni hat uns auch nichts erklären können. Er hat uns nur immer wieder gesagt, daß ihm alles so spaßig vorkommt.
Denselben Abend ist einer, der um die Entmündigungsgeschichte gewußt hat, ich will ihn nicht nennen, er trägt selber schwer genug dran, im Wirtshaus mit dem Kaspar zusammengerumpelt. In seinem rauschigen Zorn hat er drauf hingespielt, dem Bauern würde das Handwerk schon gelegt und wie ihn der immer hitziger hinaufgetrieben hat, da hat er es ihm ins Gesicht gesagt, daß ihn die Schwester unter Kuratel stellen läßt, damit einmal ein End hergeht mit dem Luderleben.
Und der Bauer wird ganz weiß im Gesicht vor Wut und schreit, daß es alle Leute hören müssen: Daß er seine Schwester leichter ins Zuchthaus bringen könnte, als sie ihn ins Narrenhaus und daß das der Dank wäre dafür, wenn man sich schlechte Menschen herfüttert, daß sie einen vom eignen Hof hinausdrücken möchten. Und morgen früh fährt er in die Stadt und verkauft das ganze Sach an den nächstbesten Juden und die Schandarmen bringt er auch gleich mit.
Alle haben auf ihn eingeschrien, was das heißen soll, aber der Kaspar hat sich mit den Fäusten Platz gemacht und ist aus der Tür hinaus.
Am andern Tag in der Früh ist er wirklich in die Stadt gefahren. Bis sich das besoffene Gerede vom Abend vorher herumgesprochen hat, und bis wir recht gewußt haben, ob wir es ernst nehmen sollten, ist es wieder Nacht geworden und alles ist dann schon geschehen gewesen.
Der Toni hat im Morgengrauen den Bauern im Stall gehört und ist hinunter, nur in Hemd und Hosen. Der Kaspar hat auf seine Frage bloß wüst gelacht und gesagt, der Herr Schwager wird schauen, was für Gäste heut abend ins Haus kommen: für ihn, damit ihm der Schnabel sauber bleibe vom Hof, der Güterzertrümmerer und für die Schwester der Schandarm.
Der Toni, voll Herzensangst, bittet, so grausame Späße sein zu lassen, er faßt den Kaspar, der sich schon auf den Bock schwingen will, am Arm und sagt: »Kaspar«, sagt er, »als Kinder haben wir zusammen gespielt, sechs Jahr hab ich dir den Hof erhalten als Knecht und hab nie mehr wollen, als daß ich dableiben darf, deine Schwester trägt ein Kind von mir —«, aber der Bauer ist schon droben und greift nach der Peitsche. »Eher soll alles verrecken, als daß ihr Erbschleicher den Hof kriegt!« schreit er zurück und zieht aus und will gegen den Toni hauen, aber der Wagen ruckt an und er hat Mühe, sich auf dem Bock zu halten.
Das alles hat der Verteidiger vom Toni dem Richter und den Geschworenen erzählt und auch das andre, was noch kommt. Aus dem Toni selber ist während der

Verhandlung fast nichts herauszubringen gewesen. Er hat bloß immer ja gesagt und nein. Er hat ein Mörder sein wollen, damit sie ihm den Kopf abschlagen. Das Leben hat ohne die Bauernarbeit, ohne die Heimat keinen Sinn mehr für ihn gehabt.

Er ist also damals in der Früh wieder in die Schlafkammer hinauf, die Walburga ist wachgelegen und er hat nur gesagt: »Erzähl!« Und da hat sie ihm alles gebeichtet und er hat wieder nur gesagt: »Auf dieser Welt kann nichts mehr gut werden!« Und dann hat er ein Messer genommen und es ihr mitten ins Herz gestoßen. Wie der Richter gefragt hat, warum haben Sie denn die Frau umgebracht, da hat er gesagt, weil sie mich so erbarmt hat. Aber der Richter hat das nicht begriffen. Der Toni hat die Leiche in der Kammer liegengelassen und hat zugesperrt; dann ist er in den Schuppen hinunter und hat gewartet. Den Hackstock hat er mitten hingestellt und das alte Beil hat er in der Hand behalten. Zwölf Stunden lang hat er sich fast nicht gerührt. Wie ihn der Richter gefragt hat, an was er während der ganzen Zeit gedacht hat, sagt er, wie der Kaspar und ich als Kinder da gespielt haben, wie ich ihm sechs Jahre lang den Hof gehalten hab wie ein Knecht und daß ich von seiner Schwester ein Kind gehabt hätte, das einmal der Bauer geworden wäre. Sonst nichts? hat der Richter gefragt und hat es wieder nicht begriffen.

Um sieben Uhr ist der Bauer heimgekommen, allein und betrunken. Der Toni hat ihn im Finstern gepackt, ohne ein Wort zu reden, hat ihn auf den Hackstock gedrückt und ihm das Genick mit einem Hieb durchgeschlagen. In der kalten Nacht

ist er den ganzen Fuchsbauernhof ausgegangen. Im hellen Vollmondlicht, im Februar, es ist ein bißchen Frühling schon gewesen. Über alle Felder ist er gegangen, den Wald entlang und an den See hinunter. Da hat er sich die Hände gewaschen, mit einem Brocken Erde, im eisigen Wasser. Nach Sonnenaufgang hat er bei mir angeklopft und sich gestellt. Ich habe ihn derweil in die warme Stube sitzen lassen. Wie ihn gegen Mittag die Landjäger haben holen wollen, hat er geschlafen, daß er schier nicht zum Aufwecken gewesen ist.

Der Regenschirm

Zu Pfingsten war damals ein blankes, brausendes Vorsommerwetter und kein Mensch hätte einen Regenschirm gebraucht. Die Witwe Afra Kögel aber war altmodisch genug zu glauben, eine rechte Reise sei ohne ein solches Rüstzeug nicht zu bewerkstelligen. Und so gab sie ihrem Sohn Jakob, der über die Feiertage nach Grafing fuhr zur Tante Berta, einer Vatersschwester, den neuen, guten Schirm mit, unter immerwährenden bösen Ermahnungen, ihn nirgends stehen zu lassen, ja, unter der heftigen Drohung, sie werde ihn erschlagen, wenn er das kostbare Stück nicht unversehrt wieder mitbrächte.

Der Bub machte mancherlei Ausflüchte. Er wollte den unerwünschten Reisebegleiter lieber gar nicht mitnehmen, aber er mußte wohl oder übel, die Mutter drückte ihm den Schirm in die freie linke Hand; in der rechten trug er den Koffer, ein verwetztes, billiges Ding, viel zu groß für die Siebensachen, die er barg. Aber es hofften beide, Mutter und Sohn, die Tante würde es auch bemerken, wieviel da noch Platz drin wäre für ein paar Pfund Schmalz und Mehl oder was sie sonst den ärmeren Verwandten schenken wollte, über die Guttat hinaus, daß sie den Jakob aufnahm für die paar Feiertage.

Noch im letzten Augenblick versuchte der Bub sich des lästigen Schirms zu entledigen. Er stellte ihn einfach in die dunkle Ecke des Hausgangs, rumpelte die Stiege hinunter und schlich, an der Mauer entlang, davon.

Aber da hörte er auch schon die gellende Stimme der Mutter, die ein Fenster aufgerissen hatte und ihm nachschrie, das könnte ja gut werden, wenn der Lauskerl den Schirm daheim schon stehen lasse. Und unter den Blicken und Zurufen der rasch aufmerksam gewordenen Nachbarschaft mußte er bis unters niedere Fenster des Oberstocks treten, und die Mutter schutzte ihm den Schirm zu, laut keifend die Drohung wiederholend, daß sie ihn umbringen würde, wenn er ihr ohne den Schirm wieder unter die Augen träte.

Der Bub lief davon — eilig, schamvoll geduckt; er schlenkerte den Koffer, er hielt in der verkrampften Hand den Regenschirm, diesen lächerlichen und gefährlichen Schatz, den er zu hüten hatte, diesen tückischen Teufel, nur gemacht, ihm seine Ferien zu verderben, immer bereit, sich zu verstecken, dem Gedächtnis zu entschlüpfen, wie ers jetzt im Geist schon vor sich sah, der Jakob, der arme Kerl, der den Schirm schüttelte vor Wut und doch Angst vor ihm hatte und vor dem Unheil, das in ihm steckte.

Denn erbarmungslos würde die Mutter ihn schlagen; ein böses Weib war sie, und das sagten jetzt auch die Nachbarinnen, die beim Krämer standen und die Geschichte aufwärmten von Afras seligem Mann, der ein guter Mensch gewesen sei, nur daß er zuletzt getrunken hätte, aus lauter Gram über die Frau. Und ob das wirklich bloß ein Unglück gewesen ist, damals vor zehn Jahren, wie er im Auer

Mühlbach ertrunken ist, das ist noch lange nicht ausgemacht. Die Afra aber ist seinerzeit wenig getroffen gewesen: »Jessas Maria und Josef«, hat sie bloß gejammert, »muß das grad heut sein, wo er das gute Gewand angehabt hat und die goldene Uhr einstecken.«
Und die Frauen wandten nun ihr ganzes Mitleid dem Jakob zu, der mehr Schläge als Essen kriege, ein braver Bub, nur ganz verkümmert vor lauter Muffigkeit und Ungutsein der Mutter.
Inzwischen war der Jakob auf den Bahnhof gekommen, atemlos und gar nicht mehr zu früh; denn die große Uhr über dem Eingang tat gerade einen bösen Ruck, sie hatte eine von den zehn Minuten gefressen, die noch bis zum Abgang des Zuges waren; und viele Leute standen in Reihen vor den Schaltern, alle schon aufgeregt und auch unbeholfen mit ihren Rucksäcken und Koffern, ängstlich, daß ihnen nichts abhanden komme und daß kein Zwischenfall die eben anzutretende Reise störe.
Der Bub stellte sich hin, ward in den Engpaß geschoben, wußte nicht, wie er Schirm und Koffer tragen sollte und das Geld dazu, das er aus der Hosentasche geholt hatte und in der schwitzenden Faust preßte. Er stand jetzt am Schalter, schrie erregt und überlaut durchs Fenster hinauf, was er sich selber so oft vorgesagt hatte: »Sonntagskarte vierter Klass' nach Grafing!« — »Ort oder Bahnhof?« fragte der Beamte zurück. Der Bub wußte es nicht, noch einmal sagte er, ängstlich diesmal und flehend, das eingelernte: »Sonntagskarte vierter Klass' nach Grafing!« Ein Herr hinter ihm, mit einem brandroten Schnauzbart, in einer Jägerjoppe, mischte sich hinein: der Bahnhof sei weit weg vom Markt, ob er, der Bub, in den Ort wolle. Ja, er besuche die Tante Berta in Grafing, stotterte der Jakob. »Also Grafing-Markt«, entschied der Herr, und der Kleine legte das Geld klimpernd auf die Steinplatte, bis zu der gerade sein Kopf reichte. Der Beamte, brauenrunzelnd hinter der Brille, erklärte mit unwirschem Bedauern, das Geld lange nicht. Jakob stand hilflos da und rührte sich nicht. Er begriff dunkel, daß das mit anderen Worten heiße, daß er nicht fahren könne, daß er wieder heim müsse. Die Mutter habe ihm nicht mehr mitgegeben, klagte er weinerlich; und als der Beamte, unter der wachsenden Ungeduld der Nachdrängenden, mit herausgeducktem Kopf, mit einer Stimme zwischen Mitleid und Ärger wiederholte, es seien um fünfzig Pfennig zu wenig, sagte Jakob abermals, diesmal schon unter springenden Tränen, mehr habe ihm die Mutter nicht gegeben — als wolle er damit die ganze Verantwortung für diese peinliche Lage den Erwachsenen zuschieben.
Scheltende Stimmen wurden laut; in der Tat galt aller Zorn der Mutter, aber wirksam wurde er nur gegen den Knaben, weil andere Leute auch verreisen möchten und der Schalter dazu bestimmt sei, Gäste mit abgezähltem Fahrgeld abzufertigen. Da aber machte der Herr mit dem brandroten Schnauzbart dem Streit ein Ende, indem er aus der Tasche seiner schilfgrünen Jägerjoppe ein blankes Fünfzigpfennigstück fingerte und es zu den übrigen Münzen warf, lachend, wegen der paar Kreuzer werde doch niemand dem Buben seine Pfingstfreude verderben wol-

len. Jakob schaute den Herrn an, mit einem innigen und doch verwirrten Blick zugleich griff er nach der hingeschobenen Fahrkarte, nahm seinen Koffer auf und stolperte hinweg. Hallo, rief der Herr ihm nach, deshalb brauche er seinen Schirm nicht stehen lassen, der Herr Professor, Schirmvergesser, so viel Zeit wäre schon noch; und er hing dem Buben, dem das Blut ins Gesicht schoß vor Scham und Aufregung, unter gemütlichen Späßen das schwarze Ungetüm über den Arm.

Jakob aber preßte den Schirm an die Brust, stammelte ein paar Dankschön! und Vergelts Gott!, zwängte sich durch die Sperre, fragte jedermann, wo der Zug nach Grafing abgehe. Und als er, durch einen Tunnel geschickt, wieder auftauchend, die lange Wagenreihe vor sich sah, schon dicht mit Reisenden gefüllt, da wollte er es noch oft und oft bestätigt wissen, daß er hier recht sei, ehe er einstieg und sich schnaufend und schwitzend auf ein bescheidenes Plätzchen setzte. Jetzt erst wagte er, zu sich selber zu kommen und mit scheuen Blicken aus dem Fenster zu spähen. Schau, da kam auch der brave Herr, der jetzt ein Gewehr umgehängt hatte, einen Rucksack trug und einen munteren, hellbraunen Dackel an der Leine führte. Der Herr ging geradewegs auf den Wagen zu, es war ja auch keine Zeit mehr zu ver-

lieren, denn der Mann mit der roten Mütze hob eine kleine, schwarze Pfeife an den Mund und tat ein paar gellende Pfiffe. Mit einem heftigen Rumpler fuhr der Zug an und »Hoppla!« rief der Herr, der gerade im Gang stand und durch den Ruck aus dem Gleichgewicht kam, so daß er sich mit hartem Griff an der Schulter des Knaben festhalten mußte. Und zu seinem Hunde gewandt, meinte er fröhlich, beinahe hätten sie — und er bezog den Waldl mit ein — ums Haar hätten sie das Büberl zerdrückt, aber es sei noch einmal gut hinausgegangen.
Der Knabe aber stand auf, um dem Herrn Platz zu machen; es gab sich jedoch, indem die andern Fahrgäste zusammenrückten, daß die Bank für beide noch langte und den Hund obendrein, der, halb auf dem Schoß seines Herrn, mit seiner Schnauze schier an des Jakobs Gesicht streifte und auch wirklich immer wieder versuchte, ihm die Wange zu lecken. Über den Ermahnungen des Besitzers, derlei Unfug zu lassen, der freundlichen Versicherung, daß der Waldl nicht beiße, begann ein Gespräch des ganzen Abteils. Der Kleine, zutraulich werdend, streichelte den Hund, ohne freilich seinen Schirm auszulassen, den er mächtig vor sich aufgepflanzt hatte. Diesem Schirm wandte sich bald der gutmütige Spott der Fahrtgenossen zu; wo das Mordstrumm Parapluie mit dem Knirps hinwolle, ob er damit Heuschrecken fangen möchte, und da müßte er, lachte der Herr, ja aufpassen, denn sonst ginge es ihm wie seiner seligen Großmutter. Und er gab die Geschichte zum besten, wie die alte Frau vertrauensselig die großen grünen Heupferde, die er, als Kind damals, von den Wiesen gegriffen hatte, bösblickende, zangenmäulige, strampelnde Gesellen, in ihrem neuen, grauseidenen Sonnenschirm beherbergt habe. Als sie aber des Abends, heimgekehrt, den Schirm aufspannten, um die Burschen in einen gläsernen Gewahrsam zu überführen, da hätten nur faustgroße Löcher im Tuch gezeigt, welchen Weg in die Freiheit die Bestien genommen hatten.
Gottlob, es war nicht dieser, war nicht Jakobs Schirm, und der Bub lachte über die Geschichte. Aber die Gedankenverbindung von Schirm und Zerstörung genügte doch, um ihn gleich darauf wieder trüben, besorgten Blicks vor sich hinstarren zu machen.
Wie er heiße, wo er wohne, ob er noch in die Schule gehe und was er werden wolle, ermunterten nun mit ihren Fragen die Nachbarn das scheue Kind, und es gab zuerst einsilbige Antwort. Aber daß er ein Uhrmacher werden möchte, im Herbst, wenn er aus der Schule wäre, das sagte der Bub mit solcher Bestimmtheit und Freude, daß der Herr ihm wohlwollend auf die Schulter klopfte. Und es erwies sich, daß er selber einer war und nicht abgeneigt schien, den Jakob in die Lehre zu nehmen. Und als er gar seinen Namen auf einen Zettel schrieb und damit zeigte, daß es ihm Ernst war, da leuchteten die Augen des Buben, und die holde, tiefverschüttete Lebensgewalt der Jugend sprang quellend schön in sein blasses Gesicht.
Indes hatte der Zug soeben den Bahnhof Grafing erreicht; es gab ein rasches und fröhliches Abschiednehmen, der Hund bellte, alle halfen dem Kind beim Ausstei-

gen und wiesen ihm das Bummelbähnchen, das schon schnaufend bereit stand. Den Schirm aber hielt Jakob fester denn je in der Faust.

Er habe auch so einen Buben gehabt, sagte der umgängliche Herr im Weiterfahren, und grad in dem Alter ungefähr, mit vierzehn, sei er ihm weggestorben, vor zwei Jahren — und er schaute wehmütig in die wälderflammende Landschaft hinaus. Und so gehe es auf der Welt, die einen müßten ihre Kinder hergeben und die andern wüßten nicht, was sie dran hätten. Denn, daß der Bub da ein liebes Bürschel wäre, nur ganz verschreckt und wie eingefroren vor lauter Angst und Geducktsein, das sähe einer auf den ersten Blick. Aber er wollte ihn schon wieder auftauen, meinte der Herr und hatte jetzt nur Sorge, der Kleine könnte den Zettel verlieren und so den künftigen Meister nicht wiederfinden. Damit stand er auf, rückte den Hut und verließ den Wagen, zwei Haltestellen hinter Grafing. Und die Reisenden sahen ihn noch mit dem Hunde dem Walde zustreben.

Jakob war samt Koffer und Regenschirm wohlbehalten bei der Tante Berta angekommen. Die Vatersschwester, auch eine Witfrau in kargen Umständen, war gut zu dem Buben und freute sich, wie er aufblühte in den zwei Tagen, munter und gesprächig, wie sie ihn gar nicht kannte, immer wieder von dem Herrn erzählend, der das Fünfzigpfennigstück großherzig für ihn hingelegt und der versprochen hatte, ihn die Uhrmacherkunst zu lehren. Und nur mit Mühe konnte sie ihn davon abhalten, daß er nicht am heiligen Pfingstsonntag die alte Küchenuhr zerlegte, mit dem großspurigen Versprechen, sie wieder in Gang zu setzen. Kinder haben eben, so dachte sie, Lachen und Weinen in einem Sack, und sie sah es als gutes Zeichen, daß die Kümmernis seines schlimm bedräuten Lebens doch nicht tiefer eindrang in das jugendkräftige Herz und noch leicht abzuwischen schien, mit ein paar so frischen Tagen wie diesen. Und nur, daß der Jakob so weich war im Gemüt, das machte ihr Sorge. Denn wie sollte er so seine Mutter bestehen, die Afra, die zäh war und zornig und die schon den Mann zermürbt hatte, Jakobs Vater, daß er lieber als Trinker verdarb und ins Wasser ging.

Es war dann ein bitterer Abschied, wie der Bub gehen mußte, am Montag abend; und die Witwe, die selber nichts Überflüssiges hatte, gab dem Jakob mit, was nur in den Koffer hineinging. Und bloß der Gedanke tat weh, daß auch die andere, die böse Schwägerin, sich gütlich tun würde an den Leckerbissen, die sie sich abgespart. Und einen mächtigen Strauß Pfingstrosen aus dem Gärtlein band sie auch noch zusammen, ehe sie den Buben zur Bahn schickte.

Am Abend dieses zweiten Pfingsttages brandeten überall die glühenden und blühenden Wellen der rückströmenden Ausflügler an die Bahnhöfe und überfluteten die Züge. Doppelt und dreifach wurden die gefahren. In Trauben hingen die Menschen sich an die Trittbretter; wie von schwärmenden Bienen war das Gewühl und der summende Lärm der Fröhlichen und der Müden. Wanderer und Radfahrer, Wassersportler und Schiläufer, Jäger und Fischer waren darunter, alte Männer am Stock und selige Liebespaare und junge Väter, ihr Söhnchen im Nacken reitend, Mütter, die welken Kinder wie Sträuße an die Brust gedrückt. Ja, und die Blumen

selber: die prangende Pfingstherrlichkeit flog wie eine bunte Schleppe mit stadteinwärts in den schwarzen Zügen, in Kränzen von Feldblüten, in Büschen von Waldgrün, im Bruch der geplünderten Gärten.
Auch in Grafing waren die Bahnsteige voller Menschen, die in die große Stadt zurückwollten und nun ungeduldig, sturmbereit auf das Heranrauschen der Züge und das Aufleuchten der goldenen Lichter warteten. Denn es war schon später Abend; im Westen verglühte noch der erkaltende Tag, über den Scheitel des Himmels aber zog ins lichtere Blau hinein schon die Finsternis und die Sterne brannten auf.
Jakob stand hart an den Gleisen, als der Zug einfuhr. Er war aufgeregt und unschlüssig, wo er einsteigen sollte. Da hörte er sich angerufen und sah, aufblickend, den gemütlichen Herrn dicht über sich; er hatte sich aus dem Fenster gebeugt, in die milde Luft hinaus, auf den wilden Kampf der Andrängenden zu spähen, mit jenem Behagen, das einer empfinden mag, der sich selber geborgen weiß. Für einen Knirpsen wie Jakob sei schon noch ein Plätzchen frei, lachte er, der Bub sollte nur versuchen, sich hereinzudrücken.
Da stand nun der Kleine, indes der Zug anfuhr; und er war glücklich. Denn das war eine über alle Maßen beseligende Wendung gewesen, ein holdes Eingreifen des guten Geschicks, das ihn da aus seiner ängstlichen Verlassenheit zum drittenmal seinem neuen Freunde zugeführt hatte.
Und der Hund war auch da. Er schlief auf einem zusammengerollten Mantel, aber jetzt hob er den Kopf; und kein Zweifel, er erkannte den Jakob wieder. Und ein Fräulein, ein sehr nettes und freundliches Fräulein, das einen ungeheuren Margeritenstrauß in den Armen hielt, rückte ein bißchen zur Seite. Jakobs Koffer aber schwang ein vierschrötiger Mann leicht und hoch auf das Gepäckbrett, über einen Berg von Rucksäcken und Blumen hinweg.
Da durfte er nun sitzen, wieder nah bei dem Hunde, dem Herrn gegenüber, der sich den Bart strich und liebevoll zu ihm herübersah. Wie gut doch alle diese fremden Menschen zu ihm waren, dachte er, und eine Süßigkeit brach in ihm auf, als sei nun doch das Leben freundlichern Mächten untertan. Und er hoffte, der Herr würde abermals davon beginnen, wie er ihn zum Lehrling nehmen wollte; ihn verlangte nach einer neuen Bestätigung. Der Herr aber lachte, ein bißchen listig lachte er, schmunzelnd und recht behaglich und deutete auf den Strauß üppiger Bauernrosen in Jakobs Arm: Da sei ja, sagte er, ein Pfingstwunder geschehen, da habe sich ja, sagte er, der schwarze Regenschirm in rote Rosen verwandelt!
Regenschirm, Regenschirm. Der Bub saß da, starr und bleich. Ein schreckliches, aber dem Verstand wie dem Herzen gleich unfaßbares Wort war in ihn gefallen. Es lag in seiner Brust wie eine Sprengkapsel, es mußte ihn zerreißen, wenn es aufbarst in Begriffe und Gefühle: Regenschirm! »Um Gottes willen«, sagte der erschrockene Herr und holte mit beiden Händen den völlig entgeisterten, stumm und tränenlos blickenden Buben auf seine Knie herüber. Ob er denn den Schirm stehengelassen hätte und wo, ob bei den Verwandten oder im Zug vom Markt zum

Bahnhof oder ob auf dem Bahnhof selber. Und da fing das Kind zu zittern an, aber weinen konnte es nicht. »Ich weiß nimmer!« Es war viel zu hoffnungslos, um nachzudenken. Regenschirm, dachte es und sonst nichts. Nur hinter dieser schwarzen Wand brannte es von höllischen Feuern.

Noch einmal versuchte es, eindringlicher und fast streng, der Uhrmacher. Aber tonlos, aus einer tiefen Verzweiflung heraus, sagte der Bub wiederum: »Ich weiß nimmer!«

Der ungeschlachte Mann vom andern Ende der Bank, derselbe, der so hilfreich den Koffer besorgt hatte, horchte mit halbem Ohr herüber; ob der Bub seinen Schirm stehen lassen habe, das gebe ein Ohrwaschelrennen daheim und das wären fröhliche Pfingsten. Er stieß ein polterndes Gelächter durch seine Zahnlücken. Nun aber verwies ihm das Fräulein, das in ihren Blumen fast eingeschlafen war, den Buben so zu schrecken. Und was dem Herrn nicht gelungen war, das vermochte jetzt die Stimme, ja einzig die Stimme der Frau: der Kleine brach in ein schluchzendes Weinen aus, langsam schmolz die grausame Spitze seines Schmerzes. Der brave Herr, in dessen Joppe er hineinweinte, zog ein mächtiges, rotgewürfeltes Schnupftuch aus der Tasche und wischte die Tränen fort. Er solle aufpassen, lachte er — und er war ja selber froh, daß der Bub nicht mehr so glasig starrte —, ja aufpassen sollte er, daß es keine Überschwemmung gebe, da im Wagen herin, und daß es den Waldl nicht forttreibe in dem Tränenstrom. Und der Bub, der einen scheuen Blick hinüberwarf auf den Hund, der gerade aus dem Schlafe sich rührte, tat einen tiefen Schlucker und Seufzer. Und dann lächelte er, lachte und weinte in einem und strich leise über das Fell des Tieres. Der Herr aber nahm die Gelegenheit wahr, den Buben wieder auf seinen Platz zu setzen. Ermutigt durch die lösende Wirkung, die seine Späßchen getan, fuhr er fort und er meinte es jetzt nicht schlechter als vorher und scherzte, drei Tage lang beim strahlendsten Sommerwetter, habe der Bub den Schirm mit sich herumgeschleppt und nun, bei einem solchen Platzregen von Tränen, habe er ihn nicht dabei.

Und als der Bub jetzt stiller wurde, nicht mehr weinte, da ahnte der Gute nicht, daß er in der kleinen Seele mit der bloßen Erwähnung des Schirms wieder den vollen Sturm heraufbeschworen hatte; nur daß, was zuerst eine nackte, grifflose Wand des Entsetzens von Hirn und Herz abgeschlossen, nun in hundert einzelnen Bildern und Gestalten hemmungslos durch ihn hinbrauste.

Jetzt dachte er, wo er den Schirm stehen gelassen haben könnte, aber seine Erinnerung verwirrte sich. Er sah sich da und dort, durch diese drei Tage zurückgehetzt, mit Schirm, ohne Schirm, mit Schirm, ja, er sah den Schirm allein, in ein lebendiges Wesen verwandelt, als einen höhnischen Kobold umherhüpfen.

Er baute sich kleine Hoffnungen auf und zerbrach sie wieder: wie die Tante den Schirm entdecken würde, daheim friedlich an die Küchentür gehängt, wie der Schaffner in der Kleinbahn, der liebe, kleine Schaffner mit dem Zwicker an der Schnur schmunzelnd den Schirm finden würde im verlassenen Wagen: »Schau, das

ist ja der Regenschirm des Putzelmännchens, gleich werd' ich ihn der Tante bringen...« Und jetzt wußte er auch: damals, als der Schaffner ihn Putzelmännchen nannte, hatte er den Schirm noch gehabt.
Aber er hatte ihn nicht mehr. Und seine Mutter würde nicht Putzelmännchen zu ihm sagen, nein, sie würde ihn anschauen mit argen Augen und würde fragen: »Wo ist der Schirm?« Und jetzt schon, und immer wieder, hatte Jakob diese schreckliche Frage zu bestehen; aber er konnte sie nicht bestehen, es gab kein Entrinnen.

Es war nun ganz still im Zug; die Menschen schliefen, rauchten, dösten vor sich hin. Von beiden Seiten flogen die Lichterketten der Straßen und Gleise der großen Stadt zu.
Es war heiß im Wagen; der Zug ratterte und rauschte hohl. Der vierschrötige Mann schnarchte mit offenem, schwarzzahnigem Mund, das Fräulein war ganz in ihren Margeritenstrauß gesunken, und auch der Herr war eingenickt; der Gemsbart auf seinem Hut schlug im Takt der stoßenden Räder.
Jakob saß wie in einer Verzauberung. Der Regenschirm, der Regenschirm, klang und schaukelte es, aber immer ferner, immer brausender. Dichter und dichter, wie steigende und fallende Dämpfe, wogte die Angst herauf, senkte sich die Qual hernieder. Lange, scharfe Messer blitzten durch, schnitten und stachen: der Schirm war nicht da. Dann schmerzten sie nicht mehr. Jakob war eingeschlafen.
»Wir sind da!« sagte eine gute, holde Stimme neben ihm. Er war nicht mehr auf dieser Welt. »Wir sind da!« hallte es in seinen Traum hinein; es war unendlich süß, sich hinzugeben.

Da ruckte er auf. Der Zug dröhnte. Die Menschen waren erwacht. Sie holten ihr Gepäck und machten sich fertig. Sie sahen alle so fremd aus; keiner sprach zu dem andern. Gleich würde der Zug einfahren. Der Herr hatte sich ermuntert. Er hatte das Fenster geöffnet und sich in die Nacht hinausgelehnt, in den immer dichter werdenden Glanz huschender Lichter. Das Fräulein war schon ein Stück gegen den Ausgang vorgetreten und der vierschrötige Mann holte gerade Jakobs Koffer herunter. Den Kopf werde ihm niemand abreißen wegen dem Schirm, sagte er geringschätzig; und wer denn gar so zu fürchten sei daheim, der Vater oder die Mutter?

»Die Mutter!« preßte Jakob hervor. Mit schrecklicher Wucht war in diesem einen Augenblick das ganze Verhängnis wieder auf ihn niedergestürzt, alle die kleinen Schächte des Lebens und der Hoffnung hatte es ihm eingedrückt. Jetzt, vielleicht am Bahnhof schon, unentrinnbar, ohne Gnade, mußte er Antwort geben auf die grausame Frage: »Wo ist der Schirm?!«

Die Gesichte in ihm überstürzten sich. Konnte nicht die Mutter tot sein, tot, für immer verstummt, der böse fragende Mund? Nein! Konnte er nicht krank sein, spürte er nicht das Fieber in sich, Hitze und Frost in jagenden Stößen, wankten ihm nicht die Knie? Nein. Konnte nichts geschehen, lieber Gott, was denn, irgend etwas, die Sterne vom Himmel, nein, er wußte nichts. Nichts. Unentrinnbar. Alles brauste.

Der Herr lehnte breit im Fenster. Der Hund fing zu bellen an. Das Fräulein hing, halb stehend, erschöpft über ihrem Strauße. Eine Stimme sagte tröstend: »Gleich kommen wir jetzt ins Heiabettchen!« Ein Kind weinte.

Jakob hörte und sah alles unter brandenden Wellen der Qual. Konnte sich ein so kleiner Mensch nicht so gering machen vor Angst, daß er verging? Nein. Er war da und der Schirm war nicht da. Nichts mehr konnte dazwischentreten. Nichts. Die Stadt war erreicht. —

Der Stoß war von schmetternder Wucht. Das Licht platzte in Flammen und Finsternis. Stille lag einen schrecklichen Augenblick lang schwer über dem ganzen Zug. Dann hörten die Menschen, langsam fast, ein gräßlich heranschwellendes Geräusch. Das Mahlen und Schmatzen ungeheurer Kiefer. Holz brach und barst, Fenster klirrten, Eisen knirschte und sprang. Nun hatte der malmende Biß auch Jakob erreicht und die, die mit ihm fuhren. Und jetzt tönte spitz und martervoll ein einziger Schrei des Schreckens und des Schmerzes die Wagen entlang, ein hohles, heulendes Wimmern. Und dann erst löste sich das begriffene Unglück in den schauerlichen Wirrwarr seiner Einzelheiten.

Jakob erwachte halb, vom Fackellicht und nahe rufenden Stimmen. Er spürte einen fernen Schmerz, er hörte ein schluchzendes Wimmern von weit her. Schmerz und Klage, unscharf verschwimmend, näherten sich einander, schärfer, deutlicher, und jetzt schmolzen sie in ihn ein; er selbst war es, der in Schmerzen lag und stöhnte. Dann wieder sprang alles weg, huschend wie Schatten.

Er sah, wie fremde Männer das Fräulein fortführten; es hielt den weißen Margeritenstrauß fest in den Händen und weinte bitterlich. Und große, rote Tropfen fielen auf die Blumen. Der Herr aber schaute immer noch zum Fenster hinaus, obwohl er, Jakob, hier lag und obwohl die fremden Männer das Fräulein fortführten. Das Fenster freilich schien so seltsam schmal; und alles war so schief und wirr, wie in der Hexenschaukel damals auf dem Oktoberfest. Und es wurde ihm auch schon wieder so schlecht. Er hörte noch eine Stimme: »Was ist denn mit dem Buben da?« Er wurde wohl fortgetragen. Wohin? Er wandte den Kopf und jetzt schaute ihn der Herr an, aus dem Fenster gebeugt, und er lachte. Und die Hand hatte er ausgestreckt. Ja, er würde schon kommen, und ein Uhrmacher werden. Aber wo war der kleine Hund geblieben?

Die Witwe Afra Kögel hatte bis um elf Uhr auf die Heimkehr ihres Sohnes gewartet. Sie saß bekümmert in der kahlen Küche im grellen, ungeschirmten Licht und flickte an einem Hemd. Sie hatte keine Zeit gehabt, Pfingsten zu feiern. Einer armen Witwe, die tagaus, tagein am Waschtrog steht, kommen ein paar Feiertage gerade recht, um daheim Ordnung zu schaffen. Nichts wie Sorgen hat man, so allein in der schlechten Welt, und da solle man nicht selber hart werden, wenn es einem so hart gemacht wird. Und wo kommt die Wirtschaft hin, wenn man nicht pfenniggenau ist und alles zusammenhält? Und gar mit einem heranwachsenden Buben wie dem Jakob. Der ist dem Vater nachgeraten. Viel zu weich und schusselig, und der wird dann auch einmal ein Säufer wie der Vater. Aber die Leute mögen ja natürlich solche lieber, die sich so gehenlassen; und ihr hängt man's an, sie hätte den Mann ins Wasser getrieben. Dem Buben freilich wird sie's schon zeigen, dem Duckmäuser; und wo bleibt er nur? Meinetwegen, wenn ihn die Schwägerin noch einen Tag füttert, ihr soll's recht sein. Wenn er bloß den guten Anzug nicht zerrissen hat und den neuen Schirm wieder richtig mit heimbringt.
Und mit Seufzen löschte sie das Licht und legte sich ins Bett; aber sie hatte schlimme Ahnungen und die Sorge um den Schirm ließ sie lange nicht schlafen. Vielleicht wäre es besser gewesen, ihm den Schirm nicht mitzugeben. Ja, aber wenn er dann in ein Gewitter gekommen wäre und es hätte den guten Anzug so angeregnet, daß er ganz zusammengeschnurrt wäre vor lauter Nässe?

In dieser Nacht also träumten drei Menschen, eben die drei, die es anging, von dem Regenschirm. Die Tante Berta träumte von dem Schirm, den sie eine Viertelstunde nach Jakobs Abschied, mit stockendem Herzen, an der Küchentür hängen sah und den sie laut jammernd und so schnell ihre alten Füße sie zu tragen vermochten an die Bahn getragen hatte, ohne ihn doch dem Buben noch geben zu können; denn der Zug stampfte schon den Berg hinauf.
Die Mutter träumte von dem Schirm und sie sah die drei blanken Markstücke, die sie hingelegt hatte, um ihn zu erwerben. Sie sah aber auch, wie der Bub mit dem Schirm in Mauslöchern herumstochert und mit der Krücke nach Zweigen angelt,

und sie sah, wie er den Schirm stehenläßt, der vergeßliche, windige Lausbub, mitten im Wald, wo er nie mehr gefunden wird.

Und der Bub träumte von dem Schirm; er sah sich heimkommen und vor die Mutter treten, zitternd, vor die Frage, die schreckliche, unabwendbare, ausweglose Frage, und er fühlte den unbarmherzigen Blick und die harte, zum Schlag bereite Hand. Aber da, in der tiefsten Erniedrigung des Bettelns und Lügens, in der lähmendsten Angst weiß er plötzlich, jubelnd, voll himmlischer Beredsamkeit den Ausweg der Gnade: »Mutter!« ruft er, und ist des leuchtenden Blicks schon gewiß und die Hand, die dem Schlage wehrt, ist nicht seine, ist eines Engels Hand: »Mutter, die Züge sind zusammengestoßen und ich bin da!« Aber ungerührt und finster sagt die Mutter: »Wo ist der Schirm? Geh und bring mir den Schirm!« Und er geht zurück in die Hölle der Vernichtung, ganz geisterhaft geht er und geht; aber da lacht plötzlich der gute Herr, ob er denn nicht wisse, daß er den Schirm gar nicht mitgebracht habe, sondern lauter rote Pfingstrosen.

Am Dienstag in aller Frühe brachte ein Mann einen kleinen Koffer vor die Tür der Witwe Afra Kögel und fragte sachlich ernst und doch bebend vor verhaltner Erregung, ob sie dieses Gepäckstück als ihr Eigentum anerkenne. Der Koffer hatte zwar ein paar Schrammen und einen großen, sonderbar dunklen Flecken, aber es war derselbe, den ihr Sohn Jakob mit auf die Reise genommen hatte. Dann müsse er ihr mitteilen, sagte der Mann, daß heute nacht ein schweres Zugunglück vor dem Bahnhof gewesen sei und daß der Besitzer des Koffers, also ihr Sohn, verletzt im Krankenhaus liege, im Zimmer sechzehn im zweiten Stock.

Die Frau schaute wortlos den Mann an, der ihr die traurige Botschaft gebracht hatte. Der stand noch ein Weilchen unschlüssig und hilflos; er fand die rechte Art nicht, sie zu trösten, und so wandte er sich lieber zum Gehen. Die Witwe aber, aus der Betäubung erwacht, rief ihm nach. Ob er dort, fragte sie bekümmert, wo er den Koffer gefunden, nicht auch einen Schirm gesehen hätte, einen guten, fast neuen schwarzen Regenschirm. Und sie machte sich daran, das kostbare Stück eingehend zu beschreiben. Der Mann aber, der auf einmal sehr verfallen und übermüdet aussah, machte, sich wieder der Frau zuwendend, eine abgründige Bewegung mit der Hand, und, so könne nur fragen, sagte er, wer den Zusammenstoß nicht gesehen; und bis fünf Uhr früh hätte er in den Trümmern gearbeitet und mehr als einen Toten herausgetragen und auf den Kies des Bahndamms gelegt. Was aber an Gepäckstücken noch gefunden worden sei, erklärte er, wieder dienstlich in Ton und Haltung, das sei alles in das Leichenhaus auf den Friedhof geschafft worden und vielleicht sei auch der Schirm darunter. Im übrigen würde, und das sagte er jetzt mit kalter Schärfe, als spürte er plötzlich und nachträglich den ganzen Frevel ihrer Frage, würde ein solcher Verlust, wenn sie ihn anmelde, von der Bahnverwaltung gewiß ersetzt werden. Die müsse jetzt für ganz andere Schäden aufkommen, gar nicht zu reden von dem, was mit allem Gelde der Welt nicht mehr gut zu machen sei.
Und in zorniger Erbitterung stieg er die Treppe hinunter.
Die Witwe Afra Kögel rüstete sich, ihren Sohn zu besuchen. Im Krankenhaus war es nicht still wie sonst; viele Menschen warteten fragend und weinend in den Gängen und vor den Türen, stärker war der Geruch der scharfen Säfte, und niemand nahm sich Zeit, das blutige Handwerk zu verbergen, das hier getrieben ward. Eine Schwester wehrte der Frau den Eintritt in das Zimmer. Es seien gerade die Ärzte da, sagte sie milde, aber bestimmt, in zwei Stunden frühestens möge die Mutter wiederkommen. Und da sie fühlte, daß die Bejammernswerte noch etwas auf dem Herzen habe, suchte sie nach einem Wort des Trostes: die Frau möge zu Gott beten, der alles noch gnädig wenden könne, und des Sohnes Zustand sei ernst, aber nicht ohne Hoffnung. Ob der Bub, fragte die Witwe leise und demütig, wie sie ihn gebracht hätten, nicht einen Regenschirm — »Nein, nichts, gar nichts«, schnitt die Schwester mitleidig ab und drängte die Mutter fort. Wie kann doch, dachte sie, der jähe Schmerz ein armes Gehirn so völlig verwirren, daß die Mutter nach einem lächerlichen Ding sich erkundigt, indes ihr Sohn im Sterben liegt!
Die Witwe stand auf der Straße und hatte zwei Stunden Zeit. Ob sie wollte oder nicht, es trieb sie zum Friedhof; dort, hatte der Mann gesagt, sei alles Gepäck aufbewahrt, und er hatte selbst zugegeben, es sei nicht ausgeschlossen, daß sich der Schirm darunter befinde.
Sie kam ungehindert bis dicht an das Totenhaus und gewahrte mit scheuem Blick die schrecklichen Zurüstungen zur Aufbewahrung der Leichen, die in rasch bereitgestellten Särgen, in Laken gehüllt, in eine ungewisse Dämmerung von Lorbeer und Blumen weggeschafft wurden. Aber näher sah ihr suchendes Auge einen ver-

streuten Bestand von besudelten und zerstörten Rucksäcken, Köfferchen und Kleidungsstücken, mit deren flüchtiger Ordnung sich soeben einige Leute beschäftigten. Ein älterer Mann mit einer grünen Dienstmütze band gerade Stücke zu einem Bündel zusammen. Es war auch ein Schirm dabei, aber ein heller, grauer Sonnenschirm und nicht der ihre. Ein Beamter trat auf sie zu, ob sie jemanden suche; nachdem sie Namen und Umstände genannt, antwortete er, eine Liste durchblätternd, er könne ihr die zwar immerhin betrübliche, in Ansehung der Verhältnisse aber dennoch tröstliche Mitteilung machen, das Kind liege, wenn auch verletzt, so doch vorerst gerettet, im Krankenhaus, Zimmer sechzehn, zweiter Stock. Da tat die Frau, als höre sie das zum erstenmal, nickte und ging. Sie hatte keinen Mut mehr, den Beamten nach dem Schirm zu fragen, wie sehr er ihr auch am Herzen lag. Im Weggehen hob sie einen vollen Büschel Lorbeer auf, der achtlos auf den Boden geworfen schien. Sie wußte nicht, wozu er ihr dienen würde; aber es verdroß sie, daß das kostbare Gezweig hier verderben sollte. Doch warf sie das Blattwerk sogleich wieder fort, als sie sah, wie es dunkel glänzte von frischem Blute.

Sie stand jetzt wieder auf der Straße, und es war noch keine Stunde vergangen. Sie ging nun doch dem Bahnhof zu und der Unglücksstätte. Der Weg war nicht schwer zu finden; denn Tausende von Menschen strömten hinaus, zu Fuß, im Wagen, mit dem Fahrrad. Bald aber ward der Menge Einhalt geboten. Schutzleute und Ketten von Soldaten sperrten das Gelände ab und die Frau konnte nur, zwischen Hüten und Helmen hindurch, das schwarze Gewirr der Trümmer erspähen, das friedlich grauenhafte, das aus der Ferne fast spielerische, an diesem reinen Frühsommermorgen. Die Toten und Verletzten seien alle weggebracht, riefen die Polizisten unaufhörlich in die Andrängenden hinein, Auskunft werde den Angehörigen im Wartesaal erteilt, das Gepäck befinde sich auf dem Friedhof. Hier habe niemand etwas zu suchen.

Dies war wie auf sie allein gemünzt, spürte sie, als es ihr ein Wachtmeister, scharf vor Überanstrengung, dicht und drohend ins Gesicht schrie, ohne sie freilich zu meinen, und es erschreckte sie, daß gerade sie hier nichts zu suchen hätte. Da folgte sie wie einem persönlichen Befehl und ließ vorerst die Hoffnung fahren, noch zu ihrem Eigentum zu kommen. Überdies war es an der Zeit, sich im Krankenhause wieder einzufinden.

Jakob wachte auf, nur für einen kurzen, klaren Augenblick. Er war wie völlig ausgeruht, leicht wie ein Federfläumchen und ganz ohne Schmerz. Am Bett aber saß die Tante Berta, auf die Nachricht von dem Unglück eilig herbeigereist; und in der Hand hielt sie den Regenschirm, den sie mitgebracht hatte. Da ging ein Lächeln und ein Leuchten über Jakobs Gesicht, und er griff nach dem Schirm, der kein Unhold mehr war, sondern ein trostreicher Gast, geliebt und willkommen, ein starker und sicherer Führer in die Finsternis.

Und nun trat auch die Mutter ein. Sie sah zuerst — und es konnte gar nicht anders sein — den Schirm liegen, groß und schwarz auf der weißen Bettdecke. Da lag er, unversehrt, der Regenschirm, den sie vergeblich gesucht hatte. Und da mußte ja auch ihre erste Frage sein, wo denn der Schirm herkomme; und die Schwägerin gab Antwort, ohne Arg, der Bube habe ihn draußen bei ihr stehen lassen. Die Mutter sagte nur: »So!« und sonst nichts. Aber es waren Himmel und Höllen ihres armseligen Herzens in diesem einen Wort und der Widerschein vieler Gedanken zog über ihr Gesicht. Die Tante Berta aber hatte all das schon nicht mehr wahrgenommen. »Schau nur, der Bub«, flüsterte sie in einer jähen Angst und beugte sich vor. Da sah es auch die Mutter, daß Jakob spitz und fahl wurde. Und sie wußte, daß er jetzt tot war.

Und somit schloß sich der Kreis, der ein kleines Schicksal geheimnisvoll an ein großes knüpfte. Denn, daß der brave Herr nicht mehr gelacht hatte damals, sondern tot war und mit Schweißfeuern aus dem Fenster hatte geschürft werden müssen; und daß das blumenfrohe Fräulein die schweren, entstellenden Narben auf der Stirn trug, seitdem; und daß das gräßliche Unglück mitten im jubelnden Mai viele Gräber aufgetan hatte — das waren ja schon andere Geschicke, vielfach ineinander verflochten und doch so fremd wie alles in diesem rätselhaften Leben.

Die Fremde

An die neun Jahre bin ich damals alt gewesen und in die dritte Klasse der Sankt Petersschule gegangen, wo wir, Buben und Mädchen zusammen, nach den guten alten Grundsätzen mit reichlichen Tatzen und ohne viel Seelenkunde auf unsern Eintritt in die menschliche Gesellschaft vorbereitet worden sind.
Mitten im Schuljahr, vielleicht im November, denn ich weiß noch gut, daß wir die Gaslichter angezündet hatten, und das war immer sehr spannend, an einem solchen Tag ist noch etwas weit Aufregenderes geschehen. Die Tür des Klassenzimmers ist aufgegangen und der faltenhäutige, nie ganz saubere Hauptlehrer Mundigl hat ein kleines Mädchen hereingeführt und hat gesagt: »So, Kinder, da bring ich euch eine neue Mitschülerin, Angelika Holten heißt sie und wird vorderhand in eurer Klasse bleiben. Ihr müßt recht nett zu ihr sein, wenn sie auch eine echte Berlinerin ist, aber sie kann ja nichts dafür!«
Das hätte ein Witz sein sollen, und der Oberlehrer hat seine wüsten Zähne zu einem Grinsen gebleckt, wie er wieder hinausgegangen ist. Wir haben es aber zu spät gemerkt, und auch die Lehrerin, das vergilbte Fräulein Vierthaler, hat mit ihrem Lachkrächzen ihren Vorgesetzten nur mehr unter der Tür erwischt.
Mitten im Zimmer aber ist ein hoch aufgeschossenes Mädchen stehen geblieben, nicht verlegen und nicht herausfordernd, sondern nur ganz fremd und kalt. Sie hat ein blasses, ja ein dünn-weißes Gesicht gehabt, freilich mit vielen Sommersprossen auf Stirn und Nase. Und dunkelrote Haare sind ihr fast zu schwer bis auf die Schultern gefallen. Und sie hat ihre Augen, seltsam kühle, graugrüne Augen, langsam über die ganze Klasse hingehen lassen, in diesen stummen Aufruhr von Zuneigung, Feindseligkeit und Neugier hinein. Und mir ist gewesen, als ob sie mich besonders lang und rätselhaft angeschaut hätte. Ich bin ja auch ganz dicht vor ihr auf der ersten Bank gesessen. Ich spüre heute noch den wunderlichen Geruch, der von ihr ausgegangen ist wie ein Geheimnis, und den ich, angstvoll und tief verwirrt, die Augen in plötzlichem Erröten schließend, in mich eingesogen habe.
Diese innerste Begegnung hat nur einen Herzschlag lang gedauert. Die Lehrerin, ohne ein freundliches Wort der Einführung des Oberlehrers folgen zu lassen, sagte gleich mit ihrer teigigen Stimme: »So, Holten, setz dich einstweilen in die letzte Bank, neben die Fröschel Theres; und wir fahren jetzt fort.«
Wir hatten gerade Schönschreiben ins Heft, und ich war der Vorsprecher: »Haarstrich auf, Schattenstrich ab, Haarstrich auf, Schattenstrich ab, Haarstrich auf, U-Häubchen darauf!« Und die Stunde ging weiter, als ob nichts geschehen wäre.
Es ist aber nur die Angst vor der Lehrerin gewesen, wenn es die Kinder bei einem geheimen Wispern und Tuscheln haben bewenden lassen und bei halben und scheuen Blicken gegen die letzte Bank, auf der die Fremde saß, unbeweglich und

blaß. Das Fräulein Vierthaler ist nämlich ein böses altes Mädchen gewesen, das den säuerlichen Bodensatz ihres glücklosen Lebens jahrelang in genauen und tückischen Löffeln an die Kinder verteilt hat.

Kaum aber war die Schule aus, ist schon ein wilder Bienenschwarm durcheinandergebraust, und jedes hat mit jedem das große Ereignis bereden wollen.

Aber in der ersten Aufregung der Schwätzer, in der Scheu, sich der Fremden zu nähern oder in dem Bedürfnis, sich dazu erst Bundesgenossen zu sichern, ist eine Verwirrung entstanden, in der die, der all der Tumult galt, lautlos entkommen sein mußte. Denn als wir, zwischen Klassenzimmer, Treppenhaus und Straße schon verstreut, uns nach ihr umsahen, war sie verschwunden.

Ich bin dann, wie immer, wenn zum Herumstreunen vor dem Essen keine Zeit mehr war, mit Lisa heimgegangen, die den gleichen Weg gehabt hat. Auch Pips, der Sohn des Hausmeisters von nebenan, und die schmächtige, immer sanfte und sehnsüchtige Ursula Franitschek, die Tochter eines böhmischen Schneiders, waren mit dabei.

Lisa war das einzige Kind des Regierungsrates Anspitzer, sie ist ja später ihrer tollen und schließlich so unglückseligen Geschichten halber stadtbekannt geworden. Aber auch damals schon ist sie ein kleiner Teufel gewesen.

Sie hat über uns alle eine geheime Macht gehabt, und wenn sie nicht durch ihre wilden Erzählungen und den Schimmer des Abenteuerlichen bezauberte, den zwang sie durch eine trotzige Kraft ihres herrischen Wesens, dem schwer einer entrann. Ich jedenfalls bin ihr ganz verfallen gewesen, und sie ist mir erschienen wie aus einem Märchen, freilich den schönen, funkelnden Kobolden näher verwandt als den lichten Elfen.

Ich habe sie geliebt, das weiß ich heute wohl, mit jenem süßen Grauen, das immer bereit ist zur Flucht und das immer wieder zurückkehrt, solange nicht eine andere, klarere und größere Gestalt uns Heimat gibt. Und niemand glaube, dies sei unter Kindern im Grunde anders als unter den Großen.

In diesem Mädchen von neun Jahren hat der Dämon schon gewohnt, der immer einen Aufruhr, ein Feuer, eine Vernichtung ins Werk setzen muß, nur damit er mit kaltem Herzen und voll geheimer Lust zuschauen kann, welchen Lauf das Unheil nimmt, und wenn es der eigene Untergang wäre.

Lisa hat es sofort wissen wollen, wie mir die Fremde gefällt, und sie hat es so drohend gefragt, daß ich gleich gespürt habe, daß sie den Eindringling fürchtete und haßte. Ich bin aber der klaren Entscheidung ausgewichen und habe wohl damals schon geahnt, daß ich mit allen Kräften Angelika zuwuchs. Und Lisa hat mich trotzig stehenlassen und ist mit den andern Mädchen gegangen. Ich bin dann mit Pips hinterdrein getrottet und habe zugehorcht, was die zwei über die Fremde reden.

Ich habe erst von ihnen erfahren, daß jene ein teueres, schwarzes Samtkleid getragen hat und, was noch weit beneidenswerter, ja geradezu aufreizend gewesen sein muß, schwarze Knopfstiefel, die weit über die Knöchel hinaufreichten.

Die sanfte Ursula stellte das mit einer träumerischen, neidlosen Beglücktheit fest, aber Lisa, schon entschlossen, eine unversöhnliche Feindin der neuen Mitschülerin zu sein, erklärte, daß schon der Name Angelika ein affiges Getue und eine freche Anmaßung wäre. Und als Ursula schwärmerisch diesen Namen vor sich hinsagte, wurde Lisa erst recht wütend und holte ohne weiteres jetzt Pips als Begleiter und Verbündeten.

Der Gassenjunge war gewiß kein Freund der hochmütigen Lisa, aber noch weniger gefiel ihm der rothaarige Berliner Fratz; der Zuwachs an Kindern feiner Leute paßte ihm schon gar nicht, und er drückte das in derben Worten aus. Es war verwunderlich, wie Lisa, nur um der gemeinsamen Feindschaft willen, diesen seltsamen Parteigänger und seine Beweggründe unbekümmert hinnahm, im Augenblick ihre ganze Verachtung gegen den Sohn des Hausmeisters vergessend.

Schon in den nächsten Tagen ist es so ziemlich festgestanden, daß sich die schöne Fremde keiner allzu großen Beliebtheit zu versehen haben würde. Gerade die Mädchen, deren Träume selbst nach Samtkleidern, Knopfstiefeln und eigenwilligen Vornamen zielten, zeigten sich am schroffsten in der Ablehnung Angelikas, die ihrerseits, ganz wie ihre erste Erscheinung es hatte vermuten lassen, in einer rätselhaft fernen und kühlen Haltung verharrte, wohl unvermögend, die Kluft zu überschreiten, in ihren knappen Antworten mißverstanden und selber die Zielscheibe billigen Spottes, wenn sie die noch mit Absicht in derbste Mundart verzerrten Redensarten nicht begriff.

Die ärmeren Mädchen hatten wohl eine schier verzückte Andacht zu der Geheimnisreichen, aber von so demütiger und scheuer Verehrung ging wenig Wirkung aus gegen die Gewalt der andern. Auch unter uns Buben fehlte es nicht an solchen, die sich Angelika in einer ehrlichen und treuherzigen Art als Beschützer anbieten wollten. Aber das seltsame Kind wußte seinen Vorteil nicht wahrzunehmen, oder auch, es wollte nicht, und in dem geheimnisvollen Kampf, der um sie entbrannt war, wurden gerade diese verschämten Ritter am ehesten abtrünnig.
Denn, wie wir ja erst als Erwachsene begreifen, ist Liebe niemals zarter, aber auch niemals spröder, niemals schneller bereit, in trotzige Abwehr umzuschlagen, als in jenen ganz frühen Jahren der Kindheit, noch lange vor dem ersten sichtbaren Aufbruch zum Kampf der Geschlechter gegeneinander. Ich habe noch nichts über meine eigenen Gefühle für Angelika gesagt. Die Kindheit, noch brennend im ungelöschten, hellen Glanz der Unschuld, hält ja all das in reiner Schwebe, was später erst so körperhaft wird, daß es Namen verträgt. Mit solchen Worten, allzu roh gepackt, könnte ich jetzt sagen, daß ich in Lisas Kreis gebannt war als ein schwacher Trabant ihrer herrischen Natur, daß aber unwissend und doch ahnungsvoll meine Liebe der rätselhaften Fremden gehörte, zu der ich mich freilich keineswegs offen zu bekennen wagte. Nur meine heimlichen Anstrengungen, mich in einer zwingenden Art ihr sichtbar zu machen, sind mir noch in deutlicher Erinnerung. So bemühte ich mich in jener Zeit, sehr zum Erstaunen meiner Mutter, wohlgekleidet, frisch gewaschen und gekämmt in die Schule zu gehen und selbst den ungeheuerlichen Inhalt meiner Hosentaschen opferte ich meinem neuen Schönheitsgefühl.
Doch schien es ausschließlich Lisa zu sein, die diese Veränderung bemerkte, und die sagte mir auf den Kopf zu, was ich selber nicht gewußt hatte. So erfuhr ich durch sie, daß ich mich in den rothaarigen Fratzen vergafft hätte, und ich sollte doch hingehen zu dem Grasaffen und ihm meine Aufwartung machen — aber ich wäre ja bloß zu feige dazu.
Daß ich wirklich von ihr abfallen könnte, fürchtete Lisa offenbar nicht; meinen Wankelmut bestrafte sie dadurch, daß sie nicht mehr mit mir zusammen heimging und auch in der Frühe nie auf mich wartete, wie sie es oft getan hatte.
Inzwischen war Weihnachten gewesen, und den Tag nach Dreikönig war die Klasse wieder zusammengetroffen, die glücklichen Kinder der wohlhabenden Eltern im Glanz neuer Kleider und Anzüge, warmer Mäntel und bunter Wollsachen und mit Schlittschuhen bewaffnet oder mit einer Schachtel Zinnsoldaten im Schulranzen.
Das wichtigste Ergebnis der ersten Besichtigung war, daß Angelika ein grünes Kleid trug, und daß Lisa, so reich beschenkt sie sich auch sonst zeigen mochte, keine Knopfstiefel bekommen hatte.
Noch kurz vor dem Heiligen Abend hatte sie damit geprahlt, als wäre es eine Selbstverständlichkeit und nur ein Versehen gleichsam, daß sie bisher keine gehabt hatte.

Sie suchte uns auch jetzt noch weiszumachen, daß sie nur vergessen hätte, ihren Wunsch auf den bunten Briefbogen zu schreiben, der nach damaliger Sitte von den Kindern in der Adventszeit vor das Fenster gelegt werden mußte. Aber ihre Verstellungskunst war doch nicht so groß, daß sie die tiefe Demütigung hatte verbergen können, die sie darüber empfand, auch jetzt, nach dem Fest, ohne Knopfstiefelchen in die Schule kommen zu müssen.

Die volle Wut des kleinen Unholds richtete sich nun gegen die Fremde, ja, geradezu gegen ihre Schuhe, die, immer noch aufreizend neu und vornehm, ihr täglich in die Augen stechen mußten.

Ich weiß nicht, warum sie gerade auf mich verfallen ist, als es galt, ein Werkzeug ihrer bösen Lust zu suchen. Jedenfalls ist sie plötzlich verdächtig freundlich zu mir geworden und hat mir versprochen, daß sie mir zwei von ihren Kaninchen schenkt, die sie als schier sagenhaft kostbaren Besitz zu Hause sich hielt und die wir alle nur aus ihren Berichten kannten, denn keiner von uns war je würdig genug befunden worden, sie auch nur zu sehen.

Mitten in meine wilde Freude hinein hat sie dann ihren finsteren Plan entworfen: Ich sollte der Verhaßten die Stiefel auf irgendeine Weise verderben; so, als wäre es nur aus Zufall geschehen, auf die Kappe treten oder Tinte oder Wagenschmiere darauf zu bringen versuchen.

Ich war durch dieses Ansinnen, das mir Lisa in aller Heimlichkeit und mit einer erschreckenden Kunst der Verführung machte, auf das tiefste verwirrt. Im Innersten entschlossen, es abzuweisen, war ich doch zu verzaubert gewesen, mich sofort und mit Empörung von ihr abzuwenden.

Die lockende Vorstellung, daß ich zwei Kaninchen bekommen sollte, aus ihren Händen, eine Gabe, mit der sich geheimnisvoll eine Hingabe verschmolz, denn es waren ja Lisas Kaninchen, von ihr gehegt, von ihr geliebkost, ja dieser Gedanke stürzte mich in einen Abgrund des Herzens. Als ich wieder zu mir selbst kam, haßte ich Lisa heftig und für immer. Sie aber höhnte mich nur, sie hätte sich gleich denken können, daß ich zu feige sei, es gäbe aber andere Buben genug, die dazu bereit wären, dem hochnäsigen Fratzen eins auszuwischen. Und als ich, grau vor Eifersucht, fragte, ob die auch die Kaninchen bekämen, sah sie mich nur groß an, und es war die letzte und gefährlichste Anfechtung, als sie sagte: »Nein, die müssen es umsonst tun!«

Auf dem Heimweg schlich ich in weitem Abstand hinter Lisa her und sah, wie sie heftig auf Pips, den Hausmeisterssohn, einredete. Da spürte ich, daß die böse Tat nun dennoch geschehen würde. Zweimal nahm ich einen Anlauf, mich von der schweren Verantwortung solcher Mitwisserschaft zu entlasten. Aber von Pips war auch gegen das Versprechen eines bunten Glasschussers nichts zu erfahren, und der Versuch, Angelika selbst zu warnen, scheiterte an meinem Ungeschick und an ihrer stolzen Zurückweisung. Sie zählte mich, als Lisas Gefolgsmann, ein für allemal unter ihre Feinde.

Ich faßte den verzweifelten Entschluß, ihr einen Brief zu schreiben; aber ehe ich mich zu diesem ungeheuerlichen Wagnis gefunden hatte, war das Unglück schon geschehen.

Der tückische Angriff der Kinder auf neue Schuhe ihrer Mitschüler war an sich nichts Ungewöhnliches. Es war damals bei uns der dumme Spruch im Schwang: »Mei' Mutter hat g'sagt, schwarze Käfer muß man tottreten!«, wobei der Angreifer zugleich einen kräftigen Stoß mit dem Absatz gegen die Kappe des neuen Stiefels zu führen suchte. Doch taten das mehr die Raufbolde unter sich.

Diesmal aber, gleich beim Verlassen des Schulzimmers im halbdunklen Gang, war es dem Pips mühelos gelungen, sich an Angelika heranzudrängen und ihr, die diesen Spruch nicht verstand — der ja zugleich eine Warnung war, wessen man sich zu versehen hatte —, mit einem rohen, blitzschnellen Hieb des eisenbeschlagenen Absatzes eine tiefe Schrunde in das glänzende Leder zu stoßen.

Angelika schrie nicht, sie weinte nicht. Sie stand nur da, in abgründiger Verachtung, noch ganz verwirrt von dem Unbegreiflichen.

Der Übeltäter suchte sich mit einem häßlichen und doch verlegenen Lachen davonzumachen. Die übrigen Kinder, auch Angelikas ausgemachte Feinde, standen in betretenem Schweigen und zollten diesmal der lästerlichen Tat den gewohnten Beifall nicht. Lisa stand ganz abseits, als ginge sie der Vorfall nicht das geringste an. Aber aus ihren Augen schoß ein grüner Blitz der Rache.

Ich war zu spät gekommen, den Frevel zu hindern. Jetzt aber stürzte ich mich voller Wut auf Pips; und mochte es die Überraschung sein, die ihn lähmte, oder das Gefühl seiner Schuld, daß er schier froh war, sie gleich bar bezahlen zu dürfen, jedenfalls schlug ich den weitaus Stärkeren in rasendem Zorn und ungeachtet der Püffe, die ich selber abbekam, bis er, aus der Nase blutend, das Feld räumte und im matten Gemurmel seiner Kumpane untertauchte. Angelika dankte mir mit einem kurzen und scheuen Blick, dann zupfte sie sich zurecht, sah noch einmal betrübt auf ihren Schuh und ging, allein und fremd wie immer, ihres Weges.

Nun erwarteten wir alle insgeheim, Angelika, das reiche, vornehme Mädchen, würde des anderen Tages mit neuen, noch schöneren Stiefeln in die Schule kommen. Aber unsere Enttäuschung war groß, als sie die gleichen Schuhe trug, den häßlichen Flecken an der eingedrückten Kappe wohl so gut es anging ausgebessert, aber trotzdem deutlich sichtbar. Es war zu merken, wie sehr sie unter dieser Erniedrigung litt, und sie mochte wohl viel geweint haben, als niemand sie sah. Und wenn sie auch jetzt, vor den Augen der Kinder, sich aufs äußerste zusammennahm, sie war doch unsicher geworden, und der Zauber ihrer überlegenen, unnahbaren Haltung schien dahin zu sein. An seine Stelle war eine feindselige Verschlossenheit getreten, die schon im Laufe der nächsten Tage und Wochen sich zu einer kalten Gleichgültigkeit verflachte; Angelika wurde nicht mehr beneidet und nicht mehr beachtet. Sie lebte unter uns, fremd und schattenhaft. Andere Ereignisse traten ein, wir Buben waren ganz in die Wirbel des eben ausgebrochenen Burenkrieges gerissen, und nur der Umstand, daß schlechterdings niemand Engländer spielen wollte, verhinderte den Ausbruch blutigen Klassenzwistes.

Übrigens versäumte Lisa nicht, sich an mir zu rächen. Als einige Zeit später das Schwämmchen, das an unseren Schiefertafeln baumelte, in Wirksamkeit treten sollte, bemerkte ich mit Schrecken, daß ich vergessen hatte, es naß zu machen. Schon hoffte ich, unentdeckt auf natürlichstem Wege die Befeuchtung nachgeholt zu haben, als Lisa den Finger hob und mit gellender Stimme schrie: »Fräulein, der Roth hat auf den Schwamm gespuckt!« Ich bekam vier Tatzen, die ich aber, so gesalzen sie waren, vor Wut kaum spürte. Seltsamerweise dachte ich mit einem rasenden Gefühl an nichts anderes als an die zwei Kaninchen, die mir Lisa versprochen hatte, und es schien mir, als wäre ich erst in diesem Augenblick quitt mit ihr und berechtigt, für immer von ihr zu lassen.

An einem Sonntag zu Beginn des Frühjahrs war ich von meiner Mutter in einen Matrosenanzug gesteckt worden, der sehr vornehm war und zu größter Artigkeit verpflichtete. Vor mir hatte ihn ein echter kleiner Prinz in Griechenland getragen, und eine weitläufige Base, die dort Erzieherin war, hatte ihn für mich geschenkt bekommen.

So unglücklich ich mich zuerst, als ich nun mit meinen Eltern durch die Maximilianstraße ging, in dieser Zwangsjacke fühlte, so stolz machte sie mich, als ich, gleichfalls mit ihren Eltern, Angelika Holten auf uns zukommen sah. Ich tat ganz so, als wäre ich bisher nur im Alltag der Schule verkleidet einhergegangen, und dies also wäre meine wahre Gestalt.

Und wirklich sah ich, der ich schon seit meinem Hiebe gegen den gemeinen Pips mich einer leisen Zuneigung Angelikas erfreuen durfte, ein huldvolles Lächeln auf ihrem Gesichte aufblühen.

Trotzdem wäre es aber wohl bei dieser flüchtigen Begegnung geblieben, wenn sich nicht im gleichen Augenblicke herausgestellt hätte, daß auch unsre Väter sich kannten. Wenigstens grüßte Angelikas Vater mit seinem großen weichen Hut ungemein höflich, ja, fast mit einer zu deutlichen Beflissenheit den meinen. Er hatte ein schlaffes, fahles und schwermütiges Gesicht und glich mit seinem Knebelbärtchen, wie ich damals schon sah, aufs Haar einem der Männer, wie sie in dem Niederländersaal der Alten Pinakothek zu finden waren, wohin ich erst den Sonntag zuvor einen durchreisenden Onkel hatte begleiten dürfen.

Die Mutter war das Urselbst Angelikas. Nur schien sie, bei aller Geziertheit, früh gealtert und von Kummer ausgebleicht. Sie hatte den gleichen rätselhaften Blick an allem vorbei, und es schien, als verberge sie sich selbst bei vollster Gegenwärtigkeit.

Es ist mir heute noch seltsam, daß mir diese beiden Menschen so klar und eigentlich über alle Betrachtung eines Kindes hinaus ins Bewußtsein traten. Es war etwas Geheimnisvolles in ihnen, sie waren gezeichnet, und vielleicht haben Kinder einen Blick dafür.

Die Erwachsenen kamen in ein Gespräch, uns Kinder hießen sie vorangehen. Es war ein beklemmendes Glück, an Angelikas Seite zu sein. Ich wußte nicht, wovon ich sprechen sollte, denn ich wollte etwas Besonderes sagen. Ich sah zu Boden, ohne etwas zu beabsichtigen, sie mißriet meinen Blick, wir schauten uns betroffen an; sie hatte auch heute, am Sonntag, die Knopfstiefel an mit dem unverheilten Schlag, den ihr der freche Bub versetzt hatte. Sie war nahe am Weinen, aus Scham, aus Zorn über mich — ich war voll hilfloser Angst, aber ich fand kein Wort, das

jetzt hätte gesagt werden müssen. Da nahm ich ihre Hand, sie wollte nach mir schlagen, aber ich hielt sie fest. Da wurde sie still und sah mich an, und diesmal war ein Glanz in ihren Augen wie noch nie; und jenen ersten Duft, der mich damals, als sie kam, so rätselhaft verwirrt hatte, spürte ich wieder.
Aber da riefen uns die Eltern zurück, und wir trennten uns. Bei Tisch sagte mein Vater, dieser Holten sehe sich auch in seinen Hoffnungen getäuscht, er habe sich von der Errichtung eines großen und neuzeitlichen Betriebes viel versprochen, aber die Münchner seien keine Berliner, und Herr Holten werde die Ohren steif halten müssen.
Darüber brach ich in ein meckerndes Gelächter aus, denn ich wußte nicht, daß das eine Redensart sei, und ich konnte mir den weichen, schauspielerschönen Mann nicht mit steifen Ohren vorstellen.
Ich erfuhr dann übrigens, daß er Fotograf sei oder, wie er selbst sich damals schon nannte, Lichtbildkünstler, und meine Mutter machte den Vorschlag, wir sollten uns, da ohnehin keine guten Aufnahmen von uns vorhanden seien, doch der Kunst Herrn Holtens anvertrauen.

Das wurde auch, nicht zuletzt auf mein unaufhörliches Drängen hin, nicht viel später verwirklicht. Aber meine heimliche Sehnsucht, bei diesem Anlaß Angelika wiederzusehen, auf eine besondere Weise natürlich, denn ich sah sie ja täglich in der Schule, erfüllte sich nicht. Ja, ich hatte sie nicht einmal von unserem Kommen verständigen können; denn solange die Absicht meiner Eltern nicht feststand, wollte ich nicht damit prahlen. Und dann ging alles so schnell, daß ich Angelika vorher nicht mehr traf.

Herr Holten entwickelte, obwohl wir die einzigen Besucher seiner Kunstanstalt waren, eine freudig-schwermütige Betriebsamkeit. Er schien unablässig Gäste hereinzubitten und auf diese Räume zu verteilen, die wirklich ungewöhnlich weitläufig und von einer theatralischen Großzügigkeit waren. Meine Mutter flüsterte meinem Vater zu: »Recht schön, aber genau hinsehen darf man nicht!« und wischte verstohlen den Staub fort, der dick auf einem Gesimse lag.

Inzwischen rückte der Meister den großen, glasglotzenden Kasten zurecht und stellte unsere Geduld auf eine harte Probe, gar die meine, die schnell von dem ewigen: Noch ein bißchen rechts, Kopf höher, lächeln, bitte lächeln! erschöpft war.

So daß ich denn auch, nachdem wir vor verschiedenen Brokaten und Gobelins uns aufs grausamste die Hälse verrenkt hatten, das dümmste Gesicht machte und Herr Holten, wehleidig lächelnd, die Aufnahme wiederholen mußte.

Der Lichtbildner zeigte uns noch eine Reihe seiner Schöpfungen, seine Frau und Tochter hatte er ungezählte Male festgehalten, und er blätterte einen ganzen Fächer von Aufnahmen vor uns aus. Er wurde abgerufen, meine Eltern sahen gerade weg, und ich, in einem jähen Entschlusse, ja, wie in einem Rausch, ergriff hochschlagenden Herzens eines der Bildnisse Angelikas und steckte es in die Tasche.

Zu Hause schien mir kein Ort sicher genug für meinen Raub, bis ich ihn endlich zwischen den Seiten meines Robinson verbarg. Ich habe später lange und schmerzlich danach gesucht, aber das Buch mitsamt dem Bilde ist längst verschollen.

Einige Tage später, ebenso unangemeldet, kam Angelika mit ihrer Mutter, um uns die fertigen Bilder zu bringen. Ich hatte unseligerweise gerade Versuche zur Herstellung von Schießpulver gemacht, die immerhin so weit geglückt waren, daß ich mit schwarzem Gesicht und versengtem Haar in einem Winkel des Hofes stand, als ich die Besucher die Treppe hinaufsteigen sah. Ich hörte sogar, wie Angelika nach mir rief, aber in grimmiger Verzweiflung mußte ich mich taub und blind stellen, denn es erschien mir nicht möglich, in solchem Aufzuge vor sie hinzutreten.

Anderntags, auf dem Heimweg von der Schule, faßte ich mir ein Herz und sprach Angelika, die schon wieder entschlüpfen wollte, prahlerisch daraufhin an: Ich hätte gestern nicht daheim sein können, weil ich eine große Erfindung gemacht hätte; und erging mich in geheimnisvollen Andeutungen.

Die Freundschaft mit dem immer noch scheuen und fremden Mädchen war in hoffnungsvoller Blüte, als die großen Ferien uns trennten. Ich kehrte von der übertünchten Höflichkeit eines Schülers in das ungebundene Dasein eines Wilden zurück und wurde wieder für den ganzen Sommer Fischer, Jäger und Waldläufer.

Als ich im Herbst wieder in die Klasse kam, war Angelika nicht unter den Schülerinnen. Wir hörten, sie sei sehr krank gewesen und würde vor Weihnachten kaum kommen.

Ich ging einmal, im November, in die Wohnung ihrer Eltern, mich nach ihr zu erkundigen. Die Mutter öffnete, sie sah zerfallen aus, wie ein Gespenst Angelikas, bleich, mit dem düsterroten Haare, so ähnlich der Tochter und so fremd und unheimlich, daß ich mich zwingen mußte, einzutreten.

Sie führte mich in ein Zimmer von verschollener Pracht, ödem Geschmack und grenzenloser Verwahrlosung. Der Vater kam aus der Werkstatt herüber, alt, abwesend, als hätte er sich dringendster Beschäftigung entrissen, schwermütig schön in seiner Samtjacke, dem wehenden Schlips und dem fast kecken Bärtchen um den traurigen Mund. Von Angelika, der ich im Namen meiner Mutter ein paar Süßigkeiten mitgebracht hatte, hörte ich nur durch den Türspalt eine matte Stimme des Dankes und der Versicherung, in acht Tagen dürfte sie wieder aufstehen, und in vierzehn Tagen käme sie wieder in die Schule.

Sie kam auch wirklich in den ersten Dezembertagen, blaß, abgezehrt, mit einer Haut, so durchscheinend, daß ein bläulicher Schimmer von ihr auszugehen schien. Die Augen brannten grün aus tiefen Schatten, und das rote Haar schien flammender geworden um das schmale Gesicht.

An einem dieser Tage brachte der Schuldiener eine Liste, brachte sie gleichmütig wie jedes Jahr, und die Lehrerin, es war auch heuer noch das böse und häßliche Fräulein Vierthaler, verlas sie ebenfalls so gleichmütig wie jedes Jahr. Die Schüler und Schülerinnen, die an der Christbescherung der Anstalt teilzunehmen wünschten, sollten sich bis morgen melden!

Und am andern Tag stehen die Kinder auf, auch sie so gleichmütig wie jedes Jahr, die Zipfler Anna, der Rucker Sebastian, die Eisenschink Walburga ... Und dann steht Angelika auf. Sie steht da, schwankend wie in einer ungeheuren Anstrengung, geschlossenen Auges, die Hände flach auf die Schulbank gelegt.

Die Lehrerin, die gerade durch die Reihen gehen wollte, ist einen Schritt zurückgewichen: »Holten, du?!«

Da sehen erst die Kinder alle, daß Angelika steht. Und ich sehe es auch. Aber schon hat die Lehrerin den Irrtum begriffen: »Nein«, sagt sie, ärgerlich lächelnd, »da hast du falsch verstanden, es ist nicht wegen der Christbaumfeier, sondern welche Kinder aus Mitteln der Schule beschert werden wollen mit Wäsche, Kleidern oder Schuhen! Setz dich nur wieder!«

Angelika nickt nur mit dem Kopf, aus den geschlossenen Augen springen die Tränen, sie wankt in einem Sturm der Qual, aber sie bleibt stehen.

»Es ist gut, setzt euch alle!« krächzt die Lehrerin plötzlich aufgeregt und schlägt wie mit Flügeln um sich.

Aber schon kann sie das Getuschel und Gewisper nicht mehr niederschlagen, wenn sie nicht noch ärgeres Unheil anrichten will. Alle Kinder starren auf Angelika. Sie wissen noch nicht, was Trug und Wahrheit ist. Die aber schärfer schauen, sehen mit einem Male, daß die stolze Fremde immer noch das schwarze Samtkleid trägt, mit dem sie vor mehr als einem Jahr gekommen ist; wahrhaftig, es ist ein schäbiges Kleidchen geworden, täglich abgewetzt an der Schulbank. Und die bewunderten Knopfstiefel, wie schiefgetreten sind die Absätze, und die häßliche Delle in der Kappe sitzt noch unvernarbt.

Dies alles habe ich damals langsamer begriffen, als es geschehen ist. Denn in drei Minuten hat sich diese Vernichtung vollzogen. Noch weniger wußte ich, wie ich mich verhalten sollte. Wie würde ich Angelika gegenübertreten — oder sollte ich mich nach Schluß des Unterrichts feig davonschleichen?

Dieser peinlichen Entscheidung enthob mich und uns alle die Lehrerin, indem sie der wie gefroren dasitzenden Angelika bedeutete, sie sei offenbar noch nicht ganz wiederhergestellt und möge lieber heimgehen.

Das Kind gehorchte augenblicklich und wie im Schlafe. Traumwandeln, ja, vielleicht wäre es richtiger zu sagen, traumverwandelt, ordnete Angelika ihr Ränzchen und ging zu dem Kleiderkasten, der an der Rückseite des Klassenzimmers stand.

Wir sahen alle zu, gelähmt von Hilflosigkeit und in schaudernder Ehrfurcht vor einem ungewiß erahnten Schicksal.

Und Angelika, die Fremde, die heimatlos geblieben war unter uns — und das will viel heißen, daß ein Kind einsam steht unter Kindern —, nahm ihren Mantel um, ihr Mützchen trug sie in der Hand, und das Haar leuchtete rot über ihrem bläulich-weißen Gesicht, und sie brauchte alle Kraft, nur um zu gehen.

Sie ging, ohne uns anzuschauen, ohne irgend etwas zu sehen, mit erloschenen Augen quer durch das ganze Zimmer an uns vorbei, an jedem von uns vorbei, an mir vorbei, ohne Gruß, ohne Abschied. Sie klinkte die Türe auf und ging hinaus und ließ sie offenstehen. Die kalte Dämmerung des Flurs verschluckte sie.

»Lisa, mach die Tür zu!« rief die Lehrerin, und Lisa, die zunächst saß, stand auf und schloß die Türe hinter ihrer Feindin. Aber sie war blaß und freute sich ihres Sieges nicht.

Das nahe Weihnachtsfest nahm uns ganz in Anspruch. Angelika kam nicht mehr in die Schule, und ich besuchte sie nicht. Ich hatte freilich ein schlechtes Gewissen, und ich war öfter schon unterwegs, hinzugehen, aber ich kehrte immer wieder um, aus Angst vor der großen Vergeblichkeit.

Die Ferien begannen, die Bescherung und die Feiertage gingen vorüber.

Ich hatte, so streng es mir auch verboten war, einen unausrottbaren Hang zum Zeitungslesen. Die Zeitung war mein erster Gedanke in der Frühe, und ich schlich mich, noch ungewaschen und im Nachthemd, in die Küche, um begierig und wahllos in dem Blatt zu lesen, mit wachen Ohren, um nicht überrascht zu werden.

Am 30. Dezember, den Tag weiß ich noch genau, fiel mein erster Blick auf eine groß aufgemachte Nachricht mit der Überschrift: Grauenhafte Familientragödie. Ich durchflog sie mit der hemmungslosen Neugier eines Zehnjährigen, und ich

weiß heute noch fast den Wortlaut des Berichtes: »Ein an der Marienstraße wohnender Fotograf hat in der Nacht zum Donnerstag sich selbst und seine Frau mit Zyankali vergiftet. Der Grund zu der schrecklichen Tat dürfte der unvermeidbare wirtschaftliche Zusammenbruch gewesen sein. Der Fotograf war erst vor anderthalb Jahren von Berlin gekommen und hatte sein gesamtes Vermögen in seinen hiesigen Betrieb gesteckt. Das schlechte Weihnachtsgeschäft hatte ihm die letzte Hoffnung geraubt, sich in München durchsetzen zu können. Ein zehnjähriges Mädchen, das auf so tragische Art zur Doppelwaise geworden ist, steht am Grabe der Eltern.«
Dies alles und noch viel mehr hatte ich gelesen, ohne zu merken, wie nahe mich dieses Unglück anging. Ganz plötzlich aber schoß dröhnend, aus dem untersten ahnenden Bewußtsein die schreckliche Erkenntnis in den Text, dies sei Angelikas fürchterliches Schicksal. Und ich sah mit einem Male das gespenstische Bild, den Vater, wie er weich und traurig durch die nächtlichen Räume seiner verödeten Werkstatt strich, das kecke Bärtchen gesträubt um den hoffnungslosen Mund und die schönen Augen verschattet von Verzweiflung. Und die Mutter, schon verwesend in Gram und Zerfall, das rote Haar brennend über dem bleichen Wachs ihres Gesichtes. Und Angelika sah ich so, wie ich sie zuletzt gesehen, wie sie in das Nichts hinausging, traumtief und fremd, jenseits ihrer Demütigung und jenseits der Jugend; liebenswert und zugleich verzaubert, nie geliebt zu werden ...
Jäh und süß von Tränen überschwemmt, schlich ich in mein Bett zurück.
Ich habe Angelika nie wiedergesehen. Meine Eltern wollten sich ihrer annehmen, aber Verwandte hatten sie schon am Tage nach dem Jammerfall nach Berlin zurückgeholt.
Es mag sein, daß vieles von dem, was ich hier erzählt habe, erst später die Deutlichkeit der Worte gefunden hat. Denn das Erleben eines Kindes ist noch ungebrochen und verträgt keinen Namen. Aber wie sehr wir uns auch im Leben verwandeln mögen, die innerste Erinnerung bleibt und ist nicht mehr zu verfälschen. Und in diesem Sinne ist alles wahr, was ich hier berichtet habe.

Die schöne Anni

An viele Dienstmädchen kann ich mich erinnern seit den ersten Lebensjahren, und öfter als einmal bin ich versucht gewesen, die Geschichte meiner Jugend dem Wechsel ihrer Regierung entsprechend aufzuschreiben, dergestalt, daß jedes Hauptstück der Erzählung einer dieser unvergeßlichen Gestalten gewidmet ist. Denn mehr als die Eltern haben sie oft unser Kinderdasein bestimmt, wie ja manch eine, nur dem Buchstaben nach eine Dienende, in Wahrheit die ganze Familie beherrscht hat.

Ich müßte dann berichten von Anna I., der Groben, von 1896 bis 1901, von Anna II., der Beständigen, von 1901 bis 1909, von Babette der Faulen, 1909 bis 1910, von Cäcilie der Frommen, Erna der Rothaarigen, Marie der Schmutzigen und vielen andern, die dazwischen, manchmal nur für Wochen und Monate, die Schlüsselgewalt in unserm Hause hatten. Auch Margarete die Häßliche war darunter, Rosa die Mannstolle, die mit beharrlicher Zufälligkeit ihre Kammer sperrangelweit offen hatte, wenn sie sich wusch und kämmte, oder Johanna die Wahnsinnige, die halbnackt auf die Straße lief und gellend schrie, bis sie, aufregend genug für uns und die ganze Nachbarschaft, in Decken gewickelt wurde und fortgefahren ins Irrenhaus. Die schöne Anni zählte nicht in diese Reihe; sie war die Stütze unserer Großmutter, die im gleichen Hause, dessen vierten Stock wir bezogen hatten, im Erdgeschoß wohnte, und zwar in der Küche und einem engen Hinterzimmer, da die vorderen Räume zu dem Altertümergeschäft des Großvaters gehörten. Die Mädchenkammer war ein winziges Verlies, dessen blindes Fensterchen auf den Hausflur hinausging. Die Dienstboten waren aber damals noch nicht verwöhnt, und die schöne Anni wird's erst recht nicht gewesen sein, denn sie war armer Leute Kind und kam aus einer Gegend, die wir in München Glasscherbenviertel nennen. Sie war siebzehn Jahre, hatte schwarzrote Haare und war ungewöhnlich hübsch. In ihre großen Hände und Füße mußte sie freilich erst noch hineinwachsen, wie die Großmutter scherzend sagte.

Als die schöne Anni zu uns kam, waren wir Buben gerade in den Flegeljahren: mein Bruder etwa fünfzehn, ich vierzehn Jahre. Wir waren vor allem noch rechte Kinder, kaum von einer Ahnung des Ewig-Weiblichen berührt, und überdies kamen wir ja nur in den Ferien nach Hause, da wir eine Klosterschule in einem nicht allzuweit entfernten Gebirgstal besuchten. Wahrscheinlich hatte uns die Mutter schon flüchtig geschrieben, daß bei den Großeltern eine neue, junge Magd eingetreten sei, und uns vielleicht auch ermahnt, uns anständig aufzuführen und keine Geschichten zu machen. Aber wir hatten andere Gedanken im Kopf, und als wir dann gegen Ostern zu Hause anrückten, kam uns das Mädchen als eine mächtige und holde Überraschung entgegen. Scheu und täppisch nahmen wir die kurze und bündige Vorstellung der Großmutter hin, und mein Bruder und ich sahen uns gewiß wie zwei junge Bären an, die unvermutet auf Honig gestoßen sind, von dem sie bisher nur vom Hörensagen vernommen haben.

Andere Buben unseres Alters mochten auch damals schon, in einer strengen Zeit, im Umgang mit Mädchen mehr Erfahrung gehabt haben als wir, die wir wie Waldschrate aufgewachsen waren, von Zufall und Absicht gleichermaßen allem Weiblichen ferngehalten. Die Kindergesellschaften der Heranwüchslinge waren uns fremd, wir besaßen keine Vettern und Basen, in deren munterem Kreis sich bei Ausflügen und Pfänderspielen so leicht jene süße Ahnung der Liebe, ja sogar das Feuer und die Qual früher Leidenschaft in die kindlichen Herzen schleicht. In unserer Klosterschule gab es gewisse Aufgeklärte, und hinterher, zehn, zwanzig Jahre später, ist mir manche dunkle Andeutung und mehr als ein Versuch, uns ins Vertrauen zu ziehen, klargeworden. Aber ein seltsames Geheimnis trennte die Wissenden von den Unwissenden, die gar bald, da sie die verfänglichsten Anspielungen nicht verstehen wollten, nicht mehr behelligt wurden, ohne daß das der übrigen Kameradschaft einen Abbruch getan hätte. Eine Schwester hatten wir wohl, aber sie war noch zu jung und kam, ihres kratzbürstigen Wesens halber, gar nicht in Betracht; und unter den Kindern des Hauses und der Nachbarschaft entsinne ich mich nur der häßlichen Ida aus dem ersten Stock, die bald den wilden Spielen der ersten Zeit entwachsen war und die damals mit ihren sechzehn Jahren bereits altjüngferlich zu vertrocknen anfing.

Die schöne Anni war uns nun, da wir die erste Blödigkeit rasch überwunden hatten, ein willkommener Spielkamerad, wir scherzten mit ihr nicht anders als mit einer jungen Katze. Aus kleinen Plänkeleien wurden bald heftige Kämpfe; so setzten wir etwa unseren Ehrgeiz darein, die hocherhobenen Hände ineinander verschränkt, das flinke und kräftige Mädchen in die Knie zu zwingen, und es gab dann eine wunderliche Mischung von Zorn und Liebe, wenn Wange an Wange, Brust an Brust im keuchenden Getümmel sich streiften oder gar, wenn die Besiegte unter dem Sieger lag und wie eine Schlange sich wand und mit den Beinen stieß und strampelte. Wenn ich selber der Ringende war, so hatte ich wohl nichts im Sinn als eben den ritterlichen und ehrlichen Kampf; aber als Zuschauer, wenn ich das Gerixe und Gerankel meines Bruders verfolgte, bemächtigte sich meiner eine wilde und unbegreifliche Empfindung, von der ich erst heute weiß, daß es die bare Eifersucht gewesen sein muß. Und doch kam, so verfänglich die Lage oft war, in die wir gerieten, niemals ein tieferes Gefühl bis an die kindliche Oberfläche, der Abgrund, an dem wir hinscherzten, blieb mir verborgen und meinem Bruder gewiß auch; und das Mädchen, so willig und leidenschaftlich es sich unsern verwegenen Griffen hingab, mochte wohl dem Weibe in sich gehorchen und allen gefährlichen Lockungen, aber es war ein Kind wie wir, falterleicht gaukelte es in der warmen Sonne dieser Feiertage.

Es liegt mir fern, mich solcher Unschuld zu brüsten, denn, da wir alle der Sünde vorbehalten sind, wer will da wissen, wann er die Wunde empfangen soll, ohne daß er verdürbe an ihrem Gift. Aber es ist für mich, den Schreibenden, den Fünfzigjährigen, schwer, und es ist auch für den Lesenden nicht leicht, eine solche Unschuld sich vor Augen zu stellen; denn wir sind seitdem durch Feuer und Wasser gegangen und haben die Lust und den Schrecken des Geschlechterkampfes durchlebt, und keiner, der nun herüben steht, am fahlen Ufer des Alters, vermag es, von Wissen ausgelöscht, noch glühend zu sagen, wie es drüben war, lange vor dem ersten Schritt in das Unabwendbare.

Damals jedenfalls, wenn wir es gar zu wild trieben, fuhr wohl die Großmutter scheltend dazwischen, wir sollten die Anni in Ruhe lassen, wir alten Weiberkittler; aber der Großvater hatte seine Freude daran und stachelte uns zu neuen Kämpfen.

Die Osterferien gingen zu Ende, wir ließen die Anni, wie man ein Kätzchen, das man gequält und gestreichelt hat, achtlos wieder vom Schoß springen läßt, die Kameraden lockten und die Schule drohte, mit keiner Faser unseres Herzens dachten wir mehr an unsere Freundschaft oder an Mädchen überhaupt.

In den großen Ferien waren wir nur ein paar Tage in der Stadt, dann ging es aufs Land hinaus, ein unendlicher, glühender Sommer wollte durchlebt sein, Jäger und Fischer waren wir, sonst nichts, und wir zwei Buben begehrten nicht einmal eines dritten Kameraden, geschweige denn anderer Gesellschaft. Weißgekleidete Backfische waren uns ein Greuel, wir ließen sie Tennisspielen und Kahnfahren, das war nichts für uns Waldläufer und Floßbauer. Und dann kam der Herbst, und die Schule ging wieder an, und die schöne Anni hatten wir kaum gesehen in all der Zeit, und wir hätten es auch gewiß nicht bemerkt, wenn es vielleicht Absicht gewesen sein sollte, das hübsche Mädchen uns aus den Augen zu räumen.

Daß übrigens die Anni eine Magd war, gegen Lohn und Essen meinen Großeltern zu dienen verpflichtet, das spielte in unserm Verhältnis keine Rolle; von frühester Kindheit an waren wir dazu angehalten worden, die Dienstboten jedem andern Menschen, der zum Hause gehörte, gleichzuachten, und daß wir aus eigner Machtvollkommenheit ihnen etwas hätten anschaffen dürfen, daran war nicht im Traum zu denken. So waren denn auch unsere Freund- und Feindschaften zu ihnen ehrlich und ohne unrechten Vorteil, und jene doppelte Moral, die so häßlich wie bequem ist, haben wir nie kennen oder gar gebrauchen gelernt. Wenn wir wirklich einmal hätten die jungen Herren herauskehren und eine unbillige Handreichung verlangen wollen, dann konnten wir des bitteren Hohnes der Eltern oder der Großmutter gewiß sein, die erlauchten Prinzen möchten doch sich selbst bedienen, unsere Mägde seien das nicht, später einmal könnten wir anschaffen, aber hier im Hause nicht.

Als Gehilfin war die schöne Anni vor allem in der ersten Zeit brav und anstellig, wenn sie auch von den gewaltigen Kochkünsten der Großmutter nicht allzuviel begriff. Ein bißchen schlampig war sie wohl, und ihre Reinlichkeit konnte uns nicht als Muster gewiesen werden. Aber mit großer Freundlichkeit pflegte sie den Großvater, der damals bereits krank und ein ungeduldiger Mann war, und für die alten Leute war es schon etwas wert, ein so heiteres und gefälliges Wesen um sich zu haben.

Im Spätherbst starb dann der Großvater; wir wurden zum hochwürdigsten Herrn Abt gerufen, der uns die traurige Botschaft vermitteln sollte. Er war ein fast blinder, milder Greis und hatte die Gewohnheit, in jedem Satz, es mochte passen oder nicht, ein »ja gut, ja schön« einzuflechten, und so sagte er auch uns Buben, wie gut und schön der Tod des Großvaters sei. Zur Beerdigung, und das war wirklich gut und schön, durften wir nach Hause fahren. Und die schöne Anni weinte mit uns um den alten Mann, und was wir bei unsern wilden Spielen nie getan, das taten wir jetzt, wir küßten uns unter Tränen, und ich weiß, daß ich damals jenes wonnige Grauen spürte, ein Mädchen im Arm zu halten und das fremde Wogen der jungen Brust zu fühlen. Unsere Neckereien aber, begreiflicherweise, ließen wir in jenen Tagen, da Wehmut und Trauer das ganze Haus erfüllten. Um so wilder ging's dann zu Weihnachten her; der Anflug von Zärtlichkeit war zwar nicht ganz wieder gewichen, und es schlich sich manche Ungehörigkeit ein, wenn wir etwa die am Boden hockende Feueranzünderin überfielen oder die auf einen Stuhl Gestiegene, kaum daß die Großmutter nicht hersah, bei den Beinen packten und durchs Zimmer trugen, wobei es Ehrensache war, daß sie sich nicht durch Schreien verriet, so daß die wilden, keuchenden Balgereien durch ihre Lautlosigkeit etwas Dämonisches bekamen. Dann schlug mir wohl das Herz bis in den Hals herauf, eine süße Lockung begann zu quellen, indes wir, das Mädchen oder ich, der aus dem Hintergrunde fragenden Großmutter eine unverfängliche, muntere Antwort gaben. Aber noch überwog das kindliche Spiel, und wenn mich etwa die Anni zur Abwehr in den Finger biß, dann tat das ehrlich weh, und es war keine Lust dabei, daß ich hätte sagen mögen, nur zu, je weher, desto besser.

Mit meinem Bruder habe ich nie über mein oder sein Verhältnis zur schönen Anni ein Wort gesprochen. Aber wir wußten beide, daß einer auf den andern aufpaßte wie ein Schießhund; wenn wirklich einmal jene gefährliche Spannung knisterte, die zu einem Kusse, zu einem frecheren Griff hätte führen können, dann tauchte gewiß der Nebenbuhler wie zufällig auf dem Kampfplatz auf, und verwirrt und errötend ließ der Zudringliche von dem Mädchen ab und trällerte davon, als ob es sich nur um einen flüchtigen Scherz gedreht hätte.

Wir waren wieder in unserem Kloster, wir lernten schlecht genug, wir fuhren auf unsern Brettern durch den leuchtenden Winter, wir rangen, in vertrautestem Freundeskreise, mit Gott und allen Teufeln, denn es war die schreckliche Zeit, da der fromme Kinderglaube unter den ersten, wuchtigen Stößen des Zweifels wankt und bricht. Von der Anni, der wieder völlig vergessenen, hörten wir beläufig aus einem Brief unserer Mutter, sie tue nicht mehr recht gut, sei hoffärtig geworden und gebe schnippische Antworten. Aber als wir dann zu Ostern, jetzt schon Sechzehn- und Fünfzehnjährige, heimkamen, schien alles wieder beigelegt.

Wir aber bemerkten, ohne uns freilich darüber Rechenschaft zu geben, warum, die Veränderung sofort: Sie wollte von uns nichts mehr wissen, sie stieß unsere Hände weg, höhnte unsere ekelhafte Herumtatscherei, schnitt uns heimlich Gesichter, und wenn wir, noch nicht begreifend, fester zupacken wollten, drohte sie, der Großmutter zu rufen, daß wir sie in Ruhe ließen. Dieser Verrat eines so langen und oft unter süßen Qualen erduldeten Geheimnisses erbitterte uns am meisten. Wir ließen dann von ihr ab, ratlos, was das zu bedeuten habe; denn wie hätten wir damals, wir, die wir Kinder geblieben waren, das Rechte treffen sollen, daß nämlich das Mädchen, das ins achtzehnte Jahr ging, inzwischen manch wilden Kuß geschmeckt hatte, mehr noch, daß es nicht mehr unschuldig war.

Manchmal aber auch, und für uns völlig unvermutet, ja schaudernd und beängstigend, drängte sie sich katzenhaft an uns heran und wollte geschunden sein. Sie ergriff plötzlich Partei für einen von uns, dem sie ihre Gunst anbot, um den andern dadurch zu reizen und zu demütigen, oder sie nannte uns verächtliche Traumichnichtse und zog uns an den Haaren dicht an ihren Mund.

Wer weiß, was aus solcher Verwirrung noch, und wohl bald genug, geworden wäre, wenn nicht ein anderes, bedeutsameres Ereignis sich dazwischen gestellt hätte. Schon seit geraumer Zeit mochte meine Mutter dies und jenes vermißt haben, ein Paar Strümpfe, eine Bluse, ein Schmuckstück. Aber leichtsinnig, wie sie selber war, nahm sie's nicht so genau, dachte, das wohl nur Verlegte werde sich wiederfinden, bis eine, noch so vorsichtige Bemerkung unsere Köchin, ich weiß nicht mehr, welche es war, in Harnisch brachte. Das wäre noch schöner, schimpfte sie, wenn eine ehrliche Haut wegen dem verzogenen Lausaffen, der schönen Anni, in den Verdacht käme, zu stehlen; und schnurstracks drang sie, an einem Samstagnachmittag war es und die Anni trieb sich in der Stadt herum, in die Kammer des Mädchens ein. Da war es nun freilich betrüblich, was ihre wütend grabenden Hände alles zum Vorschein brachten, Wäsche und Kleidungsstücke — und wer

weiß, schrie sie, die Köchin, was das Mensch alles schon vertragen und anderswo versteckt habe.
Die Bestürzung war groß, denn die schöne Anni war wirklich wie ein Kind vom Haus gehalten worden. Die Köchin wollte sofort den Schutzmann holen, die Großmutter aber sagte, es wäre gelacht, wenn man mit so einem Bankerten nicht sel-

ber zurecht komme; die Mutter schwankte, aber ihre heillose Angst vor der Polizei war der beste Bundesgenosse der kleinen Verbrecherin, und schließlich gab mein Vater den Ausschlag, der meinte, man sei selber nicht ganz ohne Schuld, weil man auf das Kind, als das sie zweifellos zu der Großmutter gekommen sei, nicht besser aufgepaßt habe.
So wurde denn beschlossen, das ganze Diebesgut wieder in und unters Bett zu räumen, die Mutter des Mädchens für den andern Tag, einen Sonntagvormittag, herzubestellen und in ihrer Gegenwart die traurige Überführung der Diebin vorzunehmen. Man versprach sich gewiß große Dinge von dieser moralischen Handlung.
Natürlich merkte die Anni, als sie heimkam, an den verschlossenen Gesichtern und der schlecht gespielten Gleichgültigkeit, daß da irgendwas nicht stimmte, und den ersten unbeobachteten Augenblick nützte sie, um mich, der ich mich verlegen herumdrückte, zu fragen, was denn da los wäre. Ich war in einer schrecklichen

Zwiespältigkeit, denn wie sollte ich als der erste ihr sagen, daß sie gestohlen habe. Zu meinem Glück trennte uns die dazwischenfahrende Mutter, die sich bei dieser Gelegenheit in düsteren Andeutungen erging, mit allen Heimlichkeiten zwischen uns werde ja jetzt auch Schluß gemacht und glücklich könne sich schätzen, wer ein reines Gewissen habe. Ich wurde rot bis in die Augen hinein unter ihrem forschenden Blick und wußte nicht, ob ich meine nicht ganz ehrliche Unschuld preisen oder ob ich nicht, gerade in diesem Augenblick, es glühend bereuen sollte, die dunkel geahnte Sünde, auf die sie anspielte, nicht begangen zu haben. Auch die Anni wandte sich beschämt ab. Im weiteren Verlauf der verspäteten Einsicht, man könnte uns wohl zu fahrlässig mit dem jungen, hübschen und, wie sich ja jetzt leider herausstellte, grundverdorbenen Mädchen vertraut sein lassen, wurde ich übrigens, wenige Tage hernach, von meiner Mutter über die Gefahren weiblichen Umgangs aufgeklärt und erfuhr mit Schaudern, daß die Frucht solch schrecklichen, wenn auch vielleicht im ersten Augenblick verlockenden Tuns (was, wurde mir natürlich verschwiegen) ein unerwünschtes Kind oder eine häßliche Krankheit seien, häufig sogar beides zugleich; eine Offenbarung, die mich die Frau als das nächst der Klapperschlange giftigste Wesen fürchten lehrte und die mich für viele Jahre in die schrecklichsten Verzweiflungen warf.

Die feierliche Gerichtssitzung am andern Morgen, an der wir natürlich nicht teilnehmen durften, verfehlte ihre Wirkung völlig, denn die Mutter der Anni, eine dicke und gewöhnliche Person, soll, wie uns später erzählt worden ist, bei der Eröffnung, ihre Tochter habe gestohlen, erleichtert aufgeschnauft haben: sie hätte schon gefürchtet, die Anni bekäme ein Kind von einem Herrn, der sich vom Zahlen drücken wolle, wegen dem bisserl Stehlen bringe sie weder sich um noch die Anni. Wahrscheinlich wußte sie es überhaupt längst und war die Hehlerin manches Stückes, das nicht mehr aufzufinden war.

Sie nahm das verweinte Mädchen, das noch frech geworden wäre, wenn man nicht doch wenigstens mit der Polizei gedroht hätte, gleich mit; als wir von einem Spaziergang, auf den man uns geschickt hatte, zurückkamen, war sie schon fort, und die ausgeräumte Kammer starrte uns dunkel und leer entgegen. Eine Weile ging das Gespräch noch um die schöne Anni, nicht ohne daß auch auf uns manche anzügliche Bemerkung abgefallen wäre. Dann kam der Alltag wieder zu seinem Recht, und schließlich zogen wir, zum letzten Mal, in unsere Klosterschule, und wie wir vordem die glückliche Anni vergessen hatten, so vergaßen wir jetzt, über anderen Freuden und Sorgen, die unglückliche Spielgefährtin — das ist genau um so viel zu wenig, als Jugendgeliebte zu viel wäre.

Nach den großen Ferien blieben wir in der Stadt; mein Bruder kam zu einem Buchhändler in die Lehre, und ich besuchte die letzten Klassen des Gymnasiums; ein schlechter Schüler, wie ich es war, hatte ich alle Mühe, mich über Wasser zu halten, auch fand ich den Anschluß an die neuen, großstädtischen Kameraden nur schwer und blieb so ein etwas hinterwäldlerischer Einsiedler, zumal mir auch das Taschengeld fehlte, um es meinen beweglichen Genossen gleich zu tun. Von Zeit zu Zeit

berichtete jemand, daß er von der schönen Anni was gehört habe oder ihr in der Stadt begegnet sei. Die Köchin wußte zu melden, daß sie in einer Konditorei Verkäuferin sei und großen Zulauf habe. Nach ein paar Wochen aber kam sie mit der auftrumpfenden Nachricht, daß man sie dort hinausgeschmissen habe und daß sie jetzt wohl bald dort lande, wo sie hingehöre, und nur der strenge Einspruch meines Vaters, er wünsche nicht, daß der weitere Lebenslauf dieses Fräuleins in unserer Gegenwart erörtert werde, mochte sie gehindert haben, zu sagen, was sie noch alles wußte. Natürlich fragten wir sie hinterher in der Küche, konnten aber mit ihrer Erklärung, daß sie halt auf den Strich gehe, damals nicht viel anfangen.
Eines Tages erzählte dann die Mutter, daß sie die Anni getroffen habe. Sie sei durch die Maximilianstraße gegangen, und auf einmal habe ihr von der anderen Seite eine ziemlich aufgedonnerte Dame fröhlich zugewinkt und sei über die breite Straße auf sie zugesteuert, und da sei es die Anni gewesen und habe sich nach allem erkundigt, wo wir jetzt wohnten, wie es den Buben und der Tochter gehe, mir nichts, dir nichts, als ob sie im besten Einvernehmen geschieden sei. Und sie, die Mutter, sei schon gerührt gewesen von so viel Anhänglichkeit, da habe sie auf der Bluse der Anni ihre goldene Uhr baumeln sehen — man trug sie damals so, an die Brust gesteckt —. Und da habe sie ganz zornig gesagt, Sie freche Person, geben Sie gleich meine Uhr her, die Sie gestohlen haben! Und die Anni habe sehr liebenswürdig gelächelt, nein, gelacht habe sie überhaupt: Jaso, die Uhr, aber gern, und habe sie vom Kleid genestelt und sei ganz vergnügt und mit vielen Grüßen davongeschwänzelt. Übrigens müßte der Neid ihr lassen, sagte meine Mutter, daß sie vorzüglich ausgesehen habe und wirklich verdammt hübsch sei. Das gleiche bestätigte nicht viel später meine kleine, jetzt etwa zwölfjährige Schwester, die sich an staunendem Lob über die schöne Dame, die einmal bei uns war, aber damals war sie nicht so schön, kaum genug tun konnte, ein so wunderfeines Kleid habe sie angehabt und gerochen habe sie, genau so, wie es im Märchen von der Prinzessin stehe und wie sie einmal an dem Fläschchen hätte riechen dürfen. Und meine Schwester zeigte sich fest entschlossen, auch einmal so eine feine Dame zu werden.
Ich begriff nun freilich, um was es da ging, und begriff es auch wieder nicht, meinen siebzehn Jahren zum Trotz. Ich hatte in meinem Schiller schon früh genug jenes aufregende: H... mit den Pünktchen dahinter, entdeckt und von einem Mitschüler die verwegene Erklärung bekommen, das seien Frauen, die das freiwillig tun, was unsere Eltern tun müßten; recht viel weiter war ich noch nicht gekommen, es blieb ein düsteres Geheimnis, das in meiner Fantasie die kühnsten Gestalten annahm, freilich nur Schemen der schweifendsten Art, die hinter jeder Wirklichkeit ebenso weit zurückblieben, wie sie ihr vorauseilten.
Der alternde Mann, der jetzt versucht, die Tür der Erinnerung aufzumachen, kann gar nicht leise und vorsichtig genug eintreten wollen in das Zimmer seiner Jugend. Denn unversehens drängen die groben Begierden und Enttäuschungen später Jahre mit hinein und verstellen die Wahrheit. Der nachträgliche, wilde Wunsch, ja selbst die plumpe Reue, diese erste Gelegenheit, wie ach so viele noch, versäumt

zu haben, fälschen das Bild, die zerblätternde Rose vermag den Traum der Knospe nicht mehr zu träumen.

Gewiß gab es damals in unserer Klasse schon genug junge Männer mit Schnurrbärten und prahlerischen Ansichten über die Weiber, aber wie sehr auch sie noch unschuldige Aufschneider gewesen sein mochten, ich zählte nicht zu ihnen; keines Abenteuers, keiner Verliebtheit hätte ich mich zu rühmen gewußt, und Jahre sollten noch vergehen, ehe der erste Kuß meine mehr schaudernden als beseligten Lippen traf. Und doch war es ein schwerer, auswegloser Aufruhr, der mein Herz in Qualen hin- und herwarf.

Ich möchte jene Jahre, die leichthin die goldene Jugendzeit genannt werden, nicht ein zweitesmal durchleben müssen. Noch rang in mir einfältiger Glaube mit den Teufeln bestürzender Erkenntnisse, es wankte mein Himmel und meine Erde; denn als der schlechteste Schüler der Klasse, aber im Bewußtsein meines überlegenen Verstandes und im Besitz weitester, freilich in der Schule kaum verwertbarer Kenntnisse, kämpfte ich einen schlimmen, demütigenden Kampf voller schrecklicher, mein empfindliches und ehrgeiziges Herz tödlich treffender Niederlagen, und mehr als einmal war ich entschlossen, mich aus diesem Leben davonzumachen.

In solch finsterer Verfassung war ich, als ich an einem klaren Vorfrühlingstage unvermutet die schöne Anni traf. Sie ging lachend und unbekümmert auf mich zu, während ich, wie vom Blitz gespalten, nicht wußte, wie ich mich zu ihr stellen sollte. Die Kameradin der Kindheit, die fortgejagte Diebin, das verworfene Wesen: was sollte ich in ihr sehen? Von einer Dirne, einem Straßenmädchen, hatte ich die aberwitzigste Vorstellung. Um Gottes willen, dachte ich, was wird sie zu dir sagen, ja, was wird sie an Ort und Stelle mit dir anfangen wollen? Ich war daher auf das angenehmste überrascht, als sie mich fragte, wie es mir ginge, bekümmert feststellte, daß ich blaß aussehe und daß das Studieren sicher recht schwer sei. Auch nach den Eltern und Geschwistern sowie der inzwischen verstorbenen Großmutter erkundigte sie sich mit wirklich herzlicher Neugier, und mit unbefangener Heiterkeit begann sie zu plaudern. Ich beruhigte mich, als ich sah, daß sie ein so verruchtes Wesen, wie ich mir's vorgestellt hatte, nicht gut sein konnte, und da ich mehr und mehr die schöne Anni von früher in ihr spürte, nahm ich mir wenigstens ein Herz, ihr Rede und Antwort zu stehen und sie auch verstohlen anzuschauen, während wir ein Stückchen die Straße entlang gingen.

Sie war jetzt wirklich schön, das volle, schwarzrote Haar stand um ihr feines, blasses Gesicht, darin, soviel ich verstand, nur der Mund zu grell leuchtete; ein hübsches Seidenkleid zeigte ihre blühende Gestalt, um die Schultern trug sie einen Fuchspelz, einen verwegenen Hut hatte sie auf dem Kopf. Aber im ganzen schien sie mir nicht aufdringlich angezogen, die einst zu großen Hände waren wohl seither kleiner geworden, sie staken in feinen Handschuhen. Sie war voll lachenden Lebens, und die graue Angst, die ich zuerst empfunden hatte, bekam immer glühendere und üppigere Farben: Angst war es noch immer, was mir die Brust mit heißen und kalten Strömen durchzog, aber nun war es eine zärtliche Furcht und ein holdes Grausen, von dem ich wünschte, es möchte nie mehr aufhören, während ich zugleich mit Entsetzen spürte, daß es mich brausend einem Abgrund entgegentrieb. Ich sah, ich erlebte zum erstenmal das Weib.

Und wer weiß, warum auch sie jetzt anfing, mich gerade an die wildesten und verfänglichsten unserer Spiele zu erinnern, ob ich's noch wüßte, wie ich sie gekitzelt hätte damals im dunklen Alkoven, und sie habe doch nicht lachen und schreien dürfen, weil es sonst die Großmutter gehört hätte; oder wie wir über die Hinterhofmauer in den düsteren, verwunschenen Garten des Grafen Ruffini steigen wollten und wie sie mit dem Rock hängen geblieben sei und der alte, grauhaarige Kerl so unverschämt gelacht habe. Da war es, als ob nachträglich noch jene Faxen und Schäkereien ihre Unschuld verlören, und jetzt war ich es, so steif und feige ich auch neben ihr herschritt, der in einer ungewissen Begierde sie ansah, diese weichen Formen und das fremde Wogen ihres Leibes. Und doch hätte ich nicht zu sagen gewußt, was ich eigentlich von ihr wollte und was mir so wunderlich im Herzen grub.

Es kann wohl sein, daß die schöne Anni abgefeimt genug war, mit schlau berechneten Worten mir das Blut sieden zu machen; vielleicht war es auch ein natürliches, ja kindliches Sich-Erinnern, für sie am Ende schon schmerzlich, da sie ja schon drüben stand in der wilden und gefährlichen Welt der Wissenden. Jedenfalls brach sie im entscheidenden Augenblick das Gespräch ab und verabschiedete sich rasch, indem sie mir, über und über rot werdend, ein Kärtchen, das sie aus

ihrem Muff nahm, in die Hand drückte, ich möchte doch einmal, wenn ich Zeit hätte, bei ihr vorbeischauen. Und schon ging sie davon, ohne sich umzusehen.

Ich besah die winzige Karte mit der zierlichen, mit der höllisch gefährlichen Schrift, ein Name, eine Straße, eine Hausnummer, bei Frau Wolfgruber stand darauf und bitte, zweimal läuten ... Ich war stolz und kühn; schau einmal an, dachte ich, so leicht ist es, eine Damenbekanntschaft zu machen — ich war glühend rot, die Sünde erhob ihr zischendes Schlangenhaupt, die schrecklichen Ausgeburten einer unklaren Verstiegenheit suchten mich heim, ich schwitzte vor Angst, Feenträume und Teufelsgesichter tanzten einen tollen Reigen in mir, ganz verwirrt ging ich heim, einen sausenden, saugenden Zwang in der Brust; ich sagte niemandem etwas, auch dem sonst so vertrauten Bruder nicht, von der aufregenden Begegnung, und das Kärtchen versteckte ich hintereinander an hundert Orten, bis es mir, an den Ecken beschnitten, zwischen den Deckeln meiner Firmungsuhr am sichersten erschien.

Gebraucht hätte ich es längst nicht mehr, in Flammenzügen war die Anschrift in mich eingegraben. Bald war ich fest entschlossen, hinzugehen, natürlich nur so, aus Neugier und warum nicht, wie ich mir einredete, bald war ich mit Schaudern davon überzeugt, daß ich nie den Mut aufbringen würde, auch nur die Straße zu betreten, in der die, ach so holde, Unholdin hauste.

Gerade damals galt es, wenige Tage darauf, eine lateinische Schulaufgabe zu bestehen; sicherem Vermuten nach sollten wir eine Ode des Horaz ins Deutsche übertragen; und für die Osternote, ja für das Jahreszeugnis war das Ergebnis dieser Arbeit schlechthin entscheidend. Ich besaß selbstverständlich, wie alle Schüler, eine Angabe der Übersetzungen und, da es diesmal ums Ganze ging, war ich bereit, den Sieg auch durch Unterschleif zu erringen. Das Spicken war aber in den Oberklassen eine gefährliche Sache; wurde einer darauf betreten, dann war, besonders in einer heiklen Lage wie der meinigen, sein schimpflicher Untergang so gut wie besiegelt.

Des ungeachtet, faßte ich den verzweifelten Entschluß, alles auf eine Karte zu setzen — und weiß Gott, diese Karte hatte ihr Sinnbild in dem schrecklichen Stückchen Papier, das ich unterm Uhrdeckel verbarg! Wurde ich beim Abschreiben ertappt, nun, dann sollte das Unheil seinen Lauf nehmen, dann war alles verspielt, ich würde die schöne Anni besuchen, ich würde ihr, um welchen Preis auch immer, das düster glühende Geheimnis entreißen und Tod und Verderben mochten dann das Ende sein.

Wenn mich aber der liebe Gott — und ich war vermessen genug, ihm diesen Handel anzubieten, unbeschadet der Beleidigungen, die ich ihm gerade damals aus dem Aufruhr meiner zerrissenen Brust zuschleuderte — ja, wenn mich der liebe Gott retten wollte, dann bot ich ihm den Preis: nie zu dem Mädchen zu gehen, nie auch nur zu versuchen, ihr zu begegnen.

Der verhängnisvolle Tag kam; der Lehrer ließ die Blätter austeilen, nannte Überschrift und Seitenzahl der Ode, die wir übersetzen sollten. Mit funkelnden Gläsern, die auf jeden einzelnen gerichtet schienen, überwachte er das Aufschlagen des lateinischen Textes. Ich aber nahm, so heftig mir die Hände auch zittern wollten, meine Schwarte herauf, riß das entsprechende Blatt heraus und legte es in die Horazausgabe. Der Spieß ging, nein, er sprang behende und tückisch an den Bänken entlang, schüttelte hier ein Buch, ob nicht ein Spickzettel herausfalle, prüfte dort den Text, ob er nicht Zeichen trüge, und forderte alsbald meinen Nachbarn Koppenwallner mit kalt verachtender Stimme auf, seine Bemühungen einzustellen, wobei er drohend die gefundene Eselsbrücke schwang, daß seine Röllchen klirrten.

Mir schlug das Herz bis zum Halse; aber zum Äußersten entschlossen, saß ich bleich und stöhnend über meinem Text, und so hoffnungslos war mein Blick auf den Professor gerichtet, daß der sonst so mißtrauische Mann mich beinahe gütig mahnte, ich möge die Nerven nicht verlieren, da sonst alles verloren sei.

Ich bekam dann auch eine so gute Note, wie ich seit Jahren auf meinen rot durchackerten Blättern keine mehr hatte besichtigen können, und war damit, da Latein meine Hauptgefahr gewesen war, für diesmal sicher, das Klassenziel zu erreichen. Und da unsere Lehrer im Grunde gutmütige Burschen waren, die es selber nicht gerne sahen, wenn in den oberen Klassen noch einer durchfiel, so fehlte es mir plötzlich nicht an allerlei Ermunterungen und kleinen Hilfsstellungen.

Mein Versprechen aber hatte ich gleich nach der gewonnenen Schlacht wahr gemacht. Und als ob es keine bessere Gewähr für die Vernichtung des Dämons gäbe, der mich versucht hatte, zerbiß ich, in einer wunderlichen Aufwallung, die winzige Karte und verschluckte sie, in der Nacht, tief und schaudernd in mein Bett vergraben.

Von der schönen Anni hörte ich und hörten wir alle nichts mehr. Ich bestand, ein Jahr später, kläglich genug, die Reifeprüfung, ich zog als Freiwilliger ins Feld, und ich war als Schwerverwundeter schon wieder zu Hause, da besuchte eines Tages ein alter, weißbärtiger Geheimrat meinen Vater. Wir kannten den vornehmen Mann vom Sehen und wunderten uns, was ihn bewegen mochte, die vier Treppen heraufzukeuchen und uns eine so förmliche Aufwartung zu machen. Er komme, sagte er ohne Umschweife, wegen seiner Schwiegertochter; sein Sohn habe sich dieser Tage, vor dem Ausmarsch, kriegstrauen lassen und zwar mit einer Nichte von uns, der Anni. Sie hänge so sehr an uns, erzähle auch immer von allen, aber es müsse wohl eine dumme Geschichte im Spiele sein, daß wir ihr böse seien, und sie selber traue sich nicht mehr her, und auch er bitte, seinen Besuch, der eigentlich mehr ein Versuch sei, nicht übel aufzufassen. Er habe doch meine Eltern immer als umgängliche Leute kennengelernt, und da habe er sich ein Herz gefaßt und frage nun frisch von der Leber weg, ob sich die Mißhelligkeit denn nicht, im Krieg jetzt gar, aus der Welt schaffen ließe.

Meine Eltern fielen von einem Erstaunen ins andre, sie wußten nicht, ob sie empört sein sollten oder hellauf lachen, aber beides verbot ja die Rücksicht auf den würdigen und gutgläubigen alten Mann; und so brachten sie es ihm schonend bei, daß die schöne Anni nur das Mädchen gewesen sei bei der Großmutter und freilich gehalten wie das Kind vom Haus. Von dem Diebstahl aber und dem, was sie vom weiteren Lebenslauf der schönen Anni erfahren hatten, sagten sie nichts. Der Geheimrat, so heftig er an dem ungeheuren Brocken würgen mochte, der ihm da unvermutet vorgesetzt wurde, bewältigte ihn doch mit Fassung, bat meine Eltern, nichts für ungut zu nehmen und ging; vielleicht hatte er jetzt zu der halben Wahrheit, die er schon wußte, die andere Hälfte erfahren und die ganze war schwer genug für ihn zu tragen. Er ist aber wohl klug genug gewesen und hat zu Hause nichts erzählt von seinem Versöhnungsversuch; und da sein Sohn die schöne Anni, mag er sie kennen gelernt haben, wo und wie er will, aufrichtig liebte, wurde noch alles zum Besten gewendet. Ich sah sie übrigens, gegen Ende des Krieges, noch einmal unter den Ehrendamen eines großen Wohltätigkeitsfestes; und jetzt war ich, ein kleiner, verwundeter Gefreiter, zu schüchtern, sie anzusprechen. Sie war geschmackvoll gekleidet, von einer selbstverständlichen Sicherheit und unterschied sich von den übrigen Frauen nicht; es sei denn durch ihre alle andern überstrahlende Schönheit. Sie soll ihren Mann bald darauf verloren haben und, reich und gesellschaftsfähig, wie sie nun war, in Berlin eine noch glänzendere Ehe eingegangen sein. Warum auch nicht? Wenn nicht die Mägde von gestern die Herrinnen von morgen würden, wie sollte dann der Wechsel Bestand haben auf dieser wunderlichen Welt!

Ich selber aber habe erst, nachdem mich der Krieg auf seine gewalttätige Art zum Manne gemacht hatte, mein erstes wirkliches Erlebnis mit einer Frau gehabt, und ich habe mich noch ungeschickt genug dabei angestellt. Damals, in den süßen und wilden Schauern der Liebe, fühlte ich es erst, wie nah und wie unendlich fern zugleich ich dem Geheimnis gewesen war, das mich unschuldig und zauberisch umspielt hatte in der Gestalt der schönen Anni.

Die Perle

Der junge Mann, genauer gesagt, der dreißigjährige, sogar ganz genau, denn heute hatte er seinen Geburtstag, ging an einem reinen Frühsommerabend des Jahres neunzehnhundertdreiundzwanzig durch die große Stadt. Er trug einen grauen Anzug mit einem leicht hineingewobenen grünen Muster, einen dieser feschen Anzüge, an die man sich wohl noch als Greis gern erinnert, wahrscheinlich nur, weil die schönen Jugendjahre mit in die Fäden geschlungen sind; er hatte ein rundes Hütlein auf, nach Art der Maler und Dichter — und so was wird er schon gewesen sein — und wippte ein Stöckchen, wie es damals, bald nach dem ersten Krieg, Mode war, schon ein bißchen lächerlich und stutzerhaft, aber nicht so völlig unmöglich, wie es heute wäre, kurz nach dem Zweiten Weltkrieg und vielleicht nicht zu lang vor dem dritten, mit einem Spazierstöckchen herumzulaufen aus Pfefferrohr mit einem Griff aus Elfenbein.
Der also wohlgekleidete Herr war fröhlich, nicht immer, gewiß nicht, er konnte unvermutet voll schwärzester Schwermut werden, aber jetzt, bei seiner Abendwanderung, die Maximilianstraße hinauf, gegen den Fluß zu, war er vergnügt, denn zu Freunden ging er ja, und nichts Geringeres hatte er vor, als mit ihnen, in der kleinen Wohnung hoch über der Isar, seinen Geburtstag zu feiern, lustig und wohl auch üppig, an der tollen Zeit gemessen, in der die Mark davonschwamm in einem Hochwasser, in dem alles dahintrieb, in dem jeder unterging, der sich nicht zu rühren verstand und sich tragen ließ.
Morgen konnte auch er untergehen, aber heute hatte ihn die Flut getragen, wunderlich hatte sie ihn hinaufgehoben. Zwanzig Schweizerfranken war er am Morgen wechseln gegangen, ein Freund aus Bern hatte sie ihm geschickt. Die Taschen voller Papiergeld, hatte er zuerst den böhmischen Schneider bezahlt, den buckligen Verfertiger des flotten grauen Anzugs, den er trug. Dann hatte er noch ein Paar Schuhe gekauft, die jetzt neu an seinen Füßen glänzten; Zigarren hatte er besorgt, Schokolade, zwei Flaschen Schnaps. Und mittags, als er nach Hause kam, waren ein paar Leute beisammengestanden um einen blassen, ausländischen Burschen, der vier Dollar anbot und keinen Käufer fand. Wahrhaftig, mit dem Rest seines Geldes hatte er die vier Dollar erworben, der Jüngling aus Serbien oder Rumänien war mindestens drei Tage hinter der Weltgeschichte zurückgeblieben gewesen. Seine Schuld — *er hat ihm ja gegeben, was er verlangt hatte.*
Alles geschenkt, Anzug, Schuhe — *heute*. Morgen vielleicht alles genommen, alles verspielt, bis eines Tages doch der ganze Wirbel ein Ende nehmen mußte, wie alles ein Ende nimmt, wenn man nur Zeit und Geduld hat, es abzuwarten.
Wie hätte der junge Mann wissen sollen, damals, daß der erste Zusammenbruch so viel schöner war als der zweite, den er erleben würde, nicht mehr jung und unbekümmert, nein, als Fünfziger, mit ergrauendem Haar und ohne Hoffnung; daß es

nur die Hauptprobe war zu einer schrecklichen Uraufführung — oder sollte auch das erst das Vorspiel sein zu dem Schauer- und Rührstück: »Weltuntergang«, das zu spielen, bis zum schrecklichen Posaunen- oder Schweigensende zu spielen, der Menschheit von Anbeginn an vorbehalten ist, aber niemand weiß, wann es über die Bühne geht.

Jedenfalls, der junge Mann bummelte dahin, die Maximilianstraße bauchte sich aus zu einer grünen und rötlichen Anlage; grün waren die Beete und die Bäume, rötlich die steifen spitzbogigen Paläste, und grün und rötlich waren auch die Kastanienbäume, lachsrot all die tausend Kerzen; und weiß und rötlich war das Pflaster, der Asphalt, an sich war er grau und rauh wie Elefantenhaut, aber die Blüten, die abgefallenen, winzigen Löwenhäuptchen, bedeckten ihn, daß der Fuß im Schuh das Weiche spürte, es war ein glückliches Gehen in dem Schaum und Flaum, die Weichheit des Fleisches war darin und fleischfarben war ja auch dieser Schimmer, die ganze Straße entlang.

Die Sonne war im Rücken des Schreitenden, von hinten her schäumte das Licht, vor ihm, hoch überm Fluß, funkelten die Strahlen in den Fenstern des Maximilianeums — den Zungenschlag könnte einer kriegen bei dem Wort, dachte der Mann, es flog ihm nur kurz durch den Kopf, wie eines der Blütenblätter, die vorbeiwehten, an sich dachte er an etwas anderes und an was hätte er denken sollen, an was sonst an diesem Frühsommerabend, als an Frauen?

Denn Frauen auch wehten an ihm vorbei, Mädchen, in leichten und bunten Gewändern, sie kamen ihm entgegen, von der Sonne angeleuchtet, lichtübergossen; und wenn er sich umwandte, sah er ihre Beine durch das dünne Gewebe der Kleider schimmern, schattenhaft leise; das Erregende, die sinnliche Glut gab erst sein Blick dazu, die Begierde seiner Augen, der er sich ein wenig schämte und die er doch genoß, während er sich selbst ausschalt: eitel, lüstern, gewöhnlich. Zwanzig Jahre später, wir wissens, er wußte es nicht, wird er wieder, oder: noch immer durch die Maximilianstraße gehen, viele gehen dann nicht mehr, die jetzt noch dahineilen durch den glücklichen Abend, und nach den Füßen der Weiber schielt keiner mehr, selbst die Jungen kaum, andre Dinge haben sie im Kopf, auf die Trümmer der geborstenen Häuser schauen sie, die zum erstenmal im unbarmherzigen Licht stehen, auf die ratternden Panzerwagen der Sieger, die von weit drüben gekommen sind, übers Meer, aus fremden Städten und die bald in München satter und fröhlicher daheim sein werden als die Münchner selber, die nur noch am Rande leben, hohläugige Schatten. Und sie erinnern sich, dann, im Jahr fünfundvierzig, daß, ein halbes Jahr früher, als noch der Schnee lag, zerlumpte Gestalten hier an offenen Feuern saßen, um die Weihnachtszeit, wie die Hirten auf dem Felde, in der Schuttwüstenei, Russen, Mongolen, Tataren — wunderlich, höchst wunderlich, in dem gemütlichen München... Aber getrost, an die Amerikaner wird man sich gewöhnen, man wird kaum aufblicken, wenn sie nun vorüberfahren, nicht mehr in rollenden Panzern, sondern in schweren, blechblitzenden Wagen; und die Russen sind nicht mehr da, die gefangenen Russen, schon lange nicht

mehr, aber sie stehen als eine drohende Wolke im Osten, und darüber, ob sie kommen, oder ob sie nicht kommen, werden die Menschen reden, fahl vor Angst und hungrig und matt, wie sie sind; sie werden nicht viel Lust haben, nach Frauen auszuspähen, die Jungen nicht und die Älteren erst recht nicht. Und die Zeit wird weiterwuchern, die Menschen werden morgen vergessen, woran sie sich eben erst schaudernd gewöhnten, durch den Urwald der Jahre werden sie gehen, und was der Dreißigjährige mit siebzig Jahren denken wird, das kann noch niemand sagen; und nur ein später Leser dieser Geschichte mag es noch hinzufügen, mit Lächeln vielleicht, wenn er noch lächeln kann.
An Frauen also dachte der Mann, und mit Lust obendrein, denn was mag schöner sein, als zu Freunden zu gehen, in Erwartung eines heiteren Abends, und im Herzen süße Gedanken zu schaukeln an eine Geliebte, oder, sagen wir es genauer, an diese und jene, die es vielleicht werden könnte für die nächste Zeit oder für immer.
Der Mann war jetzt am Fluß angekommen, an der Isar, die sich unter dem Joch der schönen Brücke zwängte und dann weiß schäumend, kristallklar über eine Stufe hinunterstürzte, halb im Schatten schon und vom Licht verlassen und die dann weiterzog, grün im Grünen, edlen und harten Wassers, noch einmal ins Helle hinaus, unter dem lavendelblauen, ja, fast weißen, rahmfetten Himmel hin.
Er stellte sich an die Brüstung, er schaute hinab auf den tosenden Fall, wie die Flut zuerst Zöpfe flocht und Schrauben drehte, alles aus Glas, das dann zerbrach, am Stein zerhackt, übereinander in Scherben stürzend, zu Dampf zermahlen, in Fäden triefend, von Luft schäumend aufgeworfen, bis es wieder hinausstieß, wie Tafeln Eises zuerst aneinandergeschlagen, zuletzt aber glatt, wie in kalten Feuern geschmolzen, in einer großen Begier des Fließens.
Das Wasser macht die Traurigen froh und die Fröhlichen traurig, mit der gleichen ziehenden Gewalt, mit dem Murmeln derselben Gebete und Beschwörungen; und der Mann, der ja leichten Herzens gewesen war, spürte das, wie er immer schwerer wurde; und da er unterm Betrachten des Wasserfalls nicht aufgehört hatte, an Frauen zu denken, so wurden seine Gedanken an Frauen dunkler, es schwand ihm die kühne Zuversicht, der Wille löste sich auf, zu werben und zu besitzen, laß fahren dahin, dachte er und gab so die Liebe selber dem Wasser preis und schickte sie hinab in das Vergängliche.
Sobald er den Blick wieder abwandte vom Rinnenden, erholte sich sein Gemüt, in den Sinn kams ihm, wie gut er hier stand, an der nobelsten Stelle von ganz München, und in bester Laune bog er nun in die Uferstraße ein, unterm schon dämmernden Dach der Ahornbäume schritt er dahin, mehr nun der Männer gedenkend als der Frauen, die Freunde vorschmeckend und ihre Heiterkeit, den Wein auf der Zunge spürend, übermütig spielend mit der Voraussicht, daß sie den Doktor, den Wirt, ein zweites, ein drittes Mal gar in den Keller hinuntersprengen wollten, damit er, von ihren Spottreden gestachelt, mit saurer werdender Miene immer süßeren Tropfen heraufhole, mühsam genug, bis hoch unters Dach, wo sie sitzen wollten und zechen, bis die Sterne bleicher würden...

Der Dreißigjährige wippte jetzt wieder sein Stöckchen, er ging tänzerleicht und an und ab schaute er auf den Boden, kindisch vor sich hin pfeifend. Da sah er ein glänzendes Ding liegen, bestaubt, aber doch von opalnem Schimmer. Sieh da, sagte er halblaut zu sich selber, welch ein Glück, eine Perle zu finden. Die Reichtümer Indiens legen sich mir zu Füßen!
Die Perle war groß wie ein Kirschkern, eher noch größer, wie eine Haselnuß, rund ohne Fehl. Kunststück, dachte er, mit dem Wort spielend, Kunst-Stück, Gablonzer Ware, Wachsperle, Glasfluß, was weiß ich ... Und er setzte sein Stöckchen dran, es bog sich leicht durch und eh er sichs versah, flog die Perle, von der Schnellkraft des Rohres getroffen, in einem einzigen flachen Bogen davon, an den Ranken des wilden Weins vorbei, die dort in den Fluß hinunterhingen, hinaus ins Wasser.
Der Mann lachte, über solch unfreiwillige Golfmeisterschaft belustigt, er wünschte den Isarnixen Glück zu dem zweifelhaften Geschenk, sie solltens hinuntertragen

bis zur Frau Donau, wenn sie sich nicht derweilen schon selbst im Wasser auflöste, die falsche Perle, die nun dahintreiben mochte zwischen Wellensmaragd und Katzengold, unecht, trügerisch alles miteinander, in bester Gesellschaft.
Er war nun auf der Höhe des Hauses angekommen, aber viel zu früh noch, wie ihm ein Blick auf die Uhr bewies, und so hatte er noch Zeit genug, in die Isar zu schauen, bis die andern kamen, er mußte sie ja sehen auf der noch hellen, fast leeren Straße.
An Frauen zu denken, lag heute wohl in der Luft und so wob auch er schon wieder

an der alten Traumschnur, aber die Perle knüpfte er mit hinein, ein geübter, bunter Träumer, wie es war, viele Perlen und je länger er ins Fließende sah, kamen auch Tränen dazu, süße und bittere.
Wenn das Ding nicht so unglaubwürdig groß und ohne Makel gewesen wäre...
Der erste Zweifel probte seinen Zahn an ihm: Ist da nicht neulich erst etwas in der Zeitung gestanden, von einem Platinarmband, das ein Arbeiter gefunden hat? Lachend hat ers für ein paar Zigaretten hergegeben. Wenn so was echt wäre, hat er gemeint, müßts ja hunderttausend Goldmark wert sein — also ists falsch: eine großartige Logik. Hat nicht Mazarin, der spätere Kardinal, kalten Herzens einem armen Amtsbruder einen kostbaren Schmuck für einen Pappenstiel abgehandelt? »Glas natürlich, mein Lieber, was denn sonst als Glas?« Und hat er, der Perlenfinder, nicht selbst ein riesiges Goldstück in der Tasche herumgetragen, wochenlang, und es aus Jux als Hundertmarkstück hergezeigt, bis es ihm ein Kenner als echte Schaumünze erklärt — und dann für einen Haufen Papiergeld abgedrückt hat?
Der Zweifel hat sich durchgebissen. Das Blut schoß dem Mann in heißer Welle hoch: Die Perle war echt, sie konnte echt gewesen sein.
Natürlich waren das lächerliche Hirngespinste. Tatata! Er mußte ja wohl nicht gleich mit allen Neunen umfallen, wenn der Teufel sich den Spaß machte, auf ihn mit einem Glasschusser zu kegeln.
Gleichviel, der Traum ging weiter: Angenommen, die Perle war echt... Hätte er sie zurückgegeben? Selbstverständlich — nun, selbstverständlich war das nicht...
Nach Berlin wäre er gefahren, noch besser, nach Paris... Im Schatten der Vendôme-Säule, die kleinen Läden... er lächelte: ausgerechnet er, der Tölpel, würde sich da hineintrauen, um eine Perle von verrücktem Wert anzubieten; über die erste Frage würde er ins Gefängnis stolpern. Also doch besser: zurückgeben — aber wem? Wer konnte sie verloren haben? Herrliche Frauen stellte er sich vor; eine Engländerin, wie von Botticelli gemalt, würde des Weges kommen, jetzt gleich, die Augen suchend auf den Boden geheftet. Wie ein Gott würde er vor sie hintreten. »Please!« würde er sagen, mehr nicht, denn er konnte kein Englisch. Trotzdem, es würde eine hinreißende Szene werden; die süße Musik aus dem Rosenkavalier fiel ihm ein — ja, so würde er dieser Frau die Perle überreichen. Wars nicht besser eine Dame des französischen Hochadels — wenn er sie sich schon heraussuchen durfte — eine Orchidee von einer Frau: und auf französisch würde er wohl einiges sagen können. »Voilà«, würde er sagen; und jeden Finderlohn edel von sich weisen. »Madame, Ihre Tränen getrocknet zu haben, ist meinem Herzen genug. Avoir« — was heißt trocknen? »Avoir séché vos larmes...«
Er lachte sich selber aus: solchen Mist würde er reden, da war es schon besser, die Perle war noch falscher als sein Französisch und seine Gefühle. Und wenn sie echt war, die Perle, die kirschengroße, untadelige: wem gehörte sie dann anders als so einem halb verwelkten amerikanischen Papagei — immerhin, ein paar Dollar auf die Hand wären auch nicht übel...

Und schon erlaubten sich seine Gedanken, in den alten Trott zu verfallen und ein paar Runden das schöne Kinderspiel vorzuexerzieren: »Ich schenk dir einen Taler, was kaufst dir drum?«, bis er sie unwillig aus dem Gleis warf.

Hanna war ihm eingefallen, auf dem Umweg über diese lächerliche Perle: und zwar das, daß er auch *sie* nicht geprüft hatte, mit liebender Geduld, sondern weggestoßen in der ersten Wallung gekränkter Begierde. Und hier und heute, hinunterblickend in den nun rasch sich verdunkelnden Fluß, gestand er sichs ein, daß er mehr als einmal erwogen hatte, ob sie nicht doch echt gewesen war, Hanna, die Perle — und ein kostbarer Schmuck fürs Leben. Und vielleicht — fing er wieder zu grübeln an — wenn sie geringer gewesen wäre und nicht so unwahrscheinlich makellos; aber das wars ja wohl, was ihn scheu gemacht hatte: eine Blenderin, eine kalte Kunstfigur mußte sie sein, denn der ungeheure Gedanke, daß sie ein Engel sei, war nicht erlaubt. Grad so gut konnte die Perle echt gewesen sein. Ach was — Spiegelfechterei der Hölle, genug — dort kamen die Freunde.

Ja, die Freunde, sie kamen und in einem Springquell von Gelächter stiegen sie alle zusammen zur Wohnung des Doktors empor. Der empfing sie mit brennender Lunte und vollen Flaschen, und im Trinken, Rauchen und Reden wurde es ein Abend, wie er so frei und schön selbst der Jugend nicht immer gelingt, wenn sie Wein hat und Hoffnung auf ein noch einmal gerettetes Leben.

Und bis die Mitternacht da war, hatten sie mancher Woge berauschter Lust sich überlassen und dann wieder manches tiefsinnige Wort still hinter den Gläsern gesprochen und angehört und nun weissagten sie und redeten in Zungen und sie sahen vieles, was verborgen ist, und viele, die nicht mehr sichtbar sind nüchternen Augen. Sie witterten, ans Fenster tretend und hinunter spähend auf den schwarz und weiß rauschenden Fluß und hinauf in die wandernden Sterne, das Feuer über den Dächern, sie schwuren sich, daß der Tod sein Meisterstück noch nicht gemacht habe und sagten einander mit der erschreckenden Klarheit des Trunkenseins auf den Kopf zu, daß er sie noch zu einem besonderen Tanze holen wolle.

Gegen zwei Uhr aber mußte der Doktor wirklich noch zum drittenmal in den Keller, und die wütenden Zecher bedrängten ihn, daß er vom Besten bringen sollte, er wüßte schon, welchen. Der Hauswirt wehrte sich lachend, er denke nicht daran, seine Perlen vor die Säue zu werfen.

Da fiel unserm Mann die Perle wieder ein, vom Spiel des Worts heraufgeholt rollte sie in sein Gedächtnis, er hielt die flache Hand in die lärmende Schar, als könnte er das Kleinod zeigen und: »denkt euch«, rief er, »eine Perle habe ich diesen Abend gefunden, groß wie eine Walnuß, runder wie der Mond, schimmernd und schön wie —« »Wo ist sie, wo ist sie?« schrien alle auf ihn ein, nur, um ihrer Hitzigkeit Luft zu machen. »In der Isar!« lachte er, »bei den feuchten Weibern — den grüngeschwänzten Nixen hab ich sie geschenkt!«

»Großherziger Narr!« rief da der Doktor, der schon in der Tür stand und nun eilig zurücklief, einen fassungslosen Blick auf den Erschrockenen werfend. »Ja, Unseliger, hast du denn die Zeitung nicht gelesen?« Und er wühlte mit zitternder

Hand ein Blatt aus einem Stoß Papiers, schlug es auf und las mit erregter Stimme: »Hohe Belohnung! Auf dem Weg vom Prinzregententheater zum Hotel Vier Jahreszeiten verlor indischer Maharadschah aus dem linken Nasenflügel ...«
Sie ließen ihn nicht weiter flunkern, sie rissen ihm die Zeitung aus den Händen, suchten zum Scherz nach der Anzeige — nichts natürlich, keine Zeile, erstunken und erlogen das Ganze wohl, die dumme Perlengeschichte. »Aber blaß ist er doch geworden!« trumpfte der Spaßvogel auf und zeigte mit spottendem Finger auf den Perlenfinder; und der saß da, »als hätten ihm die Hennen das Brot genommen«, krähte einer, aber der war schon leicht betrunken. Und der Wein war wichtiger jetzt als die Perle und der Gastgeber wurde in den Keller geschickt, mit drohenden Worten und er ging auch und brachte vom Besten herauf und der hielt sie noch beisammen, in ernsten, überwachen Gesprächen, bis die Morgenröte herrlich ins Zimmer brach und die erste Möwe weiß über den grün aufblitzenden Fluß hinstrich.
Von der Perle war nicht mehr die Rede und auch von den Frauen nicht, und so blieb es im Dunkel, ob die Perle echt gewesen war oder nur ein Glasfluß. Auch ob Hanna die Rechte gewesen wäre und ein einmaliger Fund fürs Leben, wurde nicht erörtert, wie es doch sonst oft besprochen wird, wenn Männer reden, in aufgeschlossener Stunde.
Nein, sie stritten über andere Dinge an diesem grauenden Morgen, um wichtigere, wie man zugeben muß, sie spähten nach dem Wege, den Deutschland, den die Welt gehen würde in den nächsten zehn, zwanzig Jahren und bei Gott, sie kamen der Wahrheit so nahe, wie es ein denkender Mensch damals nur konnte, und es war eine schreckliche Wahrheit.
Daß aber ein Vierteljahrhundert später die satten Sieger durch das zertrümmerte, sterbende Reich fahren würden, in mächtigen, blanken Blechwagen, das war nicht auszudenken, auch für den schärfsten Verstand nicht, damals, nach dem ersten Kriege.
Ein solcher Wagen fuhr aber wirklich mit lautloser Wucht durch den klaren Sommerabend des Jahres sechsundvierzig den Fluß entlang und bog auf die Prinzregentenbrücke ab. Und es saß ein junges Ehepaar aus Chicago darin, der Mann, ein Offizier der Besatzungsmacht, steuerte selbst. An der Biegung aber, als der Wagen stoppen mußte, um andere vorbeizulassen, zeigte die Frau aus dem Fenster und sagte, hier irgendwo habe, vor Jahren, sie selber sei noch ein Kind gewesen, damals, ihre Mutter auf dem Heimweg von einer Rheingoldaufführung — und sie habe durchaus zu Fuß gehen wollen in jener prächtigen Sommernacht — aus dem rechten Ohr eine Perle verloren, die Schwester von der, die sie jetzt als Anhänger trage. Und natürlich habe sich nie ein Finder gemeldet, denn um eine solche Perle habe man damals halb Deutschland kaufen können.
Heute, sagte der Mann und ließ den Wagen abziehen, denn die Straße war grade für einen Augenblick frei, heute würde man, soweit noch vorhanden, das ganze dafür bekommen; und lächelte ihr zu.

Am Brückengeländer aber lehnte ein Mann, er sah wie sechzig aus, er war wohl jünger, er trug ein rundes Hütchen und einen schäbigen grauen Anzug, der ihm viel zu weit war. Er schaute in den Fluß hinunter, er blickte in die leeren Fensterhöhlen des verbrannten Hauses gegenüber und zuletzt ließ er seine traurigen, bitteren Augen dem glänzenden Wagen nachlaufen, bis der in dem Grün der Anlagen verschwand, über denen hoch und einsam der Friedensengel schwebt.

Die beiden Sammler

Sammler sind glückliche Menschen. *Goethe*

Bald nach dem Großen Kriege konnten die Münchner einen jungen Mann beobachten, wie er, mitten im Winter etwa, dahinging, einen breiten Hut auf dem langbeschopften Geierkopf, in einem gestutzten Soldatenmantel und an den Füßen Schaftstiefel, dieselben, die er vordem in Flandern getragen hatte und die er nun weiter trug, obwohl er längst verwundet aus dem Feld heimgekommen war und aus dem Dienst entlassen. Er trug eine gewaltige, vor Alter brüchige Mappe unterm Arm; sie war notdürftig verschnürt, die Stricke schnitten ihm in die ungeschützte Hand, aber keuchend schleppte er sie weiter, der Wind drohte sie aufzustoßen, es war ein mühseliger Gang, wie ihn nur ein Sammler auf sich nehmen konnte, einer wie dieser, der Blätter heimtrug, die ihm Herr Korbinian Zitzelsberger, der kleine Antiquar aus der Türkenstraße, zur Ansicht mitgegeben, ungesiebt, wie er sie selber soeben erst vom Speicher einer Witwe geholt hatte. Der

Eifrige trug seine Beute durch die langen, eisdurchklirrten Straßen nach Hause, bei den Eltern wohnte er, und vor ihnen galt es nun, die Mappe zu verbergen, vor der Mutter besonders, die in solch unseliger Neigung des Sohnes, in so drangvollen Zeiten gar, schon Untergang und Verderben der ganzen Familie sah. Der Großvater bereits, ihr eigener Vater, war der Leidenschaft des Sammelns verfallen gewesen, übereilt, zu ungünstiger Stunde, war der ganze Plunder von Münzen, Waffen und Stoffen abgestoßen worden und nichts war geblieben als ein wenig Geld, das jetzt rettungslos dahinschmolz, und ein Klebeband mit Zeichnungen und Wassermalereien, der dem Sohn in die Hände gefallen war und der nun den gefährlichen Funken neu entzündet hatte.

Als der junge Mann, ungesehen diesmal, in sein Zimmer entwischt war, stellte er seine Last auf den Boden; und nicht sehnsüchtiger kann ein Liebhaber seine Geliebte entkleiden, als er nun, mit noch klammen Fingern, die Verschnürung von seiner Mappe zu nesteln begann, um nach dem flüchtigen und abschätzenden Blick, den er, Aug in Auge mit dem Händler, auf die Blätter geworfen hatte, jetzt in vollen Zügen ihren Reiz auszukosten, bis er zuletzt, hüpfend und wunderliche Worte murmelnd, sich dem Glücksrausch seines Fundes hingab.

Eine Welt erschloß sich ihm, eines Zaubers schien er mächtig, aus dem Dunkeln die strahlendsten Dinge zu ziehen, mit beharrlicher Liebe einzudringen in den strömenden Kreis höchster deutscher Kunst. Denn die Romantiker hatte er sich, nach einigem Schwanken, zum Ziel seines Sammelns erkoren, Namen, heute von jedermann genannt, damals erst scheu und edel erblühend, Werke, für wenig Geld noch zu erwerben in jenen Jahren, wenn man nur unverdrossen suchte, mit geschärftem Blick, und sein Wissen mehrte, das hier Macht war wie selten sonst.

Was freilich diese Kennerschaft anbelangt, so dachte Herr Zitzelsberger in der Türkenstraße wesentlich geringer von ihr und auch Herr Füchsl in der Theresienstraße fand, daß der Anfänger ein Segen sei für das Geschäft, ein williger Abnehmer von Ladenhütern, die, schon von vielen Kunden beäugt, achtlos liegen gelassen worden waren. Bald erfuhren sie auch, vertrauter mit ihm werdend, daß er Eigenbrot heiße, und der Name schien ihnen wie gespitzt zu passen für einen, der sich anschickte, in die Reihe der Käuze und Abseitigen zu treten, von denen sie die närrischsten Abarten zu betreuen hatten.

So vergingen einige Jahre, der junge Rechtsstudent hatte seinen Doktor gemacht und war ein gutbezahlter Anwalt geworden, er hatte eine wohlabgestimmte Wohnung am Fluß, keine wirre und wüste Sammlerhöhle, wie man hätte glauben können, und längst trug er nicht mehr den feldgrauen Flausrock und die schweren Stiefel. Niemand hätte ihn für einen leidenschaftlichen, ja schrulligen Sammler gehalten, wie ja auch die Zauberkünstler, Zahnbrecher und Kunstmaler heutzutage wohlgekleidet einhergehen, ohne Aufhebens von sich zu machen. Nur wer ihn in dem weitläufigen, von Mappen und Büchern verstellten Bau des düsterfröhlichen Herrn Füchsl zu sehen bekam oder in dem lichtlosen, engen Verlies des Herrn Kinderlein, des leichenfahlen, feuchtbärtigen Flüsterers, stehend, als einen völlig verwandelten, grabend mit staubschwarzen Händen im Wust des Papiers und den Händen noch voraus den pfeilschnellen Blick des heißen, gierigen Auges, der spürte jenes zweiten Lebens Gewalt, die in ihm war und ihn als einen eigenen Doppelgänger erscheinen ließ. Längst hatten die Händler verlernt, ihn zu belächeln, sie liebten vielmehr seine rasche Entscheidung und seine Art, zu zahlen, ohne zu schachern.

Dieses Sammeln war bei Doktor Eigenbrot wie der jähe Anfall einer Krankheit, er stand dann von der Arbeit auf und durchstreifte die Altstadt oder die Straßen Schwabings, obwohl er sich eben erst geschworen hatte, sie eine Woche und länger nicht mehr zu betreten. Dann wieder fluchte er diesem Dämon, der ihn in solche Bereiche des Moders und der abgelebten Zeiten zwang, um gleich darauf, von einer Postkarte gerufen, mit einem Durste ohnegleichen, den lockenden Abenteuern und erregenden Geistesfreuden neuer Entdeckungen entgegenzueilen.

Woran es ihm aber fehlte, das waren die Sammlerfreunde, mit denen er sich hätte besprechen, von denen er hätte lernen können. Was half aller Erwerb und Besitz, wenn keines verständigen Menschen Auge darauf ruhte, wenn er nicht das eigene Gut am fremden messen konnte. Die Freunde des Sammlers aber, das muß hier gesagt werden, können niemals die Sammlerfreunde ersetzen. Doktor Eigenbrot bewirtete manch guten Kameraden, manch kluger Kopf zählte zu den Seinen. Nie aber wollten sie seiner Sammlung die gebührende Ehre antun, mit flüchtigen, unverstehenden Blicken oder gar mit schlimmen Scherzen wurden die besten Mappen abgetan, und fast immer endeten solche Versuche, seine Schätze zu zeigen, mit dem spottenden Rat, dergleichen kostspielige Späße sein zu lassen, Zeichnungen in den öffentlichen Sammlungen nach Herzenslust zu betrachten und das Geld für Dinge auszugeben, von denen auch sie, die guten Freunde, etwas hätten, als da sind Wein, Weib und Gesang, und mehr als einmal trieben sie ihn, der leicht zu hänseln war, in hundert Höllen des Schreckens und Ärgers, wenn sie in gut gespielter Unachtsamkeit ein kostbares Blatt zu zerreißen drohten, oder ihm weismachten, erst neulich irgendwo — und der genauen Umstände konnten sie sich natürlich nicht mehr erinnern — Zeichnungen von einem gewissen Flor oder Fohr, bei Verwandten vielleicht ziemlich gering geschätzt, liegen gesehen zu haben.

Wohl hatte unser Sammler da und dort auf seinen Streifzügen ein paar alte Herren kennengelernt, mit denen sich über dies und das plaudern ließ, leichte Gespräche waren es geblieben, denen er längst entwachsen war. Noch nie aber war er dem berühmten Herrn Stöber begegnet, aus dessen Sammlung bereits der wunderbare Glanz der Legende floß. Und Doktor Eigenbrot wußte, traurig genug, daß mehr als ein Blatt, das er hatte fahren lassen müssen, in dieser sagenhaften Sammlung prangte; denn Herr Wilhelm Stöber war reich.

Er war im Kriege Offizier gewesen, und, spät aus russischer Gefangenschaft zurückgekehrt, mußte er sich, statt die Kunstwissenschaft zu ergreifen, dem väterlichen Bankhause widmen, dem er nun seit mehreren Jahren vorstand. Der innerste Drang aber war so mächtig in ihm, daß er alsbald begann, wenige, aber erlesene Blätter der Romantiker, Nazarener und Deutschrömer zu sammeln. An Geldmitteln und Kenntnissen war er seinen Mitstrebenden weit überlegen, und Doktor Eigenbrot hatte nur den einen Vorteil, mehr Zeit aufwenden zu können, die ja Geld ist, wie die Weltkinder sagen, und die wirklich mehr sein kann als Geld, gar wenn es gilt, unermüdlich umherzuschweifen und auf der Lauer zu liegen in solch weiten und immer noch glückhaften Jagdgründen; oft genug gelang es dem Doktor, den kleinen Treibern und Jägern ihre Beute abzulisten, noch ehe die großen Wind bekommen hatten, ja, noch ehe die kleinen selbst recht wußten, was in ihren Netzen und Schlingen sich gefangen hatte.

Schaudervoll freilich war oft an solchen Dingen noch der Hauch des Todes zu spüren, denn vielleicht war die Leiche noch nicht aus dem Hause, als schon die Fledderer anrückten, in Kisten und Kasten zu graben, im Einverständnis häufig genug mit den Erben, die schon lange gewartet hatten, den unnützen Trödel in klingende Münze zu wandeln.

Herr Stöber kam nur selten in die Bereiche der kleinen Trödler, er liebte sie nicht, diese Todesverwandtschaft, er nahm diese schicksalhaften Stücke Papiers, wenn sie wieder sachlicher geworden waren, freilich auch teurer; und da andrerseits der Doktor nur sehr gelegentlich in die vornehmen Kreise des großen Handels sich wagte, währte es Jahre, bis die beiden einander begegneten, zumal ja die Verkäufer ihre Kunden, wie auch die rätselvollen Wege der Ware so geheim als möglich zu halten suchten und jedem Sammler die Blätter anboten, als wären sie jungfräulich und er, der Bevorzugte, sähe sie als der erste, gewiß und wahrhaftig. — —

Ein bedeutendes Versteigerungshaus legte seine Schätze zur Besichtigung aus, und da Anschauen nichts kostet, ging auch der Doktor hin; und was jahrelang nicht hatte gelingen wollen, ergab sich hier wie spielend, daß er nämlich Herrn Stöber kennenlernte, gar nicht flüchtig, sondern gleich gründlich, im Streitgespräch um eine bezweifelte Federzeichnung. Rascher und herzlicher, als es sonst die herrische Schüchternheit Stöbers erlaubte, war das Einvernehmen hergestellt, und wider Erwarten sagte er sogar zu, als der Doktor, bescheiden genug, die Bitte aussprach, der geschätzte Kenner möchte doch einmal auch seine Sammlung, sowenig sie im ganzen bedeuten wolle, um einiger beachtlicher Stücke willen, gelegentlich eines Blickes für wert halten.

Glühend wie eine Braut erharrte er den hochwillkommenen Gast; der erschien pünktlich und forderte unverzüglich die Mappen zu sehen, als wollte er damit deutlich machen, wie ausschließlich der Besuch der Sache und nicht der Person gelte. Stoß um Stoß wurde herbeigeschleppt, und als der Doktor des mächtigen Gegners Erstaunen spürte über die Fülle und den Wert dessen, was er ihm zu bieten vermochte, da wuchs ihm in Freuden das Herz. Endlich floß nun, ach, zum erstenmal und als ein holder Lohn der Mühen, der langgehemmte Strom der Rede, und jetzt erst, so schien es ihm, im gemeinsamen Anschauen, gewannen die Werke der verschollenen Künstler ihren Wert, diese Bleistift- und Pinselstriche, die ohne den Blick der Liebe heimatlos sind auf dieser Welt.

Eine der Zeichnungen, farbig getönt, hätte Herr Stöber gerne gehabt, wenn er sie
auch nur sparsam lobte und vorgab, ihn reize bloß die Darstellung, Winzer nämlich waren es, bei der Lese am Rebenhügel, recht hübsch, wie er sich vorsichtig
ausdrückte. Die Meinung des Eigentümers, das Blatt könnte von Schwind sein,

wies er mit wiegendem Kopf als wenig zusagend von sich. Und doch wußte er es
so gut wie sicher, daß es ein Schwind war, und zwar das Blatt Oktober aus einer
Folge der zwölf Monate, und in den neunziger Jahren, das hatte er in einer alten
Versteigerungsliste erschnüffelt, war eine solche Folge in Wien versteigert und
seitdem vielleicht in alle Welt verstreut worden. Es konnte aber auch sein, daß
die übrigen elf Monate eines Tages geschlossen im Kunsthandel auftauchten, und
dann war es von unschätzbarem Wert, diesen einen Ausreißer sichergestellt zu
haben.
Herr Stöber, so schlau er es anfing, hatte seinen Mann doch kopfscheu gemacht,
der erklärte, sich von so einem guten Blatte nicht trennen zu wollen, ehe er nicht
wisse, wessen Handschrift es sei. Ziemlich schroff und durch die Weigerung, auf
einen Tausch einzugehen, sichtlich verstimmt, zog der Beschauer die Uhr, schien
aufs höchste überrascht, daß Mitternacht schon vorüber sei, und erhob sich, um
aufzubrechen.

Doktor Eigenbrot, der gern noch volle Stunden gesäumt hätte, geleitete den Gast über die Treppe, als er plötzlich, am Haustor, mit Schrecken bemerkte, daß er den Schlüsselbund am Mappenschrank hatte stecken lassen. Wohl ließ sich das Haustor durch einen geschickten Griff in die Feder des Schlosses öffnen; aber ihm selbst, der die Wohnungstür hinter sich zugeschlagen hatte, blieb der Rückweg versperrt, und er wußte nicht, wo er die Nacht verbringen sollte.

Dieser Sorge enthob ihn Herr Stöber, der ihm vorschlug, mit ihm nach Hause zu fahren und dort zu übernachten, ein Angebot, das in solch peinlicher Lage nur schwer auszuschlagen war. So fuhr er denn, in einem weit zwingenderen Maße Gast seines Gastes, durch die stille Stadt gegen Süden, wo der Bankherr, am Rande des Waldes, in einem vornehmen Landhaus wohnte, in das er gewiß noch keinen geladen hatte, den er zum erstenmal gesehen.

Einen Haken freilich, so mußte Herr Stöber unterwegs zaudernd gestehen, hatte diese wunderliche Beherbergung noch, den nämlich, daß seine Frau, so lieb und verständig sie sonst auch sein mochte, wenig übrig hatte für die künstlerischen Neigungen ihres Gatten. Nie und nimmer durfte sie erfahren, wieviel Zeit und Geld Herr Stöber an diese Spielerei verwende.

Dort erwies sich diese lächerlich-ernste Sorge als unbegründet, Frau Stöber war früh zu Bett gegangen, und während in dem weitläufigen und prächtigen Haus die Dienerschaft dem Fremden das Zimmer rüstete, konnte der Hausherr, bei einem Glase Schnaps, den Gast noch einen flüchtigen Blick auf seine Mappen tun lassen; noch einmal und dringlicher kam er auf den Tausch zu sprechen, bot auch gleich einige Blätter an, und der Doktor, unter solch wunderlichen Umständen dem andern mehr verpflichtet, als ihm lieb war, zögerte nun nicht länger, einzuschlagen, wie sehr ihn auch eine innere Stimme warnen mochte, gerade solcher, an Nötigung grenzenden Hartnäckigkeit nachzugeben.

So schlief er denn auch schlecht genug in dem herrlichen Bette und empfahl sich, unrasiert und ungefrühstückt, beim ersten Sonnenstrahl. Eine leichte Verstimmung blieb, die noch wuchs, als ihm Zwischenträger berichteten, Herr Stöber tue sich viel zugute auf seinen jüngsten Fang, wo er einen hervorragenden Schwind einem Gimpel abgejagt hätte.

Gleichwohl begegneten sich die beiden Sammler im Lauf der nächsten Jahre öfter, die Wunde vernarbte, Herr Stöber war von gleichmäßiger Freundlichkeit und lud ihn sogar, als seine Frau in der Sommerfrische war, zu einer ausgiebigen Betrachtung seiner Sammlung ein, wobei Doktor Eigenbrot allerdings mit Ingrimm feststellen mußte, daß sein Blatt als Schwind in der besten Mappe lag. — Das Schicksal wollte der Freundschaft der beiden Sammler nicht wohl und es hatte sich in den Sinn gesetzt, diese Monatsbilder des Meisters Schwind schlimm-launisch zwischen sie zu werfen. Doktor Eigenbrot war wieder einmal zu Herrn Füchsl gegangen, und weiß Gott, er hatte eine glückliche Hand, als er einen Schwung vergessener Blätter aus einer staubigen Schublade zog. Er traute, wie man so sagt, seinen Augen nicht, als er darunter vier der Bilder fand, wie er eins an seinen großen

Gegner verloren hatte. Unverzüglich wollte er sie erwerben, nicht nur sie allein, es war noch manch edle Hand unter den Zeichnungen zu entdecken. Allein, Herr Füchsl selbst, der die Preise noch nicht gemacht hatte, war nicht zugegen, die Tochter war nur im Geschäft und der Sohn, ein Lateinschüler noch, sie getrauten sich nicht, einen gültigen Kauf abzuschließen. Aber neue Sachen wären gestern hereingekommen, sagte die Tochter, hinten lägen sie noch, in der Kammer, und bis der Vater zurück sei, und er müsse jeden Augenblick kommen, könnte ja der Herr Doktor schauen, ob auch für ihn etwas Geeignetes darunter wäre.
Doktor Eigenbrot übergab, mit der ausdrücklichen Bemerkung, daß er sie als gekauft betrachte, dem Fräulein die herausgesuchten Blätter und drang darauf, daß sie entsprechend verwahrt wurden; dann erst ging er, seinem Stern vertrauend, mit der Tochter ins rückwärtige Lager, während der Sohn den Laden hüten und, falls ein Kunde erschiene, die Bedienung rufen sollte.
Als die beiden nach längerer Zeit, staubstarrend vom ergebnislosen Wühlen, wieder im Laden erschienen, trafen sie dort Herrn Füchsl an, und stracks forderte der Doktor seine Blätter, um sie, die er in Bausch und Bogen, um jeden Preis gewissermaßen, schon erworben hatte, jetzt einzeln auszuhandeln. Aber als die Tochter, ganz selbstverständlich, nach ihnen griff, waren sie nicht mehr da. Der verwirrte Herr Füchsl mußte zugeben, daß er sie soeben dem Herrn Stöber, der mit ihm zugleich den Laden betreten hatte, verkauft habe — in traumwandlerischer Sicherheit habe dieser das Versteck aufgefunden, einen Blick darauf geworfen, ohne Feilschen den gar nicht geringen, ja, wie Herr Füchsl beteuerte, abschreckend hohen Preis bezahlt und fort sei er gewesen, mit einer verdächtigen Schnelligkeit.
Doktor Eigenbrot tobte, das Mädchen weinte, Herr Füchsl beteuerte seine Unschuld und erklärte sich immer wieder bereit, den Schaden durch hundert Bemühungen zu ersetzen. Er sah die Gefahr, von seinen beiden Kunden unweigerlich den einen zu verlieren. Doktor Eigenbrot blieb unerbittlich, er verlangte vom Herrn Füchsl, daß er sogleich Herrn Stöber davon verständigen müsse, die Ware sei bereits rechtsverbindlich verkauft gewesen, der Käufer, dessen Namen er unter keinen Umständen nennen sollte, erwarte die Rückgabe der Blätter. Der verängstigte Herr Füchsl griff, widerwillig genug, zum Fernsprecher und rief, gegen alle Vereinbarung, den Bankherrn in der Wohnung an; er war jedoch noch nicht zu Hause. Frau Stöber nahm die beweglichen Klagen des Händlers entgegen, erfuhr auf solche Weise mit zornigem Staunen, was ihr jahrelang verschwiegen worden war. Herr Stöber, der kurz darauf in bester Laune, den glücklichen Fang unter Geschäftspapieren verborgen, hereintrat, ward mit Tränen und Vorwürfen übel genug empfangen; er ließ, kaum daß er seine Frau notdürftig und unter beschämenden Ausflüchten beschwichtigt hatte, in der ersten Wut Herrn Füchsl einen eingeschriebenen Brief zugehen des Inhalts, daß er dessen Laden nie wieder betreten werde, im übrigen aber eine gerichtliche Entscheidung in Ruhe erwarte.
Doktor Eigenbrot, der Anwalt, hatte nicht übel Lust, sich in eigener Sache gegen

seinen großen Nebenbuhler die Sporen zu verdienen, aber bei ruhiger Überlegung fand er, daß das, was einzig zu erfechten sich lohnte, der Besitz der vier Zeichnungen von Schwind, nicht zu erzwingen war. Alles andere aber, Genugtuung und Ersatz, kam einer Niederlage gleich. So bezwang er seinen Groll und nahm wenigstens insofern seinen Vorteil wahr, als Herr Füchsl in der Tat sich erbötig zeigte, ihm mit verdoppeltem Eifer bei seinen Erwerbungen zu dienen.

Gewiß hatte der Bankherr längst erfahren, wem er die köstlichen Blätter weggekauft hatte. Aber er sprach kein Wort davon und auch der Doktor schwieg sich aus; es blieb eine schwelende Feindlichkeit, ihre Begegnungen blieben selten und frostig, sie gingen einander aus dem Wege und keiner lud den andern mehr ein, seine Neuerwerbungen zu besichtigen. Und wenn auch beide inzwischen andere Sammelfreunde hatten, es waren doch Stümper oder dürre Schwätzer, und im tiefsten Herzen ließ weder der eine noch der andere sich darüber täuschen, daß nichts den ebenbürtigen Gegner ersetzt und daß sie mit schmachtender Entbehrung büßen mußten für ihren Trotz. Wie im Märchen war es, wo zwei Zauberer sich verfeinden, wo eine vergiftete Liebe das Böse tut mit wehem Herzen. Der Doktor entbehrte die tiefen Gespräche mit Herrn Stöber schmerzlich, und auch dieser mußte sich gestehen, daß er öfter als einmal schon den Hörer von der Gabel genommen hatte, den Widersacher anzurufen, und ihn dann doch wieder zurücklegte, als wäre das Hindernis zu groß für seinen Stolz.

So verging die Zeit wieder so einsam, wie sie vordem gewesen war, ehe sie sich kennengelernt hatten. Die Männer, die damals noch nicht Dreißigjährige gewesen waren, mehr als Vierzigjährige waren sie jetzt, vieles war lebendig herübergeglitten mit ihnen, anderes war abgestorben im ständigen Wechsel und Wandel, die Süßigkeit des Auf-der-Welt-Seins war gewiß nicht größer geworden, und nur das Glück der Stille, die mächtige Sehnsucht nach der Dauer war gewachsen mit ihren Jahren. Die Schicksale der Welt hatten sich inzwischen verändert in einem Umsturz ohnegleichen, und auch rings um die beiden Sammler hatte Großes sich erhoben, sicher Scheinendes war gestürzt. Aber jene Gewohnheit, die den Menschen nährt und wiegt von Tag zu Tag, bis zum Grabe ihn begleitet, in das sie ihn dann stößt, diese trägtückische Gewohnheit war stärker geblieben, und gar der Besitzende, in unfreier Angst vor der Veränderung, redet sich leicht ein, nichts wäre geschehen, das ihn erschüttern müßte.

Immerhin, es galt wacher zu leben, und wie die beiden Sammler sonst lebten, müßten wir ausführlich schildern, denn sie waren ja nicht Sammler nur, abwegige, wunderliche Käuze, aus allen Wurzeln des Seins nährten sie sich, und dieses Begehren nach Schönheit, dieses Drängen nach kostbarem Besitz war nur einer ihrer Triebe, ein wuchernder zwar, aber er hatte ihr Leben nicht erstickt, dieses lustige und traurige Leben, das tausendfältige, in schwere Jahre gestellte Leben; und doch, dieses stille und tröstliche, oft auch wilde und leidenschaftliche Wirken im Reich der Kunst, es baute einen hohen Raum um sie, und wie von Engelshänden waren sie geführt durch verworrene Jahre.

Manches also war anders geworden als früher, vieles, ja alles war von Grund auf verwandelt, aber das gehört nicht in unsere Geschichte. Daß man aber eines Tages nicht mehr wie sonst nach Österreich reisen konnte, ins Nachbarland, das gehört hierher.

Doktor Eigenbrot fuhr nämlich doch nach Österreich, nach Wien, eine Genehmigung der Behörden war dazu erforderlich, nur für wichtige Geschäfte wurde sie erteilt, und der Anwalt, der dort mit der Gegenpartei verhandeln mußte, hatte ein wichtiges Geschäft.

Das hatten auch andere, Bankleute etwa, und so kam es, daß der erste, dem er an der Bahn begegnete, Herr Stöber war, der ebenfalls beruflich in Wien zu tun hatte. Einen Herzschlag lang hatten sie beide wegzuschauen versucht, aber zu überraschend waren sie aufeinandergeprallt und mußten sich nun wohl begrüßen, verlegen begannen sie eine stockende Unterhaltung von ausgesuchter Artigkeit.

Der Monatsbilder von Schwind ward keine Erwähnung getan, und doch blätterten sie unaufhörlich zwischen ihnen, die unvergeßlichen, dem Gewinner, der sie zwar recht und billig, aber nicht ganz einwandfrei erworben, und dem Verlierer, der sie eingebüßt, nicht ganz ohne eigenes Versagen, aber mehr durch Fügung des Schicksals, das ihm noch eine Genugtuung schuldig schien. Dann wurde das Gespräch ohnehin einsilbig, wie das so zu gehen pflegt auf Reisen, dies und das fragten sie sich noch aus Höflichkeit, wie lange man zu bleiben gedenke, und Herr Stöber bedauerte, morgen schon zurück zu müssen, mit dem Mittagszuge, und zum Herumschnurren bleibe ihm keine Zeit, diesmal, aber er hoffe, das nächste Mal, und bald, Muße zu finden, die Geschäfte nach Bildern abzuklopfen. Allzulange, erwiderte der Doktor, werde auch er nicht bleiben, schon wegen der knapp bemessenen Schillinge nicht. Der Bankherr, gern zu Diensten, bot, nach der Brieftasche greifend, seine Hilfe an, aber der Doktor winkte ab, er wollte sich nicht gerne verpflichtet sehen. In Wien aber, wo sie am Nachmittag ankamen, trennten sie sich mit kurzem Gruß und tauchten unter in der großen, wintergrauen Stadt.

Doktor Eigenbrot holte sich auf seinen Auszahlbrief zweihundert Schillinge, mehr hatte er nicht zu erwarten. An Einkäufe war bei so magerem Beutel nicht zu denken, gleichwohl schlenderte er durch die Gassen und ward wie von Geisterhänden in die entlegensten Winkel geführt, wo in halbblinden Auslagen und rumpeligen Gewölben der Trödelkram der alten Kaiserstadt feilgeboten ward. Dies und jenes hätte ihn gereizt, aber die wunderliche Armut, die ihm hier aufgezwungen war, verbot ihm, auch nur nach dem Preise zu fragen. Es dämmerte schon, da und dort wurden Läden geschlossen, da trat er noch bei einem Glaser und Rahmenmacher ein, der unter scheußlichen neuen Kitschbildern auch ein paar ältere Stiche und Handzeichnungen ins Fenster gehängt hatte. Er ließ sich einiges vorlegen, es war schwer genug, dem unverständig-freundlichen Mann begreiflich zu machen, was er eigentlich suche. Endlich, zögernd, als wüßte er noch immer nicht, ob er das Rechte getroffen, sagte der Meister, vorgestern hätte er von einem alten Hofrat, der verarmt gestorben sei, und ob er ihn nicht gekannt hätte, den Hofrat Patschlizek, einen großen Sammler — aber nein, der Herr sei ja nicht von hier, so, aus München sei der Herr, eine schöne Stadt, und im Reich draußen sei es ja doch viel besser zu leben, also von dem Hofrat habe er ein paar Bilder gekauft, keine Ölbilder, Zeichnungen eigentlich, aber doch farbig, und leider seien die Bilder, wenigstens glaube er das, nicht vollständig, es sähe so her, als ob es die zwölf Monate sein sollten, aber es seien bloß sieben Bilder, und ob er sie holen gehen solle oder ob der Herr nicht besser morgen vormittag vorbeischauen wollte, da seien sie bestimmt da, denn vergessen, nein, da könnte er sich darauf verlassen, vergessen würde er das nicht.

Himmel und Hölle stürzten bei dieser weitläufigen Rede auf den Sammler ein. Hoffnungen stiegen in ihm auf mit feurigen und süßen Qualen, Abgründe des Mißtrauens verschlangen sie, eiskalt. Wer weiß, welchen Bafel ihm der Schwätzer hier vorlegen würde, ein Teufel, ohne es zu wissen — ein Engel, ohne es zu wissen, ja, auch ein Engel konnte er sein, himmlischer Bote unaussprechlicher Seligkeit. Aber unmöglich durfte die Entscheidung auch nur eine Stunde hinausgeschoben werden. Die oft geübte Klugheit, nur eine gedämpfte, beiläufige Anteilnahme zu zeigen, der Fiebernde ließ sie fahren, er beschwor den Glaser, unverzüglich die Bilder herbeizuschaffen, oder, noch besser, er selbst wollte, nach Ladenschluß, mit in die Wohnung gehen. Jedenfalls war er entschlossen, nicht vom Platz zu weichen, den Mann nicht aus den Augen zu lassen. War denn nicht der große Zauberer, der Unhold in den Mauern dieser Stadt, konnte nicht jeden Augenblick Herr Stöber zur Türe hereintreten, ja, in die Wohnung war er vielleicht schon geschlichen, vom Teufel selbst auf die Spur gesetzt und hatte der ahnungslosen Meisterin die Bilder abgeschwatzt.

Die Wege der Menschen sind wunderbar, aber auch die Dinge, die sie geschaffen, sind lebendige Wesen und haben ihre Schicksale: Als der Glaser, in der düsteren, schlimm riechenden Wohnung, zu der sie über holprige Treppen heraufgestiegen waren, dem Doktor die Bilder, noch gerahmt, wie sie waren, vorwies, genügte ein Blick, um ihn zu überzeugen, daß das Unwahrscheinliche Ereignis geworden war. Er hielt die Monatsbilder von Schwind in bebenden Händen, und so übel es roch nach versottenem Kraut und schmurgelndem Fett, er mußte tief Atem schöpfen, und der Aufforderung der Meisterin, die mit der Schürze den Stuhl abwischte und ihn bat, Platz zu nehmen, hätte es nicht bedurft, er saß schon, klopfenden Herzens, in Schauern von Entzückung.

Noch stand ihm freilich bevor, daß die Bilder unerschwinglich waren, hier und für ihn, denn auch der Alte mochte gewittert haben, daß es nichts Alltägliches sei, was seinen Kunden so in Wallung versetzt hatte. Stockend fragte der, was sie wohl kosten würden. Der Meister begann abermals eine umständliche Rede, um endlich erst, als der Wartende schier bersten wollte, vor kribbelnder Unrast, sich zu der schlichten Aussage zu sammeln, er dächte, dreißig Schilling sei gewiß nicht zu viel für das Stück, oder zweihundert Schilling für alle zusammen.

Doktor Eigenbrot, der vor Erregung nur stumm mit dem Kopf nickte, zählte dem

Mann in vier Fünfzigschillingnoten den Kaufpreis hin, so wie er sie selber bekommen hatte, vor nicht zwei Stunden, um vier Tage zu leben in Wien. Und nun waren sie fort, am ersten Abend.

Unter vielen Empfehlungen und Segenswünschen stolperte der Fremde die Stiegen hinunter.

Draußen hatte es inzwischen angefangen zu schneien. Wallend und wirbelnd flossen die dichten Flocken nieder, tanzend um die goldenen Lichter. Doktor Eigenbrot ging dahin, als schwebe er, leicht wie der flatternde Flaum. Und als er, aus den engen, naßzertretenen Gassen hinaustrat auf einen freien Platz, darauf unberührt der Schnee lag, eine weiße, glitzernde Fläche, da schlitterte und tanzte er, eine wilde Weise summend und vielverschlungene, seltsame Zeichen schliff und stapfte er in den lautlosen Teppich, seinen ungeheuern Fund an sich gepreßt in der Brusttasche des Mantels, betrunken vor Glück hinschaukelnd durch die fremde, nachttiefe, schneevermummte Stadt Wien.

Dann freilich ernüchterten ihn Hunger und Müdigkeit, und er war wieder in dieser Welt, schlecht genug gerüstet, wie er sich gestehen mußte, es mit ihr aufzunehmen. In einem Torgang suchte er seine Taschen aus; er hatte, bei Licht besehen, noch etwas reichsdeutsche Münze, fünf Mark und etliche dreißig Pfennige brachte er zusammen.

Plötzlich fiel ihm Herr Stöber ein, der ja morgen mittag zurückfuhr. An der Bahn würde er ihn abfangen und ihm sagen, daß er nun doch von dem liebenswürdigen Anerbieten Gebrauch machen wolle. Und nun, da er doch im reinen Glücksgefühl nicht einen Augenblick an seinen Gegner gedacht hatte und an den ungeheuerlichen Trumpf, den er in Händen hielt gegen ihn, ja, nun überkam ihn das Bewußtsein der tollsten Laune, deren Fortuna fähig war: Mit seinem eignen Geld sollte jener den Kauf erst ermöglichen, mit der eignen Waffe blindlings den Hieb tun, der saß.

Doktor Eigenbrot ging vergnügt in das nächste Weinhaus, bescheiden genug, wie er meinte, aber das Sparen will gelernt sein; als er in seinen Gasthof kam, besaß er noch zwei Schillinge, die ihm der Pförtner, wer weiß mit welcher Begründung, mit hurtiger Höflichkeit abnahm. Doch was hatte all dies zu bedeuten, gemessen an dem Märchenschatz, den er jetzt hervorzog, mit Augen verschlang, mit Händen herzte, bis er ihn endlich und endgültig in die Tiefe seiner Reisetasche verschloß.

Andern Tags, bei nassem und stürmischem Wetter, mußte er ungefrühstückt seine Tätigkeit aufnehmen und die Gegenpartei besuchen, einen mürrischen Herrn, von dem er sich weder in seiner Sache noch, wie er vielleicht gehofft hatte, in seiner Person irgendeines Wohlwollens versehen durfte. Rasch brach er mittags die Verhandlung ab, zu Fuß mußte er den weiten Weg machen zum Westbahnhof, bitter bereute er, sich gestern nicht mit einem Kipfel begnügt oder wenigstens dem Pförtner seine Verlegenheit entdeckt zu haben. Erhitzt und atemlos, im dicken Wintermantel laufend, kam er an, reichlich spät. Und wie, das fiel ihm jäh und siedend ein, sollte er durch die Sperre kommen? Aber wie oft dem großen Glück noch ein winziges nachläuft, wie eine Schnuppe am Sternenhimmel — vor ihm, im nassen Schmutz, lag ein verlorenes Nickelstück, eifrig hob er es auf, der feine Herr, löste eine Karte und eilte durch die Sperre. Zug auf, Zug ab, nirgends war Herr Stöber zu entdecken. Da, als er schon die Hoffnung aufgab, sah er ihn, der sich noch mehr verspätet hatte, herbeitraben, zappelig und wenig geneigt, sich aufhalten zu lassen. Er verstand auch zuerst gar nicht, was der Doktor wollte; verwirrt und keuchend sich nachdrängend im übervollen Zug, mußte dieser seine Bitte vorbringen, und was gestern noch eine einfache, verbindliche Sache gewesen wäre, sah jetzt verdammt nach einer peinlichen Schnorrerei aus. Denn es zeigte sich, daß Herr Stöber, nicht darauf gefaßt, noch um einen größeren Betrag angegangen zu werden, sein Geld verbraucht hatte, und was er, selbst ungemein betreten von dem Schauspiel, das sie beide boten, an österreichischer Währung aus den Taschen fingerte, waren sechsundvierzig Schillinge und etliche Groschen, und der Doktor nahm sie, feuerrot vor Scham und einen verlegenen Dank stotternd, und gerade hatte er noch Zeit, aus dem Zug zu springen, der schon anfuhr.

Noch am selben Nachmittag verließ er, unter dem Vorwand, zu Verwandten zu ziehen, das Hotel; und keine dreißig Schillinge hatte er nunmehr und zu Verwandten zog er in der Tat, zu kleinen Leuten nämlich, armen Schluckern, in einen geringen Gasthof in der Vorstadt. Spaßig genug war nun sein Leben, märchenverzaubert, zwei Tage lang, ein Doppelleben war es, eines Menschen, der wohlgekleidet durch die Straßen ging, Bettlern scheu auswich oder sie mit einem Achselzucken abwies, der in Klubsesseln mit gewichtigen Herren verhandelte, vorgab, schon gespeist zu haben, und verdutzte Diener ohne Trinkgeld verließ — und das in Wien! Äußerstenfalls hätte er seine Uhr verpfänden müssen; aber es gelang ihm, die Besprechungen am dritten Tag notdürftig abzuschließen, und in der Nacht noch, verflucht von dem Hausmeister, verließ er Wien und reiste nach München zurück.

Eines der sieben Bilder, und es muß nicht gesagt werden, daß es das schwächste war, übersandte er unverzüglich Herrn Stöber, mit höflichem Dank für die erwiesene Hilfe; es entspreche, die Spesen nicht eingerechnet, ungefähr dem, was auf ihn treffe von dem unerhört glücklichen Kauf, den er gemacht habe. Daß er die andern sechs Blätter, die übrigens hinreißend schön und eine Besichtigung, zu der er ihn einlade, sehr würdig wären, nun ein für allemal selbst behalten wolle, das werde er wohl begreifen.

Nun hätte Herr Stöber vor so zauberhaftem Glück die Waffen strecken und, für den immerhin zwanzigfachen Segen, den ihm seine Gefälligkeit gebracht, dankbar, die Gelegenheit ergreifen können, den alten, vertrauten Umgang wieder aufzunehmen. Allein, der stolze Bankherr liebte es nicht, glühende Kohlen auf sein Haupt gesammelt zu sehen und sich auf so herausfordernde Art beschenken zu lassen. Der Neid überrannte sein Herz, und Neid sollte ja auch, das war des Doktors unverblümte Absicht und ist aller Sammler Ziel schlechthin, gelber Neid sollte in ihm erweckt werden, und wie leicht ist er zu wecken, denn er schläft ja kaum je in eines Sammlers Brust. Herr Stöber also auf so empfindliche Art von dem Haupttreffer des beispiellosen Glückspilzes in Kenntnis gesetzt, schickte das angebotene Bild, jede andere Regung niederkämpfend, postwendend zurück, mit dem Bemerken, die paar Schillinge seien ja nur ein Bettel gewesen, kaum der Rede wert, und es stehe ihm nicht zu, eine solche Gegengabe dafür anzunehmen. Für den Fall aber, daß er, Eigenbrot, doch einmal tauschen wolle, sei er zu erheblichen Opfern bereit, er könne vielleicht manche schmerzliche Lücke der Sammlung schließen.

Der Doktor, der das schneidende, das zweischneidige Wort »Bettel« gewiß noch übler auslegte, als es gemeint war, und der das Ansinnen, jetzt noch zu tauschen, als eine bare Unverfrorenheit empfand, schickte den Gegenwert von siebenundvierzig Schillingen, nämlich dreiundzwanzig Mark und fünfzig Pfennige, mittels Postanweisung, kurz dankend, an Herrn Stöber, und damit waren offensichtlich die Brücken zwischen den beiden Sammlern abgebrochen.

Es bekommt dem Menschen nicht gut, wenn er als Trumpf ausspielen will, was ihm als Gnade das Schicksal geschenkt hat. So wertvoll, so bezaubernd die nun auf so erstaunliche Art zwischen den beiden geteilten Schwind-Zeichnungen sein mochten, den Riß, den sie in ihr Leben gebracht hatten, konnten sie nicht aufwiegen. Sie waren jeweils nur ein Teil, ein Bruchteil ihrer großen und bedeutenden Sammlungen, und, da ja nicht ihr unsterblicher, dem gesamten Volk, ja der Menschheit gehörender Kunstwert, sondern nur das sterbliche, durch Schicksal und Tod, ach, so leicht aufzuhebende Besitzrecht in Frage stand, waren sie geringer einzuschätzen als die lebendige Freundschaft von Männern, die seltener ist und erlesener als alles irdische Gut.

Die beiden grollenden, vereinsamten Sammler legten wohl noch Blatt zu Blatt, wiewohl es immer mühsamer und kostspieliger wurde, bedeutende Stücke, auf die sie ja einzig Wert legten, noch zu erwerben. Im Kleinhandel waren sie nicht mehr aufzutreiben. Nun mußte sich auch Doktor Eigenbrot bequemen, tief in den Beutel zu greifen, Zeit brauchte er nicht mehr so viel, aber Geld; und er legte es hin, oft genug, übers Maß dessen hinaus, was er sich leisten konnte, nur damit der andere, der reiche, nicht die Kunde vernehme, er habe ihn abgehängt; dann wieder, zornig, verschwor er sich, die Sammlerei ganz aufzugeben, eine Last nur war das alles, Papier über Papier, daran er sein Herz gehängt hatte, vom Teufel in die Irre und Dürre verführt.

Und auch der andre, Herr Stöber, hatte grillenhafte Stunden genug, da er über das Schicksal seiner Schätze nachsann, die er verbergen mußte vor seiner Frau, die er einsam hütete und mehrte, ungewiß, für wessen Hände und welches Herz, wenn einmal das seine nicht mehr schlug. Er war dann nicht mehr der Meinung, daß Sammler glückliche Menschen sind, und seinem kleinen Sohn, der gerade anfing, Briefmarken zu ertäuscheln und zu erbetteln, zerriß er zornig das Album, als könnte er das Feuer austreten, das übergesprungen schien auf das Kind. Es kämen andere Zeiten, sagte er, in denen nicht mehr Herz Trumpf sei, sondern Schellen, und Wochen vergingen oft, bis wieder ein stiller Abend kam der Einkehr und des seligen Schauens. Allerdings, wenn dann eine große Versteigerung war, ließen sie auf die entscheidenden Blätter bieten, oder wenn auch nur Herr Füchsl eine Karte schrieb, daß nun doch, endlich, wieder etwas hereingekommen sei, fuhren sie eilig hin, und ihre erste Frage war, ob der andre schon dagewesen sei, was Herr Füchsl auf jeden Fall verneinte, denn er wußte ja, daß jeder ein Cäsar war, der lieber im kleinsten Nest der Erste sein wollte, als in München der Zweite. Und wenn sie sich dann doch trafen, treffen mußten, es war gar nicht anders möglich, dann spürten sie jenen Stich im Herzen, der untrüglich sagt, daß die Liebe nicht gestorben ist, daß sie, gefesselt vom Stolz, im kalten Kerker der Vernunft, mächtiger rüttelt denn je. Viel gäben sie darum, dachten sie, und meinten es sogar ehrlich, wenn sie wieder ihre Freundschaft knüpfen könnten, ohne daß ein Knoten zurückblieb, und hatten doch das wenige nicht gegeben, ein paar Blätter Papiers nicht getauscht, die ihnen das Schicksal in den Weg geworfen, um zu prüfen, wie hoch ihre Herzen wären.

Und dann rollte, im Sommer des Jahres 1939, dieses gleiche Schicksal — denn es gibt nur eines, das mächtig waltet über uns allen und jedem von uns — herauf über den Völkern, und auch diesmal, um zu erproben, was sie wert seien, die Völker und die einzelnen Menschen, in der letzten Entscheidung. Und jetzt wurden auch die beiden Sammler unausweichlich angerührt, denn Krieg und Kriegsgeschrei scholl durch das Land, und nichts ruft so laut in der Welt, als die Trommel in dem Feld mit dem Ruf der Ehre ruft. Und sie rief auch den Anwalt und den Bankherrn, die Männer rief sie, und beide, alte Soldaten, wie sie waren, hatten zur nämlichen Stunde ein Stück Papier erhalten, das alles Papier aufwog, das sie in ihren Schränken bargen, eine Karte, die sie für den andern Morgen schon zu ihrer Truppe befahl. Sie waren nicht von ungefähr gekommen, diese jetzt eilig ausgetragenen Karten, seit Tagen hatte man sie erwartet, in dumpfer Stille, fröstelnd unterm heißen, strahlenden Augusthimmel, und doch, als sie nun kamen und auf dem Tisch lagen, war es gut, wie alles zuletzt gut ist, was so sein muß.

Doktor Eigenbrot, der Junggeselle, hatte, was ihn anging, alles in Ordnung gebracht, denn es war ja nun, in dieser Handvoll Zeit, allzuviel in Ordnung zu bringen oder fast nichts, er saß also, wie im Windschatten des ungeheuern Sturmes, der über die Welt fuhr, an diesem Nachmittag bei offenen Fenstern in der Stille seines Zimmers, bei seinen Blättern saß er, und lange hatte er sie nicht mit solcher Rührung und Innigkeit betrachtet wie jetzt, die Einberufung in der Tasche, und es war ihm, als riefen auch diese edlen Zeugnisse deutschen Wesens ihn auf, das Seine zu tun, und da konnte er, heute, nichts anderes tun, als was er nun wirklich tat: er packte die sieben Blätter ein, die Monatsbilder von Schwind, und fuhr, durch den leuchtenden Sommertag, hinaus vor die Stadt, zu dem vornehmen Haus am Waldrand, zu Herrn Stöber, seinem großen Widerspieler.

Dieser, schon im feldgrauen Kleid, denn als Hauptmann der Landwehr mußte er

unverzüglich fort, mit dem Abendzug noch gedachte er wegzufahren, hatte genug zu tun mit Ferngesprächen, Kofferpacken und beruflichen Anweisungen, in der Diele auf und nieder schreitend, von der stillen Frau, von der Dienerschaft wie von Schatten begleitet. Bei offen stehenden Türen, unangemeldet, denn wer wäre zu dieser Stunde erwartet worden, war der unverhoffte Gast hereingetreten, stand er vor dem erstaunten Herrn Stöber, der beinahe schon ganz Soldat, jedenfalls Sammler in diesem Augenblick mit keinem Zoll mehr war, stand also vor ihm wie ein Bote aus einer abgesunkenen Welt. Und flammend rot, unterm süßen Schwall dieses Aufbruchs, die Augen fest auf jenen gerichtet, der ihn starken und liebenden Blickes ansah, hielt er ihm den Umschlag hin, von dem, unbesehen, Herr Stöber wußte, was er barg, und sagte, daß er nun doch tauschen wolle.
Der Hauptmann nahm die Blätter, er mußte sie ja nehmen, wie sie ihm hingestreckt wurden, und sagte »gerne!« und nichts sonst, denn was hätte er sprechen sollen, wo alles strömte in einer mächtigen und holden Wallung, die heraufquoll bis in die Kehle, und wo alles in eine Musik einmündete, vor deren heiligem Klingen die Zeit den Atem anzuhalten schien, einen Herzschlag lang, diese Sternstunde der Völker, denn, wir sagten es schon, es ist ein Schicksal, das die Welten lenkt und jede einzelne Brust.
Die Wandlung war geschehen, der wesentliche Tausch mit Geheimniskraft vollzogen, nun gaben sie sich die Hand, das Gespräch begann, der Doktor ward der Hausfrau vorgestellt, während Herr Stöber die Umhüllung zu lösen begann, um einen Blick auf die Blätter zu werfen. Das habe, meinte der Besucher und wollte sich eilig entfernen, noch später Zeit, aber das ließ Herr Stöber nicht gelten. Mit wenigen Schritten war er an seinem Schrank, nicht allzulange wählte er unter seinen Mappen, und ohne diesmal der Frau zu achten, die ihn streng an seine knappe

Frist mahnte, breitete er Blatt um Blatt vor dem Gaste aus. Nicht ohne Bedacht, was ihm selbst unentbehrlich schien, aber doch mit großem und freudigem Herzen, schlug er dem Zögernden die Tauschstücke vor, und als dränge er dies noch und jenes ihm auf, und der Doktor mußte verwundert erkennen, daß Herr Stöber, wie lange er auch seine Sammlung nicht mehr gesehen, noch allzugut ihre Lücken kannte und seine alten, unerfüllten Wünsche. Als der Beschenkte ging er zuletzt, der nur als Schenkender hatte kommen wollen. Und, nach dem Kriege, so lachte der Hauptmann, und es war ihm froh und jung zumute, nach dem Kriege wollten sie wieder ihre Sammlungen anschauen und, fügte er scherzend hinzu, er wolle dann sehen, was er, der Zauberlehrling, gelernt habe ohne den Meister.
Bis tief in die Nacht saß Doktor Eigenbrot über seinen neuen Blättern, und ihre Schönheit ward von innen her noch überglänzt von der Freude, daß er den Freund sich zurückgewonnen und daß nun, wer weiß wie bald, glückliche Tage kommen würden.
Andern Morgens aber, um acht Uhr, stand er im Kasernenhof, alte Kameraden begrüßten sich, eine männliche Welt tat sich auf, rasch vertraut, als wäre sie nie anders gewesen, mit Einkleiden und Antreten und Bettenbauen, wenn man nur nicht zimperlich war, sondern herzhaft gesonnen, mitzuschwimmen in diesem breiten und mächtigen Strom des Volkes. Freilich, Doktor Eigenbrot war nur bedingt tauglich, einer Verwundung wegen, die er von Ypern davongetragen, 1914 schon, und deshalb war er ja auch nicht Hauptmann und nicht Leutnant, ein Gefreiter war er nur, und als Schreiber mußte er alsbald in der Heimat Dienst tun und auf der Karte nur verfolgte er, wie das wütende Gewitter hinbrauste über Polen.
Hauptmann Stöber aber war dabei, er marschierte und kämpfte und auch um ihn schloß sich der eiserne Ring der Zeiten, dergestalt, als läge nicht zwischen den ersten Kugeln, die jetzt pfiffen, und den letzten, die er damals hatte pfeifen hören, das breite, das tausendfältige Leben von zwanzig übervollen Jahren, sondern als schmölze das alles zusammen zu einem feurigen Kern. Seiner Kunstschätze, seiner Sammlung gedachte er nicht in diesen atemlosen Tagen, oder es wirbelten höchstens die Blätter, die sorgsam gehüteten, flüchtig durch seinen Sinn, welker im Anhauch der Zeit als die, die der Herbst jetzt trieb über die polnischen Landstraßen. Aber diese letzte Begegnung holte er manchmal zärtlich aus seiner Brust; und auch er träumte davon, daß es die erste gewesen wäre von vielen.
Es war aber die letzte. Denn so wenige auch fielen in diesem polnischen Feldzug, so erstaunlich wenige, gemessen an dem ausgedehnten und erbitterten Kampf, der Hauptmann Stöber fiel, vor Lemberg, er fiel nicht als Bankherr, nicht als Bürger und schon gar nicht als Sammler, sondern als ein ganzer Soldat, als ein rundum fester und entschlossener Führer seiner Leute, von mehreren Kugeln getroffen, beim Sturm auf ein vom Feind besetztes Waldstück, wie er schon viele Stürme mitgemacht hatte in den Tagen vorher und ein Vierteljahrhundert früher, und dazwischen hatte er gelebt und einen Sohn gezeugt und bedeutende Pläne verwirk-

licht und eine Romantikersammlung angelegt, die berühmt war unter den Kennern. Dort, wo er fiel, oder nicht weit davon, wurde er begraben.
Der Krieg in Polen war zu Ende, es kam der strenge, zähe Winter, es kam der ungeheure Durchbruch im Westen, aber daheim, in Deutschland, war Frieden, und auch Doktor Eigenbrot war entlassen worden, er ging wieder seinem Beruf nach, und Herr Füchsl schrieb ihm wieder eine Karte, ab und zu, daß neue Ware hereingekommen sei und er um geehrten Besuch bitte.
Die Sammlung von Herrn Stöber wird im Frühjahr versteigert; die Frau löst den ganzen Haushalt auf, und von nichts trennt sie sich leichter als von den kostbaren Blättern. Als ein Hauptstück werden die zwölf Monatsbilder von Schwind bezeichnet, und es steht zu erwarten, daß Liebhaber den Preis hoch hinauftreiben werden.
Doktor Eigenbrot weiß noch nicht, ob er, mit allen Mitteln und, genaugenommen, weit über seine Verhältnisse, in diesen Kampf eingreifen und auf die Folge bieten oder ob er sie dahin gehen lassen soll, wohin sie es treibt. Denn er ist sich noch nicht klar darüber, ob ihm das Schicksal diese Blätter dreimal aufdrängen oder dreimal hat entreißen wollen, um ihn zu prüfen, ob sein Herz stärker sei als die Dinge. Er weiß nicht, ob es ein Frevel ist, noch einmal nach ihnen zu greifen, oder ob der Geist des Toten ihm zürnt, wenn er sie fremden Händen überantwortet. Es lächle aber niemand solcher Ratlosigkeit; denn es kann hier keiner mitreden, der nicht die Höllen und Seligkeiten solcher Leidenschaft an sich selber gespürt hat.

Das Weihnachtsbild

Der altertümliche Herr, der dort kerzengerade, aber doch ein wenig wackelig, durch den nassen Dezembersturm geht, ist der Hofrat Farny. Kein Mensch weiß, warum er Hofrat ist, was er alles getrieben hat in seinem langen Leben, ob er Arzt war oder Gelehrter, Beamter vielleicht im alten Österreich; kein Mensch weiß auch, wovon er lebt, wovon er gelebt hat in all den Jahren, seit er hier aufgetaucht ist, in der mäßig großen fränkischen Stadt, in der er jetzt durch den nassen Schnee wandert, in einem schier dürftigen Winterrock, der windflatternd um seine Knie schlägt, den bartlosen Geierkopf unterm breiten Hut vorgestreckt, ohne Blinzeln in das Gestöber hineinblickend, ein verwetztes, leeres Mäppchen unter den Arm geklemmt.

Ja, das Mäppchen ist noch leer, er kann es gleichgültig halten, so oder so, es schadet nicht viel, ob es feucht wird, ob es der Wind aufblättert. Wenn er aber Glück hat, wird er es behutsam nach Hause tragen, mit köstlichen Erwerbungen gefüllt, alten Stichen und Steinzeichnungen, Pergamentmalereien oder Aquarellen, wie er sie, vielleicht, finden würde in den Läden und Gewölben der vier, fünf Trödler und Antiquare, die es hier gab. Er war ein Sammler, ein Liebhaber, ja; und wie ein Liebhaber zog er jetzt aus, das Abenteuer zu suchen. Feurige Gedanken und kühne Hoffnungen bewegten sein Herz; es konnte ihm gelingen, den großen Fang zu tun, den unwahrscheinlichen Schatz zu heben. Und wie ein Freier davon träumt, der Braut zu begegnen, sie zu gewinnen, sie heimzuführen, wie er davon schwärmt, des herrlichen, nicht mehr bestrittenen Besitzes sich zu freuen, so gedachte der alte Hofrat, die noch leere Mappe durch den Winternachmittag tragend, in ahnender Lust der wunderbaren Stunde, da er seine Eroberungen daheim, unterm Lampenlicht auf den Tisch breiten würde, nicht heute, nein, da wird er sich bezwingen; aber morgen abend, am 24. Dezember, da wollte er es tun. Zwei Pakete, von auswärtigen Händlern, Ansichtssendungen, hatte er schon zu Hause liegen; hatte sie nicht aufgemacht, wie sehr ihn danach verlangte. Dies sollte sein Weihnachten werden; seine Christbescherung. Mochten andere sich ein Bäumchen putzen, sich mit Geschenken überraschen — das lag weit hinter ihm. Zwei Frauen hatte er begraben, der einzige Sohn war ihm gefallen. Seitdem gehörte seine Liebe den kleinen Dingen am Rande der großen Kunst. Und wenn der Hofrat heute auszog, einen Fund zu tun, sein Weihnachtsgeschenk zu holen, dann dachte er nicht an meisterliche Kostbarkeiten; so unbescheiden kam er dem Schicksal nicht. Aber warum sollte er nicht das eine oder andere Blättchen finden, das wie für ihn bestimmt schien, das wie eine Sprosse war für die Leiter seiner eigenwillig ausgerichteten Sammlung, wohlfeil und doch nicht für alles Geld der Welt aufzutreiben, wenn es einem nicht der holde Zufall in den Weg warf. Und dieser Zufall, dieses Glück mußte heute mächtig sein. Der alte Mann witterte es. Mit dem gespannten

Ausdruck eines Jägers klinkte er die Türe des ersten Ladens auf, den er bei seinem Pirschgang besuchen wollte. Den ergiebigsten Platz freilich, wo er sich wirkliche Beute erhoffen durfte, sparte er sich bis zum Schluß auf: die Höllriegelsche Kunsthandlung an der Korbiniansbrücke.
Auf der Korbiniansbrücke stand in derselben Stunde ein anderer Herr müßig im leiser werdenden Schneetreiben, ein jüngerer Mann, gemessen am alten Hofrat, wohlvergraben im weichen Flauschmantel, mit festen Schuhen unbekümmert in der Nässe und schaute ins trübe Wasser hinab oder in die schon dämmernden

Straßen hinein, bis zur Kirche, deren Turm im Dunst verschwand. Er hatte Zeit dazu herumzustehen, er hatte mehr Zeit an diesem Nachmittag, als ihm lieb war. Weiß Gott, er war sonst ein eiliger Mann, in Hamburg, wo er daheim war, ein vielbeschäftigter, ein Architekt, Hansen hieß er und Zeit war Geld für ihn. Aber heute und hier, was sollte er treiben, den ganzen Nachmittag, in einer mittelgroßen, fremden Stadt. Er war mittags gekommen, eine wichtige Besprechung mit den Behörden war auf morgen früh verlegt worden, eine dumme Geschichte, er mußte den Mittagszug noch erreichen, wenn er am Christabend, spät genug, noch daheim sein wollte.
Und was er morgen an Zeit zu wenig haben würde, das hatte er heute zu viel, er stand herum, zum Wein konnte er doch noch nicht gehen, was sollte er sonst den Abend tun, den ganzen Abend, der war noch lang genug zum Trinken und zum Sinnieren. Gewiß, hinterher, wenn er wieder im Zuge saß, würde es ihm einfallen,

daß er den und jenen Bekannten hier hatte, aber jetzt fiel ihm keiner ein. Er ging ein paar Schritte weiter, er sah gleichmütig in die Auslagen, voller passender Festgeschenke, für wen wohl passend, lächelte er, für ihn gewiß nicht. Er sah auch in die Fenster der Höllriegelschen Kunsthandlung, im halben Licht bot sich ihm ein Wust von Büchern und Trödel, von Möbeln, Teppichen, Bildern, Waffen und altem Kunstgewerbe. Und mit einmal lagen die nächsten Stunden freundlicher vor ihm: hier würde er sie verschmökern, in zielloser Jagd nach dem glücklichen Zufall.

Er trat ein, fragte das verlegen aufwachende Mädchen mit fröhlicher Gelassenheit, ob er sich, ohne bestimmte Kaufabsicht, umsehen dürfe, und ließ sich hier einen Krug, dort ein Bild zeigen, griff wohl auch selbst nach einem Buch oder einem Blatt und kam mehr und mehr mit dem Mädchen, das seine Schüchternheit vergaß, ins Plaudern. Im Hintergrund des weitläufigen Ladens fand er in einem Gestell eine Mappe, trug sie unters Licht und begann, sie zu durchblättern.

Der alte Hofrat hatte recht gewittert: der holde Zufall, das Glück war heute mächtig. Nach einer Reihe von belanglosen Dingen, als er schon ermüden wollte, fand der Architekt das entzückendste Bildchen, das sich denken läßt. Beileibe kein Werk von großer Kunst, ja offenbar überhaupt von der Hand eines Stümpers, aber ein Bildchen, in das jeder empfindsame Mensch verliebt sein mußte, auf den ersten Blick. Rührend gezeichnet und in sauberen, ein wenig grellen Wasserfarben getuscht, stellte es ein Biedermeierzimmer am Christabend dar. In der Mitte des Raumes stand der Gabentisch, mit einem hölzernen Reiter darauf, einem vierspännigen Planwagen und einer Puppenküche. Darüber zwei Christbäumchen, mit Lichtern geputzt und mit buntem Marzipan behängt. Der Vater steht dort, das jauchzende Jüngste im Arm, zwei Schwesterchen küssen sich, ein Bub schiebt ein Wägelchen, sein Geschenk, quer durch das Zimmer, Mutter und Großmutter aber schauen gerührt auf zwei weitere Geschwister, die ein paar arme Nachbarskinder bescheren. Auf dem mächtigen, weinroten Kanapee aber lehnt, völlig vergessen, eine allerliebst gekleidete Puppe.

Der Architekt fragte, so beiläufig er es in seiner Freude vermochte, was dieses Bildchen koste. Er machte sich insgeheim auf einen bedeutenden Preis gefaßt, entschlossen, ihn zu zahlen, wenn er nicht gar zu unsinnig wäre: Das Mädchen entzifferte die Auszeichnung und sagte stockend, als wäre es zu viel: Dieses Bildchen kostet fünf Mark. Der Kunde, der dreißig gerne gezahlt hätte und bei fünfzig kaum schwankend geworden wäre, griff unverzüglich in die Tasche und legte ein blankes Fünfmarkstück auf den Tisch.

Im selben Augenblick ging die Tür und aus dem Schneedunkel traten zwei Männer herein, zwei Greise, ein kleiner, wieselflinker, der dienernd voranging, und ein großer, bolzengerader, der starr stehenblieb, als er, mit einem Blick, den Fremden gewahrte, über die Mappe gebeugt.

Da habe er es noch gerade recht getroffen, rief der muntere Alte, er wisse ja, wann der Herr Hofrat zu kommen pflege, und er habe ihm ja auch was besonders Schönes hergerichtet; er wisse, was er einem alten Kunden zu Weih—; er blieb

mitten im Wort stecken, denn nun hatte auch er gesehen, daß die Blätter, die dieser Fremde durchforschte, eben die waren, die er für den Hofrat bestimmt hatte. Der Architekt merkte nichts von der heillosen Verwirrung, die ihn umgab und die auch das Mädchen ergriffen haben mußte unter dem bittern Schweigen des Hofrats und den zornigen und hilflosen Blicken ihres Großvaters. Gelassen schloß er die Mappe, in der nichts weiter seine Aufmerksamkeit erregt hatte. Der Händler griff mit allen Fingern danach: »Sie sind fertig, mein Herr? Sie haben nichts gefunden?« rief er gierig und warf einen erlösten, einen sieghaften Blick auf den Hofrat; auch dieser trat, wie aus einem Bann gelöst, hastig näher.
Der Architekt, ein wenig verwundert, aber nicht begreifend, sagte ganz ruhig, nein, er habe nichts weiter gefunden, außer diesem Bildchen, das er bereits gekauft und bezahlt habe. Fünf Mark, es habe wohl seine Richtigkeit, das Geld liege übrigens noch auf dem Tisch. Und er nahm das Bild, das von andern Blättern halb verdeckt gewesen war, und hielt es dem Händler hin.
Der zuckte schmerzlich zusammen; der Teufel hätte nicht tückischer wählen können als dieser zur Unzeit hergelaufene Kunde! Er hätte gar zu gern dem fremden Herrn dieses Bild wieder abgejagt, dieses Aquarell, das er seit einem halben Jahr verborgen gehalten hatte, um den Hofrat damit zu überraschen. Aber an dem Kauf war nicht zu drehen und zu deuteln. Sollte er den Preis für einen Irrtum seiner Enkelin erklären und eine verrückte Summe verlangen? Ja, wenn die geheime Zahl zweistellig gewesen wäre — aber hier stand deutlich ein einzelner Buchstabe! Und dem Herrn alles erzählen, die ganze Schuld auf das Mädchen schieben — er hatte einen Ausweg gefunden: »Nicht wahr, Herr Hofrat«, sagte er und blinzelte hinüber. »Sie hatten doch dieses Bild bereits fest erworben, es ist nur aus Versehen — meine Enkelin konnte nicht wissen —« Sein Versuch scheiterte an dem harten Blick des Hofrats, der kalt und mühsam hervorbrachte, indem er sich ein wenig altmodisch gegen den Architekten verneigte: er könne sich nicht entsinnen, es müßte bei dem bleiben, daß der Herr ihm zuvorgekommen sei, und einen Hirschen könne man nicht zweimal schießen. Und er fragte bescheiden, ob er das Blatt näher betrachten dürfe.
Der Architekt, der sich gern mit seiner Beute aus dem Staube gemacht hätte, denn es wurde ihm unbehaglich, gab mit ausgesuchter Höflichkeit dem alten Herrn das Bild. Der trat unter die Lampe und betrachtete es; was, betrachten! Mit den Augen verschlang er's, mit der Nase befuhr er's, mit den Lippen schmeckte er es; er würgte es gierig in sich hinein, dann wieder, wie vergessend, daß es ihm nicht gehöre, überglänzte er es mit seligen Blicken. Dies sei, sagte er endlich, das erste Bild, das ihm unterkomme, auf dem die Christbäume hängend, von der Decke herab, dargestellt seien. Und er erzählte, wie um einen Vorwand zu haben, das Blatt noch nicht weggeben zu müssen, vom alten Heidenbrauch des spukwehrenden Wintergrüns, lachte, daß der erste Pfarrer, der »gegen die waldnachteilige Verhackung der Weihnachtsbäume« gewettert hatte, ausgerechnet Dannhauser geheißen habe, und brachte eine Reihe von Schnurren und Anmerkungen vor, eifrig

redend, als gelte es, einen Zauberkreis von Worten um das Bild, das unselig verlorne, rasend begehrte und nach geheimem Recht ihm gehörige Bild zu schließen.
In der Tat benützte der Architekt denn auch die erste Lücke des Gesprächs, ihm die Beute zu entreißen, indem er auf die Uhr sah, etwas von höchster Zeit murmelte und die Hand, höflich aber bestimmt, gegen das Blatt hinstreckte. Der Hofrat genoß den unwiderruflich letzten Blick auf das geliebte Blatt mit trunkenen Augen; seine Hand zitterte, er stieß einen ächzenden Seufzer aus, dann hielt er es schwankend in die Luft, abgewandten Gesichts, wie verlöschend in Qual. Der Architekt, beschämt und unschlüssig, ob er etwas sagen sollte, nahm das Bild, rollte es zusammen, steckte es in die weite Brusttasche seines Mantels und verließ mit raschem Gruß den Laden, überzeugt, daß hinter ihm ein Wirbelsturm der Wut, der Verzweiflungen und Verwünschungen losbreche. Er kam sich, während er durch den inzwischen weiß und dicht gefallenen Schnee seinem Gasthof zustrebte, bald wie ein großartiger Glückspilz vor, bald wie ein flüchtender Attentäter. Das tapfere und hoffnungslose Gesicht des alten Herrn wollte ihm nicht aus dem Sinn, ja, es schwamm vor ihm her im zitternd rieselnden Schnee. Weiß Gott, wenn der Hofrat die zugeworfene Rettungsleine ergriffen, wenn er beschworen hätte, das Bild gekannt und so gut wie gekauft zu haben, ob er, der Architekt, dann die Scherereien des Rechtbehaltens auf sich genommen hätte. Ein ritterlicher Mensch, das war er, der wunderliche Kauz; wer weiß, was der alles erlebt hat, bis er so geworden ist! Ob ich auch einmal so werden würde, gierig auf ein Bildchen, kin-

disch, wenn ich's nicht bekomme — der alte Knabe hätte doch beinahe das Heulen angefangen. Ob ich so werde? Ich bin ja schon so! Einem armen Teufel sein Weihnachtsvergnügen nehmen, pfui! Hätt' ich's ihm doch gelassen! Kunststück, etwas entdecken, was für den andern vielleicht schon hergerichtet war. — Er schämte sich; auf der Stelle wollte er umkehren; aber der Trotz verbot es ihm. Und was ging ihn ein fremder Herr an. Und schließlich war es ein reizendes Bild, gut und gerne seine fünfzig Mark wert, auch wenn es nur fünf gekostet hatte. Einen so seltenen Fang läßt man nicht wieder fahren, einer flüchtigen Wallung des Herzens zuliebe.

Er ging auf sein Zimmer, holte das Bild aus der Tasche, betrachtete es, sorgfältig und ohne Überschwang. Sehr nett, dachte er, aber eigentlich nichts weiter. Wenn man es ohne Gnade beschaut, gibt es nicht viel her. Für den Hofrat freilich, den armen Alten, wird es zum verzehrenden Gaukelspiel des Unerreichten, schöner von Tag zu Tag — Der Unglückliche! Tut mir leid, aber — — —

Er warf wieder einen Blick auf das bunte Blatt, es gefiel ihm jetzt über die Maßen, nie würde er es hergeben. Der Hofrat — was kümmerte ihn der Hofrat! — wird jetzt auch heimgekommen sein, nichts wird er haben, um es auf den Tisch zu breiten, an das Bild hier wird er denken, mit brennendem Herzen.

Der Architekt schalt sich selber einen gefühlsseligen Narren, warf das Bild in die Tischlade, machte sich für den Abend zurecht und trat wieder ins Freie. Heute werd ich ordentlich eins trinken, dachte er. Und tat es auch. Über vieles wollte er nachdenken, ein einsamer Zecher, wie selten hatte er Muße dazu, so gut zu sitzen und die Gedanken schweifen zu lassen über die Jahre, die schon gelebten und die noch zu lebenden, ins Ungewisse hinein und mit welcher Kraft des Herzens. Aber wohin er seine Seele auch sandte, der alte Mann holte ihn ein, in hundert Verwandlungen, auf tausend Wegen kam er ihm entgegen, trat an den Tisch zu dem Trinkenden, flehte um das Bild.

Und jetzt erst recht nicht, sagte der Architekt und sagte es fast laut vor sich hin und setzte noch einen Schoppen drauf und noch einen. Und spürte doch, daß ihm das Bild nicht mehr gehöre.

Er ging spät in den Gasthof zurück, schlief schwer, erwachte wirr, sah, daß es schon hohe Zeit war, zu der Besprechung zu gehen, machte sich eilig fertig, frühstückte voll Hast und bestellte den Diener mit dem Koffer an die Bahn zu dem Mittagszug, mit dem er fahren wollte, den er unbedingt erreichen mußte.

Die Besprechung war anstrengend, der Architekt war ganz Fachmann und genauer Rechner, viel stand auf dem Spiel. Mit knapper Not wurde bis zur Mittagsstunde eine vorläufige Einigung erzielt, um 12 Uhr 36 ging der Zug, er stieg in das Taxi, auf dem Bahnhof war ein bewegtes Treiben, natürlich, am Tage vor Weihnachten! Mit dem Worte Weihnachten fiel ihm der Hofrat ein und das Bild — das Bild, das wahrhaftig jetzt im Hotel liegengeblieben war, im Schubfach!

Der Diener stand da mit dem Koffer. Es eilte sehr. »Hören Sie«, sagte der Architekt, »ich habe ein Bild liegengelassen —« »Wird nachgeschickt!« fiel ihm der Diener beflissen ins Wort. Aber der Reisende, indem er sich schon aufs Trittbrett schwang, lachte plötzlich, und es war das gute Lachen des Siegers, der sich selbst bezwingt: »Nein«, rief er, »nicht nachschicken! Tragen Sie es gleich, jetzt, sobald Sie heimkommen, zu dem Antiquar an der Brücke, er soll es dem Hofrat bringen, dem es gehört. Und die fünf Mark, die es gekostet hat, soll er seiner Enkelin geben, als Schmerzensgeld, denn sie wird genug gescholten worden sein!« Und der Diener rief, dem fahrenden Zug nach, ein wenig ungewiß, was der Auftrag bedeuten solle, er werde es genau so ausrichten. Und er wünsche dem Herrn fröhliche Weihnachten.

Der Zug war überfüllt, aber der Architekt fuhr erster Klasse, es kam ihm nicht drauf an, das war heute ein Abschluß von Hunderttausenden gewesen. Und er war noch vergnügter darüber, daß er eine Sache in Ordnung gebracht hatte, im Wert von fünf Mark. So billig, lachte er in sich hinein, so recht billig habe ich noch nie fünf Menschen eine Weihnachtsfreude gemacht: einem alten Mann, noch einem alten Mann, einem Mädchen, mir selber und, wenn ichs ihr erzähle, meiner Frau auch — und wenn ich ihr auch nichts mitgebracht habe als diese Geschichte. —

75 Jahre Münchner

Um die Jahrhundertwende, als München leuchtete, erblickte ich, am 24. Januar 1895, in dieser »Stadt des Volkes und der Jugend«, immerhin das Licht einer hellen (und vermeintlich heilen) Welt. Daß es der einzige Lichtblick war, will ich im Ernste nicht sagen, aber jeder Mitmensch wird zugeben, daß sich diese heile Welt seitdem oft genug bis zur Finsternis verdüstert hat, und daß auch das Zwielicht der Gegenwart wenig Glanz mehr aufkommen lassen will.

Ich soll nun zu meinem 75. Geburtstag mein Leben in all den Jahren beschreiben. Das ist nicht so einfach; denn das Dasein oder vielmehr Dagewesensein als Greis zu überblicken, richtig zusammenzusehen, ist uns wohl verwehrt, und das schöne Wort von Hofmannsthal bleibt ewig gültig, daß jeder Mensch das Geheimnis mit ins Grab nimmt, wie er eigentlich gelebt habe. Auch ich kann mich nur wundern — an die tausend Möglichkeiten, wie es, zum Glück oder Unglück, oft ums Haar hätte anders kommen können, darf keiner denken.

Im übrigen ist es schwer genug, allen Gedächtnistäuschungen zu entgehen; und auch wenn einer fest zu einem »schonungslosen Lebenslauf« entschlossen ist, ganz will er sein Licht doch nicht unter den Scheffel stellen, den die neidischen Zeitgenossen allzugern für ihn bereithalten.

Gottlob! Da sehe ich grade, wie ich die Feder ansetzen will, daß ich, erst vor fünf Jahren, zu meinem Siebzigsten, mich der Aufgabe, meinen Lebenslauf darzutun, bereits entledigt habe. Der Leser — ich selbst hätte es schon fast vergessen — erinnert sich vielleicht des kostenlos verteilten roten Werbeblättchens, darin meine Tage und Taten fein säuberlich aufgeschrieben sind. Für die, die das Heftchen längst in den Papierkorb geworfen haben, möchte ich das Wichtigste kurz wiederholen, neues ist ja in den fünf Jahren nicht mehr dazu gekommen, außer daß ich älter und unbeweglicher, die Welt aber moderner und bewegter geworden ist. Dafür aber, weil ja zu sogenannten Jubiläen doch was gedruckt werden muß, damit man nicht ganz vergessen wird, will ich ausführlicher die fünfundsiebzigjährige Geschichte meiner Heimatstadt München beschreiben, oder wenigstens die ersten fünfzig Jahre bis 1945; denn das weitere wissen ja die meisten Leser ohnehin: daß der Bauch dieser »Weltstadt mit Herz« immer größer geworden ist, daß an Stelle der Gemütlichkeit die Dynamik getreten ist, daß es keine Dienstmänner mehr gibt, aber auch keine »Dienstmädchen«; daß es schon fast als ein Verbrechen gilt, in einem Einfamilien-, statt in einem Hochhaus zu wohnen und daß es von München nach Pasing oder Solln nicht mehr so weit ist, weil der »Burgfrieden« — was für ein verschollenes, liebes Wort! — längst über diese Grenze hinausgewuchert ist. Autobahn-Knäuel und Elefantenherden von Hochhäusern sehen wir dort, wo die Schafe auf einsamer Heide weideten. »Feldmoching« war noch ein Spottwort unseres Großvaters.

Also, wie versprochen, ganz kurz vorweg mein Lebenslauf, wenn auch ein bißchen ausführlicher als der »DDR-Meyer« (Kenner mögen bestaunen, wie geschickt ich mich aus der leidigen Gänsefüßchen-Affäre gezogen habe!): »bürgerlicher Schriftsteller, bekannt durch besinnlich-humorvolle, politisch indifferente Gedichte (›Ein

Mensch‹ usw).«. — Recht viel mehr steht übrigens im Großen Brockhaus auch nicht. »Er lebte, nahm ein Weib und starb« — wäre ja schon zu viel, denn gestorben bin ich noch nicht.

Lehrjahre in Ettal und München, im Ersten Weltkrieg vor Ypern schwer verwundet, Student (Strich, Wölfflin, Kutscher). Jugendbewegter (»Werkschar«), 1922 Dr. phil., Dichter (1918 »Die Dinge, die unendlich uns umkreisen« — solche Titelungeheuer waren damals noch im Schwang) in der Reihe »Der Jüngste Tag«, im Kurt-Wolff-Verlag. Nebenbei, vielmehr hauptsächlich Journalist, ab 1927 Schriftleiter des Lokalen (das dümmste — weil unbedankteste —, was man werden kann!) bei den »Münchner Neuesten Nachrichten«; 1933 fristlose Entlassung, 1935 das große Los gezogen: »Ein Mensch« (seither mein eigentlicher Name!). 1938 die Buchbindermeisterin Klotilde Philipp geheiratet, zwei Söhne, Thomas (1944), jetzt Germanist, und Stefan (1948), Jurist. 1945 die Wohnung (samt großen Teilen meiner Sammlungen) in der Widenmayerstraße ausgebrannt. Stadtrat nur für drei Wochen (nachträglich als Glücksfall zu werten). Mühsame — und doch schöne — Jahre in Gern, im überfüllten Haus der Schwiegereltern. 1957 das Haus in Nymphenburg bezogen. 1960 drei schwere Operationen hintereinander, aber noch einmal davongekommen. 1965 Feier des 70. Geburtstages — Ende der Nachrichten.

Lexikalischer Nachtrag: Münchner Dichterpreis 1952 (1499 Mark, da grad in jenem Jahr die Stadt besonders sparsam war und ich mir obendrein das Geld durch die Post zustellen ließ; trotzdem beglückwünschten mich mehrere Leser zum sorgenlosen Lebensabend), Bayr. Verdienstorden, Großes Bundesverdienstkreuz, Plakette »München leuchtet«, Mitglied der bayr. Akademie der Schönen Künste — also alles, was geboten werden kann. Früher wäre ich noch Hofrat geworden.

Das alte München

Und nun, wie versprochen, ein paar Blicke auf das alte München, wie ich es erlebt habe. Natürlich gibt es noch ältere Münchner; wenn auch die ältesten, manch berühmter Bekannter, schon gestorben sind, leben doch noch fast hundertjährige, die sich an Ludwig II. erinnern und meiner spotten, weil ich auch schon mitreden will. Durchschnittliche Lebensläufe, wie ja auch dieser einer werden soll, bewegen uns doch eigentlich nur, wenn ihr Verfasser noch auf Erden weilt, der Bogen also noch gespannt ist. Von Toten, die noch Tötere schildern, erwarten wir Gewichtigeres. Der Reiz liegt darin, als Lebendiger von verschollenen Zeiten zu erzählen, von Urgreisen etwa, die über ein Jahrhundert hinweg dem Kinde noch die Hand gereicht haben. So ist, nur eines von vielen Beispielen, mein ältester »Zeitgenosse«, ein Benediktinerpater von Sankt Bonifaz, um 1810 geboren. Es gibt auch münchnerischere Münchner als mich; schon ihre Vorfahren etwa haben in der Löwengrube gewohnt, und ich habe es nur zum »Maxvorstadtler« gebracht.
Immerhin, ein Altbaier bin ich, ein Oberpfälzer und Niederbaier; lang ist meine Ahnenreihe nicht, sie endet bald bei Bauern in Saal und in Pfreimd. Nur meines Vaters Mutter, mit leicht schwäbischem Einschlag, reicht erwiesenermaßen bis zu Karl dem Großen zurück, über eine natürliche Tochter eines Grafen von Styrum.
Vor mir liegt eine Karte, die die Stadt in meinem Geburtsjahr 1895 zeigt. Wer sie nicht mit leibhaftigen Augen betrachtet, der glaubts nicht, wie klein München damals war. Und doch wars genau so ein Gernegroß wie heute; es fraß die dichtbesiedelten Vorstädte und, über meilenweite Felder hinweg, die Dörfer, in dreißig Jahren wuchs die Stadt fast ums Dreifache; gebaut wurde und gebaut, an allen Fenstern klebten Streifen: »Zu vermieten!«; um vierzig Mark im Monat bekam man eine moderne Dreizimmerwohnung, ein Bauplatz im damaligen Vorortbereich kostete samt Hochwald dreißig Pfennig für den Quadratfuß – freilich waren auch Gehälter und Löhne (bei zwölfstündiger Arbeit!) gering.

Wenn man gar an die öffentlichen Gebäude denkt, die damals, rund um die Jahrhundertwende, entstanden sind, dann ist unser heutiges Olympia samt Untergrundbahn nicht aufwendiger, wenn auch a) wegen des Verkehrs, b) wegen der Verkehrsstörung einschneidender.

Die St. Annakirche, die Paulskirche, die Bennokirche, die Maximilianskirche, der Wittelsbacher Brunnen, das Haus für Handel und Gewerbe (Börse), die Deutsche Bank, Stuckvilla, Theresiengymnasium, Bahnpost, Armeemuseum, Waisenhaus, Krankenhäuser, Friedhöfe, das Stadtarchiv, die Hackerbrücke, das Künstlerhaus, das Hofbräuhaus, der Nordfriedhof, die Kaimsäle, die Prinzregentenbrücke, der Friedensengel, das Nationalmuseum, das Müllersche Volksbad, der Justizpalast, das Prinzregententheater, das Rote Kreuz, die Kaufhäuser — all das wurde in den paar Jahren um 1900 errichtet oder in Angriff genommen, und oft stand ich mit dem grollenden Großvater an einer der Baustellen, und ich kann versichern, daß keiner der heutigen alten Münchner ärger über die jetzigen Zustände schimpfen kann als es die damaligen alten Münchner über die narrisch gewordene Stadt getan haben. Dabei ist zu bedenken, daß all die Bauten (einschließlich der Privatunternehmen, die ganze Straßenzüge, zum Beispiel das »steinerne Schwabing«, schufen) noch mit den herkömmlichen Mitteln errichtet wurden, und daß es von Maurern, Zimmerleuten, Mörtelweibern, Ziegelträgern und Brotzeitholern nur so wimmelte.

Trotzdem — noch standen die meisten der Adelspaläste wie der Herbergen, viel Grün war überall; wo heute die Technische Hochschule sich ausbreitet, sahen wir noch Neureuthers schönen Bau und gingen, wenn wir die »andere Großmutter«, nämlich die Mutter meines Vaters in der Gabelsberger Straße besuchten, an einem langen Bretterzaun entlang, dahinter Flieder und Holunder blühten. Der weite Weg nach Nymphenburg führte an Getreidefeldern und Gärtnereien vorbei, Menzing oder gar der Herzogpark waren eine unerforschte Wildnis, wo sich heute, in Holzapfelskreuth, der Waldfriedhof dehnt, pflückten wir noch lange Erdbeeren, und die jetzt so durchsiedelte Gegend um Allach war ein Paradies mit Orchideen und Türkenbund, Segelfaltern und Hirschkäfern, Fasanen und Eulen — zwei einsame Waldschenken waren, bis zum ersten Krieg, die einzigen Häuser bis Karlsfeld, wo sich der sagenhafte Millionenbauer sein Schlößchen ins dunkle Dickicht stellte. Das Dachauer Moos aber gar war ein Abenteuer, mit Hunderten von Kiebitzen, deren Eier wir suchten.

So weit und weiter kamen wir aber nur, wenn uns der Hausfreund Doktor Billinger, ein unermüdlicher Wanderer, mitnahm. Der Großvater Mauerer ging Sonntag für Sonntag mit uns zwei Buben auf das noch unabsehbare Oberwiesenfeld, wo wir uns die Hosentaschen mit den Hülsen der Platzpatronen füllten.

Des Bauens war kein Ende — 1899 das Neue Rathaus, Schulen und Gymnasien, ab 1906 auch das Deutsche Museum — ein Höhepunkt wurde wohl 1908 mit dem Ausstellungspark erreicht, der zugleich zeigte, wie modern München geworden war, wie nobel, wie zukunftsbewußt. Der Jugendstil feierte seine Triumphe; über die neuen Hausgeräte und die Moden sind schon Bände geschrieben worden. Gigerlanzug und Reformkleid, Humpelrock und Wespentaille und vor allem die Rodlerinnen und Radlerinnen in Pumphosen — wie viele Wandlungen hat auch der Münchner erlebt, wenn er alt geworden ist. Noch sahen wir die Hochräder und die Tandems, ja, die sechssitzigen Fahrräder mit Vereinsstandarte.

Vieles davon ist natürlich uns Buben um 1900 kaum bewußt geworden, wenn ich auch früh, durch meinen stadtbekannten Vater, die Ereignisse und Gestalten jener Zeit miterlebte, so daß ich von Pettenkofer, Hermann Lingg oder Lenbach einen lebendigen Begriff habe. Wir lebten in der Augustenstraße, wo sich das »Glasscherbenviertel« mit den Ausläufern der vornehmen Briennerstraße kreuzte, meist bei den Großeltern von der Mutterseite in einer noch ganz und gar biedermeierlichen Welt, gingen später in die nahe Luisenschule, waren keine kontaktarmen Kinder, denn aus allen Mietshäusern und Hinterhöfen quollen die Buben und Mädeln; zwischen Mülltonnen, Teppichklopfstangen und Lumpenballen spielten wir. Auch die Straßen waren noch ungefährlich. Die Bierwagen, oft noch mit Ochsen bespannt, fuhren langsam, die Droschken zottelten gemütlich, die Autos, selten genug, rasten noch nicht (ein Unfall am Stiglmayerplatz wurde dem rasenden Tempo von 12 Stundenkilometern zugeschrieben); später schlich die Linie 2 der Elektrischen (ich kenne noch die Pferde- und die Dampftrambahn!) so sanft dahin, daß der Großvater abends seine drei Windhunde durch die leeren Straßen neben der »Ringlinie« laufen lassen konnte; der Schaffner stand stramm und legte die Hand an die Mütze, wenn er sein Fünferl Trinkgeld bekam.

Da fallen sie mir alle ein, die unvergeßlichen, längst verschollenen Gestalten des alten Münchens: der Dienstmann an der Ecke, geduldig wartend, das Holzhacker-Ehepaar, die Trambahnritzen-Reinigungsdamen, die Scherenschleifer, die Laternenanzünder, die Postillone, trompetenblasend, die Milchmänner, die Eismänner (sowohl für die Eiskästen als auch die fürs Eisschlecken), die »Rumfahrer« mit Obst, die Krenweiberln in der fränkischen Tracht, die Kartoffel- und Krautbauern, die Hofsänger, die Stamm-Bettler, die »atonalen« Ausrufer und Ausruferinnen aller Art (»Leut, gehts raus, aus'n Haus, scheene, neue Erdäpfel...«), die Beerenfrauen (»Erdbeer, Mehlbeer, Taubeer!«...), die Tonnenfrauen mit Kratzeisen und Sack, die Schuster- und Bäckerbuben; sogar die erst viel später erschienenen »Roten Radler«, ein Triumph der Neuzeit, sind schon wieder verschwunden. Nur die braven Postboten gibts noch, die Tonnenmänner (freilich nicht mehr mit den zweirädrigen Pferdekarren) und, welch ein Wunder!, die Zeitungsfrauen, die uns, oft schon um vier Uhr früh, unser Leibblatt in den Postschlitz stecken.

Daß die herrlichen Hartschiere, die bunten Offiziere und Soldaten im Stadtbild fehlen, sei auch nicht vergessen. Die Kasernen waren ja fast alle im nächsten Umgriff. Noch kenne ich die Finsternis der Straßen, die Bogenlampen in besseren Gegenden gabs erst später, uns Buben zur Gaudi, wenn die Männer kamen, die Lampen von ihrer luftigen Höhe herunterzulassen — oft zischte es gewaltig, blendendes Licht blitzte auf. Die Petroleumlampen, die heute für teures Geld in den Altertumsläden verkauft werden, haben unsere Eltern auf den Speicher gestellt; das Gas, als offene Flamme oder die gefährlichen Spirituslampen mit dem empfindlichen Auer Glühstrumpf, waren eine große Errungenschaft.

Ich habe alles viel genauer in meinem Buch: »München, so wie es war« beschrieben, da sind auch viele rare Bilder drin, die mehr als Worte aussagen können.

Die gewaltige Lichtverschwendung ist vielleicht die größte Wandlung des Stadtbildes, beispielhaft auch auf der »Wiesn«, dem Oktoberfest, das plötzlich elektrifiziert wurde. Unvergeßlich die erste, märchenhafte Glitzerfront der orgelbrausenden »Biographen« — daß wir auf der »Wiesn« auch noch bei der »Völkerschau« die »Wilden« bestaunen konnten, deren Enkel heute als Staatsbesucher kommen, sei am Rande bemerkt.

Von 1904 an gingen wir, mein älterer Bruder und ich, in das weit entfernte Theresiengymnasium, durch den Poststall (verbotenerweise!) an der Dachauer Straße, am Maffei-Anger vorbei, auf dem bald das riesige Verkehrsministerium stehen sollte, durch die eben erst fertiggestellte Unterführung oder über den Bahnhof (alten Stils) und die Goethe- oder Schillerstraße, die auch damals schon häßlich, aber wenigstens nicht gefährlich waren. Der Bavariaring, er ist es längst nicht mehr, war als Viertel der Kommerzienräte gerade im Ausbau. Im Winter wurde dort das »Schillereis« aufgespritzt, einmal hatten mein Bruder und ich gegen Hingabe eines Zehnerls uns die Schlittschuhe so fest anschrauben lassen, daß wir sie nicht mehr herunterbrachten und auf eisernen Hufen heimtraben mußten. Das nur eins von hundert Erlebnissen, die ich erzählen könnte.

Damals wie heute lebten ein altes und ein neues München mehr oder minder friedlich nebeneinander (wie in den Bierhallen oder im Hirschgarten immer noch!), freilich vollzog sich der Wandel, besonders auch der Zuzug von Fremden, langsamer als jetzt, wo es ganze Stadtviertel gibt, aus denen kein bayrisches Wort mehr zu hören ist.

Das kleine München hatte noch keinen »Untergrund«. Der »Raubmörder« Kneißl war Gesprächsstoff für ein Jahr, die großen Ereignisse, die China-Expedition, den Burenkrieg, den russisch-japanischen Krieg lasen wir heimlich in der scheußlich bebilderten »Neuen freien Volkszeitung«, beim Untergang der »Titanic« und bei den Balkankriegen waren wir ja schon erwachsen.

Der Einfluß der Technik wird, so meine ich, doch überschätzt. Die echten Münchner vor dem Ersten Weltkrieg änderten ihre Gewohnheiten nicht ohne weiteres mit dem elektrischen Licht, den ersten Autos und den bald weitverzweigten Trambahnen, an vielem nahmen sie einfach nicht teil; leben doch auch heute, trotz Fernsehantenne auf dem Dach, viele Münchner »in der Etappe« und nicht an der Front des 20. Jahrhunderts. Selbst den Mond halten sie noch für ein himmlisches Gestirn.

Auch ich, der Mittelklasse angehörend, bin vor 1914 nicht ins Café Luitpold oder ein besseres Restaurant gekommen, ins Hoftheater höchstens zum »Wilhelm Tell«; nur einmal betrat ich das Prinzregententheater; um eine Freikarte (Wert: 20 Goldmark!) nicht verfallen zu lassen, schickte mich mein Vater hin, wie ich grad verschwitzt und im Radlerdress heimkam; und ich saß höchst freudlos zwischen Frackträgern und übereleganten Damen, um »Die Feen« von Richard Wagner zwangszuhören. Wer heute das verlassene Festspielhaus im Vorüberfahren betrachtet, muß sich als alter Münchner mühsam des Glanzes erinnern, der von dieser Stätte aus über ganz München gestrahlt hat — und wenn er weiter denkt, stellt er fest, daß, auf den Kopf der Einwohner gerechnet, München weitaus rei-

cher an Kultur war als heute, wo ja im Zeitalter der Massenbeförderung nicht nur die Stadt, sondern der weiteste Umgriff Oberbayerns an dem, was München zu bieten hat, teilnehmen will — womit freilich nicht gesagt sein soll, daß etwa das Nationalmuseum, der Botanische Garten oder der Tierpark dem Andrang des Volkes nicht mehr gewachsen wären.
Eines Vorkriegserlebnisses muß ich eigens gedenken: des Fürstentages in Kelheim, im Sommer 1913. Als Hilfsberichterstatter sah ich ganz aus der Nähe in die harfendurchtönte Befreiungshalle sämtliche Bundesfürsten, den Kaiser an der Spitze, einziehen — welch eine Vielfalt von Uniformen und glanzvollem Prunk —, es werden nur noch wenige Augenzeugen dieses Tages leben.
Ein Jahr später gingen in Europa die Lichter aus. Als wir Absolventen am 28. Juni 1914 harmlos vergnügt von einem Ausflug zurückkehrten, war die Nachricht vom Mord von Serajewo an allen Straßenecken angeplackt. Gewiß hat nie ein Blitz aus heiterem Himmel eingeschlagen; aber nur, wer es selber erlebt hat, kann sich das lang hinziehende Donnergrollen, das Schwanken zwischen Furcht und Hoffen vorstellen, bis dann, am 2. August erst, die Flammen des Weltkrieges auflohderten. Den ganzen Juli hindurch verlebten selbst wir nächstbetroffenen jungen Männer die schönsten Sommerferien, höchstens, daß wir den angekündigten russischen Autos auflauerten, die Gold über die Grenze schaffen sollten. Dann freilich, nach der Mobilmachungserklärung, entlud sich die gestaute Spannung in wilden Massenszenen, die bei näherem Zusehen nicht durchwegs so erhebend waren, wie sie vielleicht in die Geschichte eingehen. Der Mordgier der außer Rand und Band Geratenen, der Weiber besonders, wäre auch ich beinahe zum Opfer gefallen: als Berichterstatter machte ich mir in der Nähe des Glaspalastes ahnungslos Notizen für ein Stimmungsbild des Truppenausmarsches, als ich mich plötzlich von einer Horde von Wütenden umringt sah, die mit dem Gebrüll: »Ein Spion, ein Spion!« auf mich eindrang. Schnellen Fußes durchbrach ich den Ring meiner Verfolger und flüchtete zu den Soldaten — zu meinem Glück traf ich auf einen mir wohlbekannten Leutnant, der, natürlich schallend lachend, mich in den Schutz der Truppe nahm; aber zwei Stunden oder länger dauerte es, bis sich die mit Stöcken und Steinen drohende Schar verlaufen hatte und ich wieder, ängstlich genug, meines Weges gehen konnte.
Ich habe das so ausführlich erzählt, um einen Gesamtblick auf das jäh wechselnde Volksgefühl zu tun, auch im gemütlichen München. Es sind ja im Grunde dieselben Leute, die da als Statisten großer Ereignisse mitwirken: die etwa bei den schönsten Faschingszügen nur »stadlustig« die Straßen säumten, die, wenn bei den großen Feiern der Schützen- und Turnerfeste oder gar des Deutschen Museums die ganze Stadt in eine Woge von Fahnen, Fichtengrün und Blumen aufwallte, kaum in sichtbarer Lebensfreude mitschäumten, ja, der einst so mächtigen und prächtigen Fronleichnamsprozession nur in stiller Andacht beiwohnten: dieselben Leute — oder wenigstens ein Teil von ihnen — waren es, die 1918 und 1919, die 1924, beim Hitlerprozeß, 1933 und 1938 in eine dumpfdrohende oder gar wut-

speiende Raserei verfielen. Ich, der ich solchen Wandel des Stadtbildes ein halbes Jahrhundert lang miterlebt habe, kann es meinen Söhnen nicht erklären, wie es war; weder die wirkliche Märchenpracht des vorkriegs-festlichen München (die einzige spätere Ausnahme des Tages der deutschen Kunst wollen wir aus dem Spiel lassen) noch die beängstigende Ballung der Massen, sei es die ungezügelte, wilde des Aufruhrs oder die fast noch bedrohlicher wirkende, gedrillte der Aufmärsche auf dem Königsplatz, den ja die älteren Münchner als eine löwenzahnübersäte, friedliche Wiese kennen, auf der niemand zu fürchten war als der Aufseher, der darüber wachte, daß wir Buben die Grünflächen nicht betraten oder auf den Eisenstangen der Einfriedung herumturnten.

Um im münchnerischen Lebenslauf fortzufahren: nicht als Kriegsmutwillige, sondern als überzeugte Verteidiger des bedrohten Vaterlandes eilten wir zu den Fahnen (die es, bis zu den Lehren der ersten Sturmangriffe noch wirklich gab!), wurden in den Brauereien (Menage aus den Maßkrügen!), Altersheimen und Schulen behelfsmäßig untergebracht — wenige Wochen, nachdem ich, mit Band und Mütze geziert, das Wittelsbacher Gymnasium verlassen hatte, mit dem Schwur, es nie wieder zu betreten, lag ich auf Stroh in meinem alten Klassenzimmer, der »Konschuß« lief noch herum, fassungslos über die Entweihung seiner geheiligten Räume.

Auch der Krieg ließ mich, kühn gesprochen, nicht aus meiner Münchner Wiege fallen. Mit lauter Münchnern, freilich auch zusammen mit Adolf Hitler, rückte ich im Herbst 1914 mit dem »List«-Regiment ins Feld — und schon am letzten Oktobertag wurde ich vor Ypern durch einen Bauchschuß schwer verwundet. Nachträglich kann ich von Glück sagen, denn so rasch — wenn auch nicht schmerzlos — haben sich nur wenige den Ruhmestitel eines jungen Helden erworben. Auf einem Umweg über Hamburg kam ich nach München zurück, um in meiner alten Luisenschule, die noch warm war von Kindheitserinnerungen, Dienst als Schreiber zu tun, bis ich zeitweise zur Zeitung entlassen wurde.

Damals an der Universität, begann eine Zeit der Freundschaften, vorwiegend im Kutscherkreis. Den später so berühmten Theaterprofessor hatte ich schon 1913, noch im vollen Schmuck schwarzen Haupthaars, in Bogenhausen kennengelernt, der Schiller-Herausgeber hatte mich, auf Bitten meines Vaters, für einen Aufsatz über »die moralische Schuld der Jungfrau von Orleans« beraten, ohne verhindern zu können, daß auch diese Arbeit als ungenügend bewertet wurde.

Ein Zweig der Jugendbewegung, die »Werkschar«, wurde mir zur geistigen Heimat. Ich verfaßte einen Aufruf gegen die Herrschaft der Alten, der an Schärfe gegen die heutigen Umtriebe nicht zurücksteht. Einer meiner nächsten Freunde war Ernst Toller, aber diese Begegnungen zu schildern, wäre ein zu weites Feld. Auch über die Räterepublik, die Fluten von Flugblättern, die Schießereien vor unserem Haus, die wütende weiße Garde kann ich nur andeutend berichten. Wie alles nebeneinander läuft: während die Maschinengewehre knatterten, standen wir um Karten für die Matthäuspassion im Odeon an.

Von der Literatur an andrer Stelle — 1927 trat ich, der Not gehorchend, in die Redaktion der »Kuhhaut« ein. Rasch verdüsterte sich die Lage, die Nazis gewannen erst langsam, dann immer schneller an Boden, die »Münchner Neuesten« wehrten sich noch, aber 1933 wurden sie gleichgeschaltet. Am 24. April ging, von einem schwerbewaffneten SA-Mann begleitet, ein angstschlotternder Bote durchs Haus und verteilte die blauen Briefe. Binnen einer Stunde mußte ich meinen Schreibtisch geräumt haben. Im Augenblick war es zum Verzweifeln — hinterher sehe ich, daß ich dem »Führer« den Weg in die Freiheit verdanke. Leider wurde ich 1943 auf höhern Befehl wieder als kleiner Mitarbeiter dienstverpflichtet; als ich 1945, gegen meinen Widerspruch, von Oberbürgermeister Scharnagl in den Stadtrat gewählt wurde, rächte sich diese Pressezugehörigkeit bitter — Geschichten über Geschichten, die ich ein andermal erzählen will.

Das größte Ereignis während meiner Schriftleiterzeit war — von den schweren Eisenbahnunglücksfällen und dergleichen abgesehen — der Brand des Glaspalastes im Juni 1931. Da ich nur hundert Schritte weit weg wohnte, war ich der erste Augenzeuge der Katastrophe, bei der die wundervollen, unersetzlichen Bilder der deutschen Romantiker in Flammen aufgingen. Schon damals hielten viele Münchner den Brand für ein Fanal — und wirklich war, vierzehn Jahre später, die halbe Stadt in Schutt und Asche gesunken — auch meine herrliche Wohnung hoch über der Isar, samt meinen Barockmöbeln, Büchern und dem größten Teil meiner Graphiksammlungen.

Das Sammeln — um hier gleich ein Plätzchen für ein Einschiebsel zu finden — habe ich wieder angefangen; aber die alten Zeiten waren es nicht mehr; nicht zuletzt hatten die Zerstörungen des Kriegs die Bestände gelichtet, und nun seit Jahren ist es kaum noch möglich, ein gutes Blatt zu einem vernünftigen Preis zu erwerben. Da freut's einen alten Mann nicht mehr, auf die Jagd zu gehen oder auch nur das Gesammelte zu betrachten, denn nicht der Besitz, sondern der Erwerb ist das Glück.

Schmeichler sagen mir immer wieder, wie rüstig, wie lebendig ich mit meinen fünfundsiebzig Jahren noch sei — aber da verstell ich mich bloß. Auch ich muß, obendrein durch viele Krankheiten geschwächt, dem Alter meinen Zoll zahlen; geruhsam kann man mein Leben nicht nennen, noch habe ich viele Verpflichtungen, als alter und stadtbekannter Münchner und durch eigene Pläne als Schriftsteller.

Natürlich möchte auch ich nirgends anders leben als in München. Mehr als die Umluft der Gemütlichkeit ist es der Hauch von Freiheit, der immer noch die Stadt durchweht; mein viel zitierter Spruch: »Vom Ernst des Lebens halb verschont ist der schon, der in München wohnt« verliert zwar mehr und mehr an Gültigkeit, das, oder vielmehr die »volle Maß« wird nicht mehr geschenkt; aber zu den berühmten »drei Quarteln« reichts grad noch für einen wie mich, der just selber drei Viertel Jahrhundert hinter sich gebracht hat, so unheimlich sich die heimliche Hauptstadt auch entwickelt.

Einförmiger gehen die Tage dahin, beklagen kann ich mich nicht, im Kreis meiner Familie, im stillen, gartenumblühten Haus, mitten in München — wenn man bedenkt, was heute der Rand von München ist. Und immer wieder habe ich auf meinen Vortragsreisen übervolle Säle, erreichen mich Grüße meiner Leser, die beweisen, daß ich noch da bin, während so vieles hoch Gerühmte versunken ist. München hat sich verändert — ich bin eigentlich der gleiche geblieben durch alle die Jahrzehnte, deren Gewicht nur die wägen können, die so alt sind wie ich — oder noch älter. Allerdings, wir Greise sind nicht mehr so (unternehmungs-)lustig wie einst; aber auch der Jugend von heute scheint der Sinn für tolldreiste Streiche verlorengegangen zu sein; trotz sex und happening — der echte Humor ist rar geworden. Von langer Hand vorbereitete Feste, zu deren Gelingen die Künstler gratis das Ihre beitrugen, waren Münchens Ruhm. Wenn wir, selten genug, einander unsere »Viechereien« erzählen, klingt es wie im Märchen: es war einmal ...

Literarische Entwicklung

Wer immer hört, mein Vater sei Schriftsteller gewesen, der meint, viele Bücher hätten mich von Kindesbeinen an begleitet. Nichts da — außer einem verstaubten Lexikon gabs kein Buch, erst später bekam ich einen Karl May oder die »Deutschen Heldensagen«; diese wurden von der ganzen Familie — ausgenommen mein Vater — gelesen und mit Tränen benetzt. Mein Großvater besaß drei Bücher: eins über Münzen, einen Prachtband über China, den ihm ein Vertreter aufgeschwätzt hatte, und die Kulturgeschichte von Otto Henne am Rhyn, die wir aber nur an Sonntagen feierlich betrachten durften.

Hingegen gab es Berge von Zeitungen, eine Kopierpresse und einen »Schapirographen«, auf dem wir die Blätter mit Notizen abzogen, die ich dann schnellfüßig in die finsteren Höhlen der Redaktionen trug. Nichts hat sich in siebzig Jahren, auch in München, unter der Hand so geändert wie die Presse und ihre Mitarbeiter — besonders das »Lokale«, das noch weithin ein freies Jagdrevier war.

Als Kind schon war ich fest entschlossen, ein Zeitungsmann zu werden, und früh war ich tätig; sei es, daß ich eilig meinem Vater meldete, daß ein Droschkenpferd gestürzt war (was damals noch ausführlich gedruckt wurde), sei es, daß er mich in eine Veranstaltung schickte, bei deren Leiter ich erkunden sollte, ob alles programmgemäß verlaufen sei.

Furchtlos stieg ich, als Münchner Kindl verkleidet, aus einem Riesenkrug, um, in meines Vaters Versen, eine oft tausendköpfige Versammlung zu begrüßen. Zehn Jahre später, das sei hier vorauserzählt, war ich zu schüchtern, auch nur ein paar Worte öffentlich zu sprechen, weitere zehn Jahre später begann ich, angstvoll an den Text geklammert, meine Dichterlesungen, inzwischen sind es, Tischreden und dergleichen mit einbezogen, tausend und mehr geworden; sie haben mich durch das ganze deutsche Sprachgebiet bis hinunter zu den Siebenbürger Sachsen geführt, sie waren reich an Erfolgen, aber im Krieg und Nachkrieg noch reicher an beängstigenden Abenteuern.

Nach diesem Vorgriff wieder zurück in die Kindheit und Jugend. In Ettal dichtete ich den durchreisenden Prinzregenten an, verfaßte zu jedem Schulschluß eine — gottlob verschollene — Ballade und füllte ein liebliches Album mit lyrischen Gedichten. Einen »Sängerkrieg«, im Grünen ausgetragen, hätte ich beinah verloren, wenn nicht dem Sieger ein glattes Plagiat nachgewiesen worden wäre.

Kurz vor dem Krieg, noch als Pennäler in München, verdiente ich mit einem bestellten Lobspruch mein erstes Goldstück. 1915 bekam ich für eine Anekdote vom »Berliner Tagblatt« bare siebzig Mark, das verhältnismäßig höchste Honorar meines Lebens. Im übrigen waren die Honorare teils schäbig (zwei Pfennige für die Zeitungszeile!) teils fürstlich (hundert Goldmark für ein Gedicht in den »Fliegenden«, falls es ganzseitig illustriert wurde).

Während des Krieges und noch ein paar Jahre weiter — den ohnehin fragwürdigen Begriff der »goldenen Zwanziger« kann man freilich auf München nicht anwenden – gab es noch für einen jungen Dichter viele Möglichkeiten, sich bekannt zu machen. Im Hofgarten – aber nur am frühen Nachmittag im zweiten Café – versammelte sich vom Frühjahr bis zum Herbst fast alles, was Rang und Namen hatte; aber auch, wer nur im Verdacht stand, zu schreiben, wurde freundlich geduldet, falls er verstand, sich zwischen den feindlichen Klüngeln (etwa Bruno Frank – Alfred Wolfenstein) zu behaupten. Dankbar gedenke ich des liebenswerten Klabund, der als einziger sich ernsthaft meiner annahm und in meinem ersten, im »Jüngsten Tag« erschienenen Lyrikbändchen die »Hoffnung auf einen kommenden Stern« sah. Nicht ohne Wehmut kann ich daran denken, wie wenige der damals zukunftsfrohen Dichter heute auch nur dem Namen nach mehr bekannt sind.

In der »Jugend« erschien im Mai 1915 mein erstes Gedicht – es ist also die eigentliche Geburtsstunde des Schriftstellers. Eine Reihe weiterer Lyrik-»Veröffentlichungen« aber erreichten die Öffentlichkeit kaum. Dramen und Prosa sind, ungedruckt, 1945 verbrannt, einige erhielten den Erzählerpreis der Neuen Linie – ohne daß das zu weiteren (Er-)Folgen geführt hätte.

In der Galerie Caspari konnte man Berühmte, wie Hugo von Hofmannsthal, kennenlernen; auch die Kutscher-Abende vermittelten Beziehungen zu Großen, unvergeßlich ist mir ein Nachtgespräch mit dem furchtsamen Riesen Theodor Däubler, der mich jungen Mann immer wieder fragte, ob seine Lesung gut angekommen sei; bei Papa Steinicke kamen die Jüngeren (auch ich) zum Zuge. Viele gastfreie Häuser gab es, der Urenkel Schillers, Freiherr von Gleichen-Rußwurm, lud zu großartigen Tafelrunden wie zu sehr ästhetischen Tees ein, dort bekam auch ich Fühlung zu Wedekind, Heinrich Mann und vielen andern – freilich, so unbekümmert wie die späteren jungen Leute fiel ich nicht den Meistern ins Haus. Trotzdem, wollte ich alle aufzählen, die ich kennenlernte (von Valentin bis Giraudoux), müßte ich ein eigenes Buch schreiben. Vor allem kam ich ja dann als Redakteur mit vielen Weltberühmten ins Gespräch, aber die Begabung, solche Beziehungen auszubauen, hat mir seit je gefehlt, ein »Genie der Freundschaft« bin ich nie gewesen.

Ein geistiger Schwerpunkt war die Jugendbewegung, einer der vielen Kreise war die »Werkschar« – Stefan George, zu dem wir durch Karl Wolfkehl Verbindung hatten (gesehen habe ich den »Meister« nur flüchtig), war unser Idol. Nächtelang redeten wir mit einer im nachhinein kaum noch begreiflichen Begeisterung in den Studentenbuden: »Wer je die Flamme umschritt, bleibe der Flamme Trabant!« – und wo sind wir geblieben? Auch Buddha und Oswald Spengler waren unsere Leitsterne; »Der Untergang des Abendlandes« sollte dann allerdings ganz anders kommen!

Bedeutend wurde für die jungen Autoren die Gründung der literarischen Gesellschaft »Die Argonauten« durch Ernst Heimeran, unvergeßlich ist das Kerzenbankett zu Hans Carossas fünfzigstem Geburtstag – aber auch sonst fehlte kaum ein berühmter Name in der Vortragsreihe.

Als Hitler kam, was alles zu Ende, bis auf unseren »Stammtisch unter den Fischen« um Georg Britting, Paul Alverdes, Carl Hanser und Max Unold — auch diese Geselligkeit ist vorbei, wie ja auch der einst so großartige »Münchner Mittagsklub« zu einer kleinen Schar zusammengeschmolzen ist. Noch lebt der »Tukan-Kreis« als das letzte Licht des einst auch literarisch so leuchtenden München. Die »Bayerische Akademie der Schönen Künste«, nach dem Zweiten Weltkrieg gegründet, hat weltweiten Rang — aber wer die Liste ihrer Toten aufschlägt, der sieht mit Schmerz, wie viele Große dahingegangen sind.

Kurz muß ich meines Onkels Gege freundlich gedenken, des Dichters Gerhard Oukama Knoop, der, aus Rußland heimgekehrt, leider schon 1913 starb; er war mit Rilke, Thomas Mann und Ricarda Huch befreundet, nur diese habe ich wirklich erlebt; welche Möglichkeiten hätte ich haben können, »literarisch« zu werden.

Ganz kurz nur, weils alle Leser immer wieder wissen wollen: wie kam ich darauf, die Gedichte »Ein Mensch« zu verfassen, die das »Große Los« meines Lebens geworden sind? Um 1930 begann ich, fast zufällig, das eine oder andre nur so hinzuschreiben — noch war ich ja hauptberuflich ein Zeitungsmann. 1933, fristlos entlassen, bot ich die »heiteren Verse« herum, nur der »Simplicissimus« wagte, einen Verfemten zu drucken. Zehn Verleger lehnten ab, ein elfter in Weimar brachte das Buch heraus, schon bis 1944 erreichte es, vorwiegend durch die Soldaten, die Auflage von einer halben Million, jetzt hat es die ganze überschritten.

Weiter ist nicht viel zu melden; die literarische Presse hat, im wahrsten Wortsinn, kaum von mir »Notiz« genommen, aber »unzählige Dankschreiben«, meist wieder in der Form von »Menschgedichten«, auch aus dem Osten von Deutschland, beweisen mir, daß ich mich nicht vergeblich bemüht habe. Der sechzigste und der siebzigste Geburtstag (dieser mit hundert Hausgästen, Karl Richters herrlichem Cembalospiel und, mitten im Winter, Faßbier im Freien) zeigten, daß man in München noch Feste feiern kann. Seitdem ist es stiller geworden, wer so alt wird, soll sich nicht beklagen. Tempora mutantur et nos mutamur in illis — wir wandeln uns mit den Zeiten — aber sie tun das so schnell, daß ein Greis Mühe hat, noch ganz mitzukommen.

Wem dies alles zu langatmig scheint — er muß es ja nicht lesen —, dem sei gesagt, daß es nur ein winziger Bruchteil dessen ist, was ich zu erzählen hätte; vielleicht tu ichs noch, wenn ich dazu komme.

Inhaltsverzeichnis

Mensch, Unmensch und letzter Mensch

Phantastereien	9
Richtig und falsch	9
Märchen	10
Versagen der Heilkunst	10
Durch die Blume	10
Der Schäbige	10
Schicksal	11
Voreilige Grobheit	11
Verdorbener Abend	11
So ist das Leben	12
Der Lebenskünstler	12
Fremde Welt	13
Die Torte	13
Immer höflich	13
Selbstloser Rat	14
Für Fortschrittler	14
Arbeiter der Stirn	14
Weidmanns Heil	14
Der starke Kaffee	15
Das Stelldichein	15
Neuralgischer Punkt	16
Um vierzig herum	16
Beherzigung	16
Pech	17
Der Provinzler	17
Das Haus	18
Der unverhoffte Geldbetrag	18

Der Flegel	19	Die Abmachung	31
Frisch gewagt — —	19	Abdankung	31
Der Knicker	19	Unerwünschte Belehrung	32
Lebenslauf	19	Nur Sprüche	32
Der Besuch	20	Lebenslügen	32
Tücke	20	Metaphysisches	32
Finstere Geschichte	21	Bluter	32
Das Böse	21	Nur	33
Verhinderte Witzbolde	22	Bescheidenheit	33
Himmlische Entscheidung	22	Musikalisches	33
Zu spät	22	Vieldeutig	33
Leider	23	Kleinigkeiten	33
Immer dasselbe	23	Trauriger Fall	34
Unangefochten	23	Vergeblicher Wunsch	34
Wunderlich	23	Späte Einsicht	34
Verkappter Unmensch	23	Die lieben Nachbarn	34
Rarität	23	Der Fernruf	34
Der Trick	24	Überschätzung	35
Der Weltfremde	24	Umgekehrt	35
Die Uhr	24	Der Unmusikalische	35
Der vergessene Name	24	Erfreulicher Irrtum	36
Der Hilfsbereite	25	Börse des Lebens	36
Ein Gleichnis	26	Kettenreaktion	36
Der Schütze	26	Immer falsch	37
Warnung	26	Illustrierte	37
Entscheidungen	27	Der Fahrgast	37
Kontaktlos	27	Tempora mutantur	38
Hoffnungslos	27	Der Fachmann	38
Talent und Genie	27	Trost	38
Falscher Verdacht	27	Hoffnung	38
Verkannte Kunst	28	Menschen-Ruhm	39
Die guten Bekannten	28	Wohlstand	39
Nutzlose Qual	28	Falsche Erziehung	39
Die Antwort	28	O Tempora	40
Ungleicher Kampf	29	Begräbnis	40
Legendenbildung	29	Die Spanne	40
Die Postkarte	29	Falsche Rechnung	40
Der Urlaub	29	Nur nicht ärgern!	41
Lebensleiter	30	Das Wiedersehen	41
Technik	30	Die Prüfung	42
Der Termin	30	Ungleiches Maß	42
Briefwechsel	31	Hoffnungen	42

Voreiliges Mitleid	43	Unterschied	54
Geben und Nehmen	43	Roh-Köstliches	55
Partys	43	Bedrängnis	55
Der Gutmütige	43	Trübsinn	55
Das schöne Wetter	43	Wichtiger	55
Zerfall	44	Jung und alt	55
Der Pechvogel	44	Ersatz	56
Kleine Ursachen	45	Ermunterung	56
Halbes Glück	45	Gleichgewicht	56
Das Schlimmste	45	Privatpraxis	56
Versäumte Gelegenheiten	45	Zeit heilt	56
		So und so	56
		Selbstbedienung	56

Der Wunderdoktor

		Einschüchterung	57
		So und so	57
Blinddarm	49	Freizeitgestaltung	58
Erste Hilfe	49	Wandlung	58
Vorsicht!	49	Seelen-Heilkunde	58
Holde Täuschung	49	Zeit heilt	58
Zuversicht	49	Herzenswunden	58
Der rechte Arzt	50	Ausflüchte	58
Frage	50	Die Stütze	59
Klare Entscheidung	50	Der Fürsorgliche	59
Chirurgie	50	Beherzigung	59
Herz	51	Autosuggestion	60
Köpfliches	51	Vorteil	60
Hautleiden	51	Geschütteltes	60
Erkenntnis	51	Der Stärkere	60
Kranke Welt	51	Mahnung	60
Auf der Reise	52	Weissagung	61
Gegen Aufregung	52	Für Kahlköpfe	61
Antike Weisheit	52	Darum!	61
Behandlung	52	Das Geld	61
Marktschreiereien	53	Begegnung	61
Rekordsucht	53	Der Husten	62
Vorurteil	53	Ärger	62
Vergebliche Mühe	53	Einer für alle	62
Ernährung	54	Kreislaufstörung	62
Punktion	54	»Schein«-Behandlung	62
Gehabte Schmerzen	54	Einbildung	63
Lebenslauf	54	Schnupfen	63
Empfindlichkeit	54	Bitte	63

Vergebliche Warnung	63	**Limericks**
Stoßseufzer	64	
Patent	64	»Saubere Leinwand« 97
Zweifache Wirkung	64	Für Humanisten 97
Undank	64	Sternkunde 97
Mensch und Unmensch	64	Klage 97
Wohlfahrt	64	Entwicklung 97
Schlafmittel	65	Einsicht 97
Zum Trost	65	Verpaßte Gelegenheit 97
		Erst wägen … 98
		Leiden 98
Gute Reise		Leise Hoffnung 98
		Waldfrieden 98
Zugverspätung	69	Durch die Blume 98
Volle Züge	69	Ergänzung 98
Neuer Text	69	Die Sportgröße 99
Hochbetrieb	69	Noch schlimmer 99
Strohwitwer	70	Hinweis 99
Kartengruß	70	Peinliche Geschichte 99
Abschied	70	Folklore 99
Werbung, Werbung!	70	Kraftsprüche 100
Autos überall	72	Ein Ausweg 100
Individualisten	72	Cliquen-Wirtschaft 100
Stilles Dorf	73	Redefreiheit 100
Gruß vom Flugplatz	74	Vergeblicher Fortschritt 100
Aufschnheidereien	74	Bezahlter Scherz 100
Zu leicht befunden	74	Haushaltsorgen 101
Das Kursbuch	74	Schade! 101
Flüchtige Zeit	74	Der Heuchler 101
Kartengruß	75	Die Zimperliche 101
Die andern	75	Ausgleich 101
Fremdsprachen	75	Ein Glücksfall 101
Italienische Reise	76	
Ein Münchner in Italien	77	
Der alte Mann und das Meer	79	**Kunterbuntes Alphabet** 103
Das Taschentuch	81	**Lebenslauf in Anekdoten**
		Der neue Schirm 113
		Beim Bügeln 116
Kurze Suppenkunde	89	Kindliche Erwerbsquellen 118

Tante Möli	120	In der Fremde	190
Der fremde Herr	122		
Erinnerungsblatt	123		
Die Kanone	125	*Unter Brüdern*	
Die Schweinsblasen	129		
Die Braut	132	Flunkereien	195
Gute alte Zeiten	132	Technik	197
Ein Unvergessener	134	Das Affenhaus	200
Ludwig Thoma	136	Schneerausch	205
Der Lotterie-Weinkeller	136	Theologie	208
Die Freundin des Malers	139	Unter Brüdern	210
Ein Glücksfall	142		
Ein Mosbacher	143		
Milch	144	*Erzählungen*	
Rigorosum	146		
Der Ruhm	152	Der Bericht des Nachbarn	215
Reformen	155	Der Regenschirm	226
Straßenbahn	157	Die Fremde	240
Die vergessene Mappe	159	Die schöne Anni	252
Zeppelin	163	Die Perle	265
Fleisch	166	Die beiden Sammler	273
Die Plünderer	170	Das Weihnachtsbild	290
Der verwandelte Felix	174		
Der Mongole	177		
Zufall	181	*75 Jahre Münchner*	297
Glück muß man haben	183		
Kraepelin	186	Das alte München	301
Ein Verwechslung	188	Literarische Entwicklung	310